#과학은매일매일
#하루6쪽20일완성
#수능준비스타트
#과학기초하루시리즈

하루
수능

**Chunjae
Makes
Chunjae**

▼

저자	김연귀, 황은수
기획총괄	이성주
편집개발	박예슬, 김민준
디자인총괄	김희정
표지디자인	윤순미, 김지현
내지디자인	박희춘, 이혜미
제작	황성진, 조규영

발행일	2021년 2월 15일 초판 2021년 2월 15일 1쇄
발행인	(주)천재교육
주소	서울시 금천구 가산로9길 54
신고번호	제2001-000018호
고객센터	1577-0902
교재 내용문의	(02)3282-8833

시 작 은

하루
수능

이 책의 **구성과 특징**

수능 과탐 준비의 시작은 하루 수능!

하루 수능 지구과학 I은 혼자서도 단계적으로 공부할 수 있도록 한 입문서입니다.
하루에 6쪽씩, 일주일에 5일, 4주 동안 차근차근 기초를 완성할 수 있습니다.

1 이번 주에는 무엇을 공부할까? ❶, ❷

❶에서는 한 주 동안 공부할 내용을 알아봅니다. ❷에서는
기초 개념을 그림과 간단한 문제로 확인해 봅니다.

2 핵심 개념/개념 확인

그림을 살펴보며 핵심 개념이 무엇인지 파악하고, 개념 확인
문제로 핵심 개념을 잘 이해했는지 점검합니다.

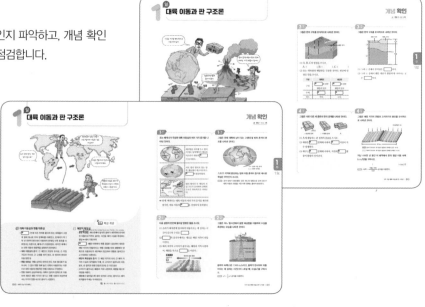

Features

③ 기초 유형 연습

대표 기출 유형 문제를 자세히 분석하여 기출 문제에 대한
감각을 익히고, 실력을 다집니다.

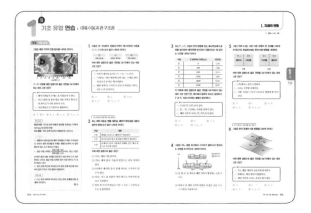

④ 누구나 100점 테스트

매주 공부한 내용을 바탕으로 다양한 기출 문제와 변형 문제
를 풀어 봅니다. 각주에서 공부한 내용을 다시 한 번 정리하
고, 실력을 점검할 수 있습니다.

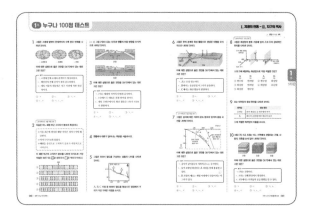

⑤ 창의 · 융합 · 코딩

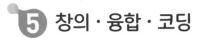

기출 문제 중 창의력이 필요한 문제, 복합 유형의 문제를
엄선하여 구성하였습니다. 5일 간 공부한 내용을 되짚어
보며 한 주를 마무리하세요.

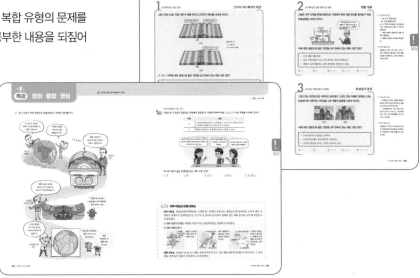

이 책의 차례

Contents

이번 주에는
무엇을 공부할까? ❶

Ⅰ. 지권의 변동 ~ Ⅱ. 지구의 역사

지금 우리가 보는 지표의 모습은 어떻게 만들어진 것일까?

중학 기초 개념

1 지권

내핵
외핵
맨틀
지각

나의 내부는 이렇게 구성되어 있어.

지권은 토양과 암석으로 이루어진 지구의 표면과 지구의 내부 영역으로, 대부분 고체 상태로 이루어져 있다.

Quiz ❶⬚⬚⬚⬚은 지각과 맨틀의 경계면이고, 이 경계면을 기준으로 ❷⬚⬚⬚⬚의 속도가 갑자기 빨라진다.

2 판

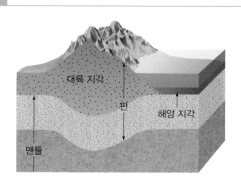

대륙 지각
판
해양 지각
맨틀

판은 지각과 맨틀의 상부를 이루는 단단한 암석층으로, 지구 표면은 약 10여 개의 큰 판으로 이루어져 있다.

Quiz 판은 판 아래 맨틀의 움직임에 따라 서로 다른 방향과 속력으로 이동한다. ❸⬚⬚⬚⬚은 ❹⬚⬚⬚⬚보다 두께가 두껍고 밀도가 작다.

3 대륙 이동설

안녕. 다음에 또 만날 날이 오겠지!

판게아

이젠 또 어디로 이동할까?

대륙은 과거에 하나로 붙어 초대륙인 판게아를 형성하였다가 여러 대륙으로 분리되어 현재와 같은 모습이 되었다는 학설로, 베게너가 주장하였다.

Quiz 대륙 이동의 증거로는 남아메리카와 아프리카 대륙의 해안선 모양의 일치, 북아메리카와 유럽 대륙의 산맥 분포, 대륙에 남아 있는 ❺⬚⬚⬚⬚의 흔적, 대륙에 공통으로 분포하는 ❻⬚⬚⬚⬚ 등이 있다.

4 맨틀 대류

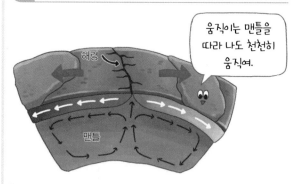

움직이는 맨틀을 따라 나도 천천히 움직여.

해령
맨틀

지구 내부의 맨틀은 고체 상태이지만 온도가 높아서 유동성을 띠고 있다.

Quiz 맨틀 내부에서는 상부와 하부의 온도 차이에 의해 천천히 ❼⬚⬚⬚⬚ 운동이 일어나는데, 이 과정에서 맨틀 위에 떠 있는 대륙이 ❽⬚⬚⬚⬚한다.

답 ❶ 모호면 ❷ 지진파 ❸ 대륙판 ❹ 해양판 ❺ 빙하 ❻ 화석 ❼ 대류 ❽ 이동

5 지진대, 화산대

지진대는 지진이 활발하게 일어나는 띠 모양의 지역이고, 화산대는 화산 활동이 활발하게 일어나는 지역이다.

Quiz
지진과 화산 활동 같은 지각 변동은 ❶ [　　　]에서 주로 발생하기 때문에 지진대와 화산대는 판의 경계와 거의 ❷ [　　　]한다.

6 마그마

마그마는 지하의 암석이 높은 온도와 압력에 의해 부분적으로 녹아 생성된 고온(800~1200 ℃)의 물질이다.

Quiz
❸ [　　　]은 마그마가 지표로 흘러나와 기체 성분이 빠져나간 것으로, 식어서 굳어지면 암석이 포함하고 있는 알갱이(광물)의 크기가 ❹ [　　　] 암석을 주로 형성한다.

7 화성암

화성암은 지하 깊은 곳에서 만들어진 마그마가 지표로 흘러나오거나 지하에서 식어서 굳어진 암석이다.

Quiz
❺ [　　　]은 마그마가 지표 부근에서 빨리 식어서 만들어진 화성암이고, ❻ [　　　]은 마그마가 지하 깊은 곳에서 서서히 식어서 만들어진 화성암이다.

8 퇴적암

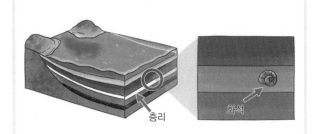

퇴적암은 퇴적물이 호수나 바다 등에 쌓인 후 다져지고 굳어져서 만들어진 암석이다.

Quiz
퇴적암에는 크기나 색이 다른 퇴적물이 번갈아 쌓인 줄무늬 모양의 ❼ [　　　]와 과거에 살았던 생물의 유해나 흔적이 남은 ❽ [　　　]이 나타난다.

❶ 판의 경계 ❷ 일치 ❸ 용암 ❹ 작은 ❺ 화산암 ❻ 심성암 ❼ 층리 ❽ 화석

1^일 대륙 이동과 판 구조론

핵심 개념

1 대륙 이동설과 맨틀 대류설

- **❶ [　　　]**: 현재 여러 지역에 흩어져 있는 대륙들이 고생대 말에 하나로 모여 판게아를 이루었고, 판게아가 약 2억 년 전부터 분리되어 이동하여 현재의 수륙 분포를 이루었다는 이론으로, 베게너가 주장하였다. 하지만 베게너는 대륙 이동의 원동력을 설명하지 못하였다.

- **대륙 이동설의 증거**: ① 해안선 모양의 유사성, ② 지질 구조의 연속성, ③ 고생물 화석 분포, ④ 빙하의 분포와 이동 방향 등

- **맨틀 대류설**: 맨틀 상부와 하부의 온도 차로 열대류가 일어나며, 그 결과 맨틀 위에 놓인 대륙이 이동한다는 이론으로 대륙 이동의 원동력은 맨틀 대류라고 주장한다.

- **맨틀 대류의 상승부에서는 대륙이 갈라져 양쪽으로 이동하며 새로운 해양 지각이 생기고, 맨틀 대류의 하강부에서는 지각이 맨틀 속으로 들어가 소멸한다.**

2 해양저 확장설
음향 측심법의 발달로 해양저 확장설이 더욱 지지되었다.

- **음향 측심법**: 해수면에서 발사한 음파가 해저면에 반사되어 되돌아오기까지 걸리는 시간을 재어 수심을 측정하는 방법 ➡ 해저 지형 파악

- **❷ [　　　]**: 해령 아래에서 맨틀 물질이 상승하여 새로운 해양 지각이 만들어지고, 맨틀 대류를 따라 해령에서 양쪽으로 이동하다가 해구에서 침강하여 맨틀로 들어간다고 주장하는 이론이다.

- **해양저 확장설의 증거**: ① 해양 지각의 나이, ② 해저 지각의 수심과 퇴적물의 두께, ③ 고지자기 줄무늬의 대칭 분포, ④ 열곡과 변환 단층의 존재, ⑤ 지진 분포

- 고지자기 줄무늬는 해령과 거의 나란하며, 해령을 축으로 대칭을 이룬다.

- 해령에서 멀어질수록 해저 암석의 나이는 많아지고 해저 퇴적물의 두께는 두꺼워진다.

1-1

표는 베게너가 주장한 대륙 이동설의 여러 가지 증거를 나타낸 것이다.

대서양을 사이에 두고 떨어져 있는 남아메리카 대륙과 아프리카 대륙의 ❶ ☐ 이 유사하다.

서로 멀리 떨어져 있는 양쪽 대륙에서 메소사우루스 ❷ ☐ 이 발견되었다.

멀리 떨어진 두 대륙의 지질 구조가 유사하며 산맥의 구조가 연속적으로 나타난다.

➡ 한계: 베게너는 대륙 이동의 여러 가지 증거를 제시하였지만, 대륙 이동의 ❸ ☐ 을 설명하지 못하였다.

1-2

그림은 현재 대륙에 남아 있는 고생대 말 빙하 흔적의 분포를 나타낸 것이다.

A와 B 지역에 분포하는 빙하 이동 흔적이 증거로 제시된 학설은 무엇인지 쓰시오.

Hint 과거 빙하가 분포했던 곳은 하나의 대륙으로 모여 있다가 대륙 이동의 과정을 거친 이후 현재는 흩어져 분포한다.

2-1

다음 설명의 빈칸에 들어갈 알맞은 말을 쓰시오.

(1) 음파가 해저면에 반사되어 되돌아오는 데 걸리는 시간이 길수록 수심은 ☐.

(2) ☐ 의 중심부에서는 새로운 해양 지각이 만들어진다.

(3) 해저 지각의 고지자기 줄무늬는 해령과 거의 나란하며, 해령을 축으로 ☐ 을 이룬다.

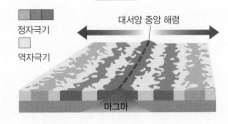

2-2

그림은 어느 탐사선에서 음향 측심법을 이용하여 수심을 측정하는 모습을 나타낸 것이다.

음파의 속력(v)은 1500 m/s이고, 음파가 반사되어 되돌아오는 데 걸리는 시간(t)이 4초일 때, 수심(d)을 구하시오.

Hint $d = \dfrac{1}{2}vt$ 공식을 이용한다.

대륙 이동과 판 구조론

📖 **핵심 개념**

3 판의 구조

- **연약권**: 깊이 약 100~400 km의 지역으로, 부분 용융 상태이므로 유동성이 있어 맨틀의 대류가 일어난다.
- **암석권(❶   )**: 지각과 상부 맨틀의 일부를 포함하는 두께 약 100 km의 단단한 부분
- 판은 암석권의 크고 작은 조각으로, 맨틀 대류에 의한 연약권의 움직임에 따라 이동한다.
- 암석권(판)은 대륙판과 해양판으로 구분한다.
  ① **대륙판**: 지각의 대부분이 대륙 지각인 판으로, 두께가 두껍고 밀도가 작다. 예 유라시아판, 북아메리카판 등
  ② **해양판**: 지각의 대부분이 해양 지각인 판으로, 두께가 얇고 밀도가 크다. 예 태평양판, 나스카판 등

4 판 구조론

- 판 구조론은 지구의 표면은 여러 개의 큰 판으로 이루어져 있으며, 판의 경계에서 상호 작용이 일어나서 지진이나 화산 활동과 같은 지각 변동이 일어난다는 이론이다.
- 판마다 이동 속력과 방향은 서로 다르다.
- 판은 발산형 경계, 수렴형 경계, 보존형 경계로 구분한다.
  ① ❷   **경계**: 맨틀 대류의 상승부로 새로운 판이 생성되고, 천발 지진, 화산 활동이 일어난다.
  ② **수렴형 경계**: 맨틀 대류의 하강부로 해양판이 대륙판 아래로 소멸되고, 천발~심발 지진과 화산 활동이 일어난다.
  ③ **보존형 경계**: 판의 생성이나 소멸이 없고, 천발 지진이 발생한다.

답 ❶ 판 ❷ 발산형

3-1

그림은 판의 구조를 모식적으로 나타낸 것이다.

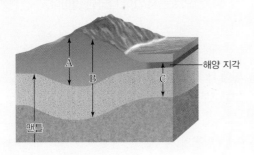

(1) A, B, C의 명칭을 쓰시오.

　A: (　　　　), B: (　　　　), C: (　　　　)

(2) 표는 대륙판과 해양판을 구분한 것이다. 빈칸에 알 맞은 말을 쓰시오.

구분	대륙판	해양판
구성	❶　　　　과 상부 맨틀의 일부	❷　　　　과 상부 맨틀의 일부
두께	❸　　　.	❹　　　.
밀도	작다.	크다.

3-2

그림은 판의 구조를 모식적으로 나타낸 것이다.

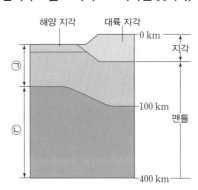

(1) ㉠과 ㉡ 중에서 암석권은 　　　이다.

(2) ㉠과 ㉡ 중에서 맨틀 대류가 활발하게 나타나는 곳 은 　　　이다.

4-1

그림은 서로 다른 세 종류의 판의 경계를 나타낸 것이다.

▲ 발산형 경계　　　▲ 수렴형 경계　　　A

(1) A에 해당하는 판 경계의 종류를 쓰시오.

(2) 해령은 ❶　　　 경계에 속하며, ❷　　　 지진이 자 주 발생한다.

(3) 해구는 ❶　　　 경계에 속하며, 지진과 ❷　　　 활 동이 활발히 일어난다.

4-2

그림은 해양 지각의 연령과 고지자기의 분포를 모식적으로 나타낸 것이다.

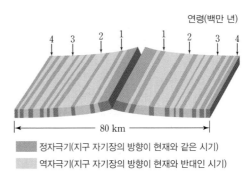

지난 400만 년 동안 이 해역에서 판의 평균 이동 속력 (cm/년)을 구하시오.

　　　(　　　　　　　　) cm/년

Hint 속력$=\dfrac{\text{이동 거리}}{\text{시간}}$ 공식을 이용한다.

기초 유형 연습 | 대륙 이동과 판구조론

대표 기출 유형

그림은 해양 지각의 연령 분포를 나타낸 것이다.

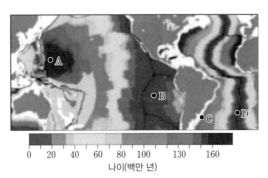

나이(백만 년)

A~D 지점에 대한 설명으로 옳은 것만을 〈보기〉에서 있는 대로 고른 것은?

── 보기 ──
ㄱ. 해저 퇴적물의 두께는 A가 B보다 두껍다.
ㄴ. 최근 4천만 년 동안 평균 이동 속력은 B가 속한 판이 C가 속한 판보다 크다.
ㄷ. 지진 활동은 C가 D보다 활발하다.

① ㄱ ② ㄷ ③ ㄱ, ㄴ ④ ㄴ, ㄷ ⑤ ㄱ, ㄴ, ㄷ

개념 point

판(암석권): 지각과 상부 맨틀의 일부를 포함하는 두께 약 100 km의 단단한 부분
지진 활동: 판의 경계 부근에서 활발하게 나타난다.

보기 풀이

ㄱ. 해령에서 멀어질수록 해저 퇴적물의 두께는 두꺼워진다. 따라서 해저 퇴적물의 두께는 해령으로부터 더 멀리 떨어져 있는 A가 B보다 두껍다.
ㄴ. 평균 이동 속력 $= \dfrac{\text{전체 이동 거리}}{\text{전체 걸린 시간}}$이다. 최근 4천만 년 동안 평균 이동 거리를 보면 B가 속한 판이 C가 속한 판보다 크므로, 평균 이동 속력은 B가 속한 판이 C가 속한 판보다 크다.
ㄷ. 판의 경계 부근에 위치한 D가 판의 경계 부근에 위치하지 않은 C보다 지진 활동이 활발하다.

함정 탈출

ㄷ. C는 판의 내부에 위치하고, D는 판의 경계(발산형 경계)에 위치한다.

답 ③

---

1 다음은 판 구조론이 정립되기까지 제시되었던 이론을 ㉠, ㉡, ㉢으로 순서 없이 나타낸 것이다.

㉠	㉡	㉢
대륙 이동설	해양저 확장설	맨틀 대류설

이에 대한 설명으로 옳은 것만을 〈보기〉에서 있는 대로 고른 것은?

── 보기 ──
ㄱ. 이론이 제시된 순서는 ㉠ → ㉢ → ㉡이다.
ㄴ. ㉠에서는 여러 대륙에 남아 있는 고생물 화석의 분포가 증거로 제시되었다.
ㄷ. 해령 양쪽의 고지자기 분포가 대칭을 이루는 것은 ㉡의 증거이다.

① ㄱ   ② ㄴ   ③ ㄱ, ㄷ
④ ㄴ, ㄷ ⑤ ㄱ, ㄴ, ㄷ

2019학년도 6월 학평 3번 변형

2 표는 대륙 이동설, 맨틀 대류설, 해양저 확장설을 내용의 일부와 함께 순서 없이 나타낸 것이다.

학설	내용
(가)	해령을 중심으로 해양저가 확장된다.
(나)	방사성 동위 원소 붕괴열로 맨틀이 대류한다.
(다)	판게아가 분리 이동하여 현재와 같은 대륙 분포를 이루게 되었다.

이에 대한 설명으로 옳은 것은?

① (가)는 대륙 이동설이다.
② (가)는 해저 탐사 기술의 발전으로 더욱 지지되었다.
③ (나)에서 제시한 증거 중에 하나로 고지자기 연구가 있다.
④ (다)는 지구 겉 부분이 여러 판으로 이루어져 있다고 주장한다.
⑤ 위의 세 가지 학설들은 (가) → (나) → (다)의 순으로 등장하였다.

3 표는 $P_1{\sim}P_6$ 지점의 연직 방향에 있는 해수면상에서 음파를 발사하여 해저면에 반사되어 되돌아오는 데 걸리는 시간을 나타낸 것이다.

지점	P_1로부터의 거리(km)	시간(초)
P_1	0	7.70
P_2	420	7.36
P_3	840	6.14
P_4	1260	3.95
P_5	1680	6.55
P_6	2100	6.97

이 자료에 대한 설명으로 옳은 것만을 〈보기〉에서 있는 대로 고른 것은? (단, 해수에서 음파의 속도는 일정하고, P_1과 P_6 지점 사이에는 해령이 분포한다.)

┌─ 보기 ─────────────────────┐
ㄱ. 수심은 P_1이 P_4보다 깊다.
ㄴ. P_3-P_5 구간에는 수렴형 경계가 있다.
ㄷ. 해양 지각의 나이는 P_4가 P_6보다 많다.
└──────────────────────────┘

① ㄱ   ② ㄷ   ③ ㄱ, ㄴ
④ ㄴ, ㄷ   ⑤ ㄱ, ㄴ, ㄷ

4 그림은 어느 해령 부근에서 고지자기 줄무늬가 형성되는 과정을 모식적으로 나타낸 것이다.

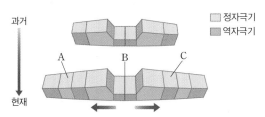

(1) A, B, C 중 새로운 해양 지각이 생성되는 곳을 쓰시오.

(2) A와 C 중 해양 지각의 연령이 더 많은 곳을 쓰고, 그 이유를 서술하시오.

5 그림 (가)와 (나)는 서로 다른 유형의 판 경계를 나타낸 모식도이다. 화살표(➡)는 판의 이동 방향을 나타낸다.

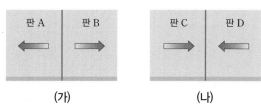

이에 대한 설명으로 옳은 것만을 〈보기〉에서 있는 대로 고른 것은?

┌─ 보기 ─────────────────────┐
ㄱ. (가)에서는 판이 소멸한다.
ㄴ. (나)는 수렴형 경계이다.
ㄷ. 심발 지진은 (가)가 (나)보다 활발하게 일어난다.
└──────────────────────────┘

① ㄱ   ② ㄴ   ③ ㄱ, ㄷ
④ ㄴ, ㄷ   ⑤ ㄱ, ㄴ, ㄷ

┌─────────────────────┐
│ 2019학년도 7월 학평 8번 변형 │
└─────────────────────┘
6 그림은 판의 경계와 이동 방향을 나타낸 것이다.

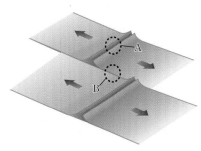

이에 대한 설명으로 옳은 것만을 〈보기〉에서 있는 대로 고른 것은?

┌─ 보기 ─────────────────────┐
ㄱ. A는 맨틀 대류의 상승부에 위치한다.
ㄴ. B에서는 화산 활동이 활발하다.
ㄷ. 해양 지각의 나이는 A보다 B가 많다.
└──────────────────────────┘

① ㄱ   ② ㄴ   ③ ㄱ, ㄷ
④ ㄴ, ㄷ   ⑤ ㄱ, ㄴ, ㄷ

대륙의 분포와 변화

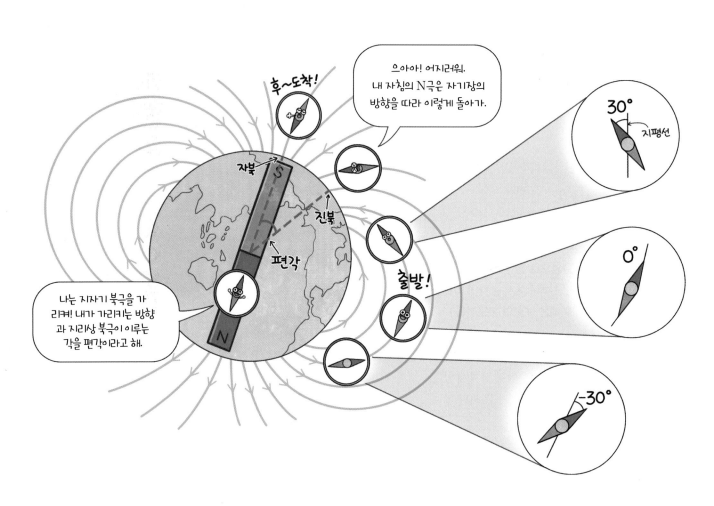

핵심 개념

1 지구 자기장

- **지리상 북극**: 지구의 자전축과 북반구의 지표면이 만나는 지점
- **지자기 북극(자북극)**: 지구 자기장을 지구 중심에 놓인 거대한 막대자석이 만드는 자기장이라고 했을 때, 막대자석의 S극 방향의 축과 지표가 만나는 지점
- 지리상 북극 방향을 진북, 나침반 자침의 N극이 가리키는 방향을 ❶ [   ]이라고 한다.
  진북과 자북도 일치하지 않음
- 현재 지리상 북극과 지자기 북극은 일치하지 않는다.
- 지구 자기장은 지구 자기력이 미치는 공간으로 외핵의 운동으로 생성되는 것으로 알려져 있으며, 지구 밖에서 들어오는 고에너지 입자를 막아 주는 역할을 한다.

2 편각과 복각

- **편각**: 지구 표면의 한 지점에서 진북과 자북이 이루는 각
- ❷ [   ]: 자기장의 방향이나 나침반의 자침이 수평면과 이루는 각으로, 자기 적도에서 $0°$, 자북극에서 $+90°$, 자남극에서 $-90°$이다. ─자기 적도에서 극으로 갈수록 복각의 크기가 커진다.
- 암석에 기록된 고지자기를 이용하면 암석이 생성될 당시 지자기 북극의 위치를 대략적으로 추정할 수 있다.
  ① 암석에 기록된 고지자기의 편각을 측정하면 그 암석이 생성될 때의 지리상 북극과 비교하여 지자기 북극이 어느 방향이었는지를 알 수 있다.
  ② 고지자기의 복각을 측정하면 암석이 생성될 당시 지리상 북극과 얼마나 떨어져 있었는지를 알 수 있다.

1-1

그림은 현재 지리상 북극과 자북극의 위치를 나타낸 것이다.

(1) 지구의 자전축과 북반구의 지표면이 만나는 지점은 지리상 [   ]이다.

(2) [   ]은 지구 자기장을 지구 중심에 놓인 거대한 막대자석의 자기장이라고 했을 때, 막대자석의 S극 방향의 축과 지표가 만나는 지점이다.

(3) 현재의 자북과 지리상 북극 방향인 [   ]은 일치하지 않는다.

(4) 지구에서 지구 자기장은 지구 밖에서 들어오는 [   ] 입자를 막아 주는 역할을 한다.

1-2

그림은 지구 자기장의 자기력선 모습을 나타낸 것이다.

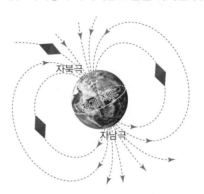

(1) 지구 자기장을 지구 중심에 놓인 거대한 막대자석이 만드는 자기장이라고 했을 때, 자북극과 자남극 중 (가) 막대자석의 N극에 해당하는 곳과 (나) 막대자석의 S극에 해당하는 곳을 쓰시오.

(2) 지구 자기장의 축은 지구의 자전축과 (일치한다 , 일치하지 않는다).

> **Hint** 막대자석의 N극에서는 자기력선이 나가고, S극에서는 자기력선이 모여든다.

2-1

다음 설명에 들어갈 알맞은 말을 쓰시오.

(1) 지구 표면의 한 지점에서 ❶[   ]과 ❷[   ]이 이루는 각은 편각이다.

(2) 나침반의 자침(자기장의 방향)이 수평면과 이루는 각은 [   ]이다.

(3) 암석에 기록된 광물의 고지자기 [   ]을 측정하면 암석이 생성될 당시 지리상 북극과 얼마나 떨어져 있었는지를 알 수 있다.

(4) 자기 적도에서 자북극으로 갈수록 복각의 크기는 [   ]진다.

2-2

그림은 어떤 지역에서 측정한 자기력선의 모습을 나타낸 것이다.

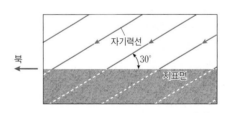

이 지역의 복각을 쓰시오.

> **Hint** 복각은 나침반의 자침이 수평면과 이루는 각이다.

2일 대륙의 분포와 변화

암석이 굳기 전 잔류 자기는 지구 자기장 방향으로 배열돼요.

이쪽이야!

알았어!

이제는 이쪽인데?

지구 자기장 방향이 바뀌어도 한 번 생긴 잔류 자기의 방향은 고정입니다.

난 이미 굳어져서 바꿀 수 없어…

암석이 생성 될 때

오랜 시간 후

현재

지자기 북극의 겉보기 이동 경로가 일치하지 않는 두 대륙의 지자기 북극을 일치시키면 과거에 두 대륙이 붙어 있었다는 것을 알 수 있어요.

지자기 북극이 두 개였던 건 아니랍니다.

과거에는 두 개의 지자기 북극이 존재했나?

유럽

북아메리카

단위: 억 년 전

📖 핵심 개념

3 고지자기와 잔류 자기

- **고지자기**: 마그마가 식어서 굳을 때나 퇴적물이 쌓일 때 기록된 과거의 지구 자기장이다.
- **❶ ⬚**: 암석에 기록된 과거 지구 자기장의 방향이다.
- 암석 내의 자성을 띠는 광물들은 암석이 굳기 전에 당시의 지구 자기장 방향으로 배열된다.
- 지구 자기장의 세기와 방향이 변해도 잔류 자기의 방향은 생성 당시의 방향 그대로 남아 있다.
- 여러 대륙의 자북극 이동 경로를 통해 과거의 대륙 분포를 추정할 수 있다.

4 대륙의 이동

- 지질 시대 동안 판의 운동에 의해 대륙의 분포는 변해 왔으며, 현재와 같은 수륙 분포는 **❷ ⬚**에 형성되었다.
- 현재 판의 경계에서 대륙의 이동 속력과 방향을 분석하면 미래의 대륙과 해양의 모습을 예측할 수 있다.
- 현재도 대륙은 느리지만 끊임없이 이동하고 있다.

▲ 고생대 말~중생대 초 (판게아)　　▲ 중생대 말　　▲ 현재

❶ 잔류 자기 ❷ 신생대

3-1

다음 설명에 들어갈 알맞은 말을 쓰시오.

(1) 마그마가 식어서 굳을 때나 퇴적물이 쌓일 때 기록된 과거의 지구 자기장을 [ ]라고 한다.

(2) 암석 내의 자성을 띠는 광물들은 암석이 굳기 전에 당시의 [ ] 방향으로 배열된다.

(3) 지구 자기장의 세기와 방향이 변해도 [ ]의 방향은 생성 당시의 방향 그대로 남아 있다.

▲ 생성 당시　　　▲ 현재

3-2

그림은 현재 대륙 분포에서 약 5억 년 동안 지자기 북극의 겉보기 이동 경로를 나타낸 것이다.

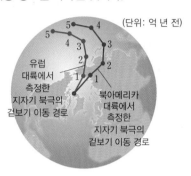

(단위: 억 년 전)

이에 대한 설명으로 옳은 것은 ○, 옳지 <u>않은</u> 것은 ×표 하시오.

(1) 과거에 지구에는 두 개의 지자기 북극이 존재했다.

(　　)

(2) 두 대륙에서 지자기 북극의 이동 경로가 다른 까닭은 대륙이 이동하였기 때문이다. (　　)

4-1

그림 (가), (나), (다)는 지질 시대 동안 대륙 분포의 변화를 순서 없이 나타낸 것이다.

 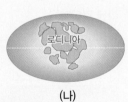

(가)　　　　　(나)

(다)

(1) 오래된 것부터 순서대로 나열하시오.

(　　　) → (　　　) → (　　　)

(2) (다)와 같은 수륙 분포는 어느 지질 시대에 형성되었는지 쓰시오.

4-2

다음은 대륙 분포의 변화를 순서 없이 나타낸 것이다.

> (가) 판게아가 형성되었다.
> (나) 히말라야산맥이 형성되었다.
> (다) 곤드와나 대륙과 로라시아 대륙이 분리되면서 대서양이 확장되었다.

대륙 분포의 변화가 오래된 것부터 순서대로 나열하시오.

Hint 판게아는 고생대 말에 형성되었고, 히말라야산맥은 신생대에 형성되었으며, 곤드와나 대륙과 로라시아 대륙의 분리는 중생대에 일어났다.

기초 유형 연습 | 대륙의 분포와 변화

대표 기출 유형

그림은 7100만 년 전부터 현재까지 인도 대륙의 위치 변화를 나타낸 것이다. 이에 대한 설명으로 옳은 것만을 〈보기〉에서 있는 대로 고른 것은?

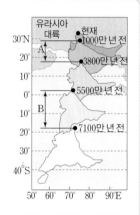

─ 보기 ─
ㄱ. 1000만 년 전에 인도 대륙과 유라시아 대륙 사이에는 수렴형 경계가 존재하였다.
ㄴ. 인도 대륙의 평균 이동 속도는 A 구간보다 B 구간에서 빨랐다.
ㄷ. 이 기간 동안 인도 대륙에서 생성된 암석들의 복각은 동일하다.

① ㄱ ② ㄷ ③ ㄱ, ㄴ ④ ㄴ, ㄷ ⑤ ㄱ, ㄴ, ㄷ

개념 point

이동 속도: ' $\dfrac{\text{이동 거리}}{\text{이동 시간}}$ '를 이용하여 비교할 수 있다.
복각: 자기장의 방향이나 자침이 수평면과 이루는 각

보기 풀이

ㄱ. 약 1000만 년 전에 인도 대륙과 유라시아 대륙이 충돌하여 히말라야산맥이 형성되었다. 히말라야산맥은 두 대륙판이 충돌하여 형성된 수렴형 경계의 대표적인 예이다.
ㄴ. A 구간은 2800만 년 동안 이동한 거리이고, B 구간은 1600만 년 동안 이동한 거리이다. B 구간은 A 구간보다 더 짧은 시간 동안 더 많은 거리를 이동하였으므로, 인도 대륙의 평균 이동 속도는 A 구간보다 B 구간에서 더 빨랐음을 알 수 있다.
ㄷ. 인도 대륙의 위도가 변화하였으므로 고지자기의 복각은 변화하였다.

함정 탈출

ㄷ. 인도 대륙은 남반구(고지자기 복각 (−))에 위치하였다가 적도를 지나 현재 북반구(고지자기 복각 (+))에 위치해 있다.

답 ③

1 그림은 어느 시기의 지리상 북극과 자북극 및 지표면 위의 세 지점 A, B, C의 위치를 나타낸 것이다.

이에 대한 설명으로 옳은 것만을 〈보기〉에서 있는 대로 고른 것은?

─ 보기 ─
ㄱ. 편각은 A보다 B에서 크다.
ㄴ. 복각은 C보다 B에서 크다.
ㄷ. B와 C는 같은 경도상에 위치한다.

① ㄱ ② ㄴ ③ ㄱ, ㄷ
④ ㄴ, ㄷ ⑤ ㄱ, ㄴ, ㄷ

2 그림은 서로 다른 두 지역 A와 B에서의 자기력선을 나타낸 것이다.

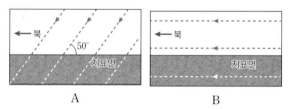

이에 대한 설명으로 옳은 것만을 〈보기〉에서 있는 대로 고른 것은?

─ 보기 ─
ㄱ. A에서 복각은 +50°이다.
ㄴ. B는 자북극에 해당한다.
ㄷ. A에서 자기 적도로 갈수록 복각은 감소한다.

① ㄱ ② ㄴ ③ ㄱ, ㄷ
④ ㄴ, ㄷ ⑤ ㄱ, ㄴ, ㄷ

3 그림은 인도 대륙 중앙의 한 지점에서 채취한 암석 A, B, C의 나이와 암석이 생성될 당시 고지자기 방향과 복각을 나타낸 것이다. (단, A, B, C는 정자극기에 생성되었고, 지리상 북극의 위치는 변하지 않았다.)

(1) A, B, C 중 생성될 당시 남반구에 위치했던 암석을 쓰시오.

(2) A, B, C의 고지자기 복각 크기를 비교하시오.

2016학년도 6월 모평 4번

4 그림은 1900년부터 2015년까지 자북극의 이동 경로를 나타낸 것이다.

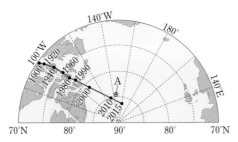

이에 대한 설명으로 옳은 것만을 〈보기〉에서 있는 대로 고른 것은?

┌─ 보기 ─────────────────────────┐
ㄱ. A 지점에서의 복각은 2010년이 1920년보다 크다.
ㄴ. 1900년 이후 현재까지 자북극은 일정한 속력으로 이동하였다.
ㄷ. 최근 100년간 자북극이 이동한 원인은 주로 지구 내부의 변화 때문이다.
└──────────────────────────────┘

① ㄱ   ② ㄴ   ③ ㄷ
④ ㄱ, ㄷ   ⑤ ㄴ, ㄷ

5 그림은 남반구에 위치한 어느 해령 주변의 고지자기 분포를 나타낸 모식도이다.

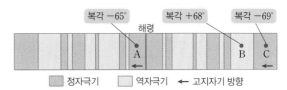

지점 A, B, C에 대한 설명으로 옳은 것만을 〈보기〉에서 있는 대로 고른 것은? (단, 진북의 위치는 변하지 않았다.)

┌─ 보기 ─────────────────────────┐
ㄱ. A의 해양 지각은 생성된 후 북쪽으로 이동하였다.
ㄴ. 해저 퇴적물의 두께는 A가 B보다 두껍다.
ㄷ. 복각의 크기가 큰 C가 A보다 고위도에서 생성되었다.
└──────────────────────────────┘

① ㄱ   ② ㄴ   ③ ㄱ, ㄷ
④ ㄴ, ㄷ   ⑤ ㄱ, ㄴ, ㄷ

2020학년도 11월 학평 2번 변형

6 그림은 서로 다른 시기 (가), (나), (다)의 대륙 분포를 나타낸 것이다. (가), (나), (다)는 각각 고생대 말, 중생대 말, 현재 중 하나이다.

(가)   (나)   (다)

이에 대한 설명으로 옳은 것만을 〈보기〉에서 있는 대로 고른 것은?

┌─ 보기 ─────────────────────────┐
ㄱ. 시간 순서는 (가) → (나) → (다)이다.
ㄴ. 해안선의 길이는 (가)보다 (나) 시기에 길다.
ㄷ. 히말라야산맥은 (다) 시기 이전에 형성되었다.
└──────────────────────────────┘

① ㄱ   ② ㄴ   ③ ㄱ, ㄷ
④ ㄴ, ㄷ   ⑤ ㄱ, ㄴ, ㄷ

3^일 맨틀 대류와 플룸 구조론

1 판을 움직이는 상부 맨틀의 운동 ┌─ 방사성 물질은 불안정하기 때문에 방사선을 방출하여 안정한 원소로 바뀐다.

- 맨틀 내에 존재하는 방사성 물질의 붕괴에서 나오는 열과 맨틀 상하부 깊이에 따른 온도 차이 등에 의해 **❶〔　　〕** 가 발생하고 맨틀 대류를 따라 연약권 위에 놓인 판이 이동한다. ┌─ 맨틀은 고체 상태이지만 온도가 높아서 유동성을 띤다.
- **맨틀 대류 상승부:** 대륙이 갈라져 이동하면서 해령이 형성된다.
- **맨틀 대류 하강부:** 해양판이 맨틀 속으로 들어가 소멸하면서 해구가 형성된다.

2 맨틀 대류 외에 판을 이동시키는 힘

- 맨틀 대류 외에 판 자체에서 만들어지는 물리적인 힘에 의해서도 판은 이동할 수 있다.
- ① **❷〔　　〕** 에서는 판을 밀어 내는 힘이 작용한다.
- ② 해구에서는 섭입하는 판이 잡아당기는 힘이 작용한다.
- ③ 암석권과 연약권 사이에서 작용하는 힘은 맨틀이 대류하면서 판을 싣고 가는 힘으로 작용한다.
- ④ 판이 중력에 의해 해저면 경사를 따라 미끄러지면서 힘이 작용한다.

1-1

그림은 판을 이동시키는 상부 맨틀의 운동을 나타낸 것이다.

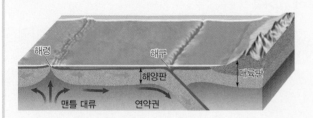

(1) 판을 움직이는 힘은 상부 맨틀의 [   ]이다.

(2) 해양에서는 맨틀 대류의 상승부에서 ❶[   ]이 형성되고, 맨틀 대류의 하강부에서 ❷[   ]가 형성된다.

(3) 해령에서 해구로 갈수록 해양 지각의 나이가 (적어 , 많아)진다.

1-2

그림은 상부 맨틀에서만 대류가 일어나는 경우의 모습을 나타낸 것이다.

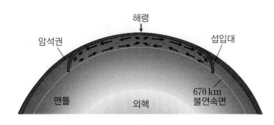

맨틀 대류를 발생시키는 원인 두 가지를 쓰시오.

(1) _____

(2) _____

> Hint 맨틀은 매우 느리게 열대류를 한다.

2-1

다음 설명에 들어갈 알맞은 말을 쓰시오.

(1) 맨틀 물질이 상승하면서 마그마가 분출하여 해양 지각을 생성할 때, 해령의 축에서 [   ] 방향으로 판을 밀어 내는 힘이 작용한다.

(2) 해양 지각이 해령에서 생성되어 이동하는 동안 냉각되어 무거워지고 중력을 받아 해구에서 침강하면서 기존의 판을 [   ] 힘으로 작용한다.

(3) 암석권과 [   ] 사이에서 작용하는 힘에 의해 맨틀이 대류하며 판을 싣고 간다.

2-2

그림은 판을 이동시키는 힘 A, B, C를 나타낸 것이다.

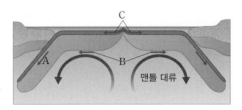

판에 작용하는 힘 A, B, C를 쓰시오.

(1) A: _____ 힘

(2) B: _____ 힘

(3) C: _____ 힘

> Hint 맨틀 대류 외에 판 자체에서 만들어지는 물리적인 힘에 의해서도 판은 이동할 수 있다.

3^일 맨틀 대류와 플룸 구조론

📖 **핵심 개념**

3 플룸 구조론

- 플룸: 지각에서 맨틀 하부로 하강하거나 맨틀과 핵의 경계에서 지각으로 상승하는 물질과 에너지의 흐름이다.
- ❶〔　　〕 구조론: 지구 내부의 변동이 플룸의 상승이나 하강에 의해 지배받고 있다는 이론으로, 판 구조론으로 설명이 어려웠던 판 내부에서 일어나는 화산 활동을 설명할 수 있다.
- 차가운 플룸: 수렴형 경계에 섭입된 판의 물질이 상부와 하부 맨틀의 경계부에 쌓여 있다가 밀도가 커지면 맨틀과 핵의 경계부까지 가라앉아 형성되는 차가운 하강류 ➡ 주변 맨틀보다 지진파의 전파 속도가 빠르다.
- 뜨거운 플룸: 차가운 플룸이 맨틀의 최하단부에 도달하면 핵에서는 차가운 플룸에 대한 열적 반응이 일어나고, 맨틀과 핵의 경계로부터 공급되는 열에 의해 온도 구조가

교란되어 물질을 밀어 올리는 작용이 일어나서 형성되는 뜨거운 상승류 ➡ 주변 맨틀보다 지진파의 전파 속도가 느리다.

4 열점

- ❷〔　　〕은 플룸 상승류가 지표면과 만나는 지점 아래에 마그마가 생성되는 곳으로, 열점 위에 위치한 지역에서는 화산 활동이 일어난다.
- 상부 맨틀에 의해 판이 이동해도 열점의 위치는 고정되어 있기 때문에 열점에서 생성된 화산섬이나 해산은 판의 이동 방향으로 배열된다. 예 하와이 열도
- 열점에서 분출하는 마그마는 외핵과 맨틀의 경계부에서 생성된다.

답 ❶ 플룸 ❷ 열점

3-1

그림은 지구 내부에서의 플룸 운동을 모식적으로 나타낸 것이다.

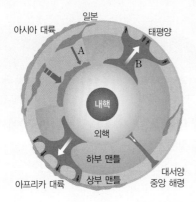

(1) A와 B 중에서 차가운 플룸은 **❶** [   ] 이고, 뜨거운 플룸은 **❷** [   ] 이다.

(2) A는 같은 깊이에 있는 주변의 맨틀보다 지진파의 전파 속도가 **❶** [   ] 고, B는 같은 깊이에 있는 주변의 맨틀보다 지진파의 전파 속도가 **❷** [   ] 다.

3-2

그림 (가)와 (나)는 차가운 플룸이 형성되는 과정을 순서 없이 나타낸 것이다.

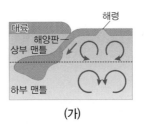 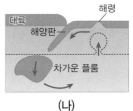

(가) (나)

(가)와 (나)를 시간 순서대로 나열하시오.

(   ) → (   )

4-1

그림은 전 세계의 판의 경계와 열점의 분포를 나타낸 것이다.

- 열점
— 판 경계

(1) 열점은 판의 경계보다는 판의 [   ] 에 주로 분포한다.

(2) [   ] 이 이동해도 열점의 위치는 고정되어 있다.

4-2

그림은 하와이 열도를 이루는 섬들의 위치와 암석의 나이를 나타낸 것이다.

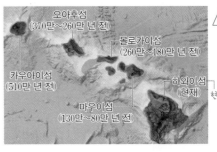

이에 대한 설명으로 옳은 것은 ○, 옳지 <u>않은</u> 것은 ×표 하시오.

(1) 열점 위에 위치한 지역에서는 화산 활동이 일어난다. (   )

(2) 하와이 열도가 포함된 판의 평균 이동 방향은 남서쪽이다. (   )

3 일 기초 유형 연습 | 맨틀 대류와 플룸 구조론

대표 기출 유형

그림은 태평양판에 위치한 하와이 열도의 각 섬들을 화산의 연령과 함께 나타낸 것이다.

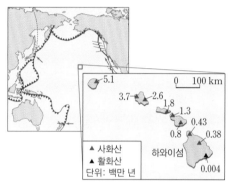

이에 대한 설명으로 옳은 것만을 〈보기〉에서 있는 대로 고른 것은?

보기
ㄱ. 태평양판은 일정한 속도로 이동하였다.
ㄴ. 하와이섬은 뜨거운 플룸의 상승에 의해 생성된 지역이다.
ㄷ. 새로 생성되는 섬은 하와이섬의 북서쪽에 위치할 것이다.

① ㄱ ② ㄴ ③ ㄷ ④ ㄱ, ㄴ ⑤ ㄴ, ㄷ

개념 point

열점: 뜨거운 플룸이 지표면과 만나는 지점 아래에 마그마가 생성되는 곳

보기 풀이

ㄱ. 거리에 따른 화산들의 연령이 일정하지 않으므로 태평양판은 일정한 속도로 이동하지 않았다.
ㄴ. 판 내부에 위치한 하와이섬에서 화산 활동이 일어나므로 하와이섬은 뜨거운 플룸의 상승에 의해 생성된 지역이다.
ㄷ. 북서쪽으로 갈수록 화산의 연령이 많으므로 태평양판은 북서쪽으로 이동하고 있다. 따라서 새로 생성되는 섬은 하와이섬의 남동쪽에 위치할 것이다.

함정 탈출

ㄷ. 그림에서 판은 북서쪽으로 이동하고, 고정된 열점 부근에서는 화산 활동이 활발하다.

답 ②

1 그림 (가)는 상부 맨틀에서만 대류가 일어나는 경우를, (나)는 맨틀 전체에서 대류가 일어나는 경우를 나타낸 것이다.

이에 대한 설명으로 옳은 것만을 〈보기〉에서 있는 대로 고른 것은?

보기
ㄱ. (가)는 열점의 생성 원인을 설명할 수 있다.
ㄴ. (나)는 맨틀과 핵의 경계에서 지각으로 올라오는 물질의 이동을 설명할 수 있다.
ㄷ. (가)와 (나) 모두 해저 확장과 섭입대의 형성을 설명할 수 있다.

① ㄱ ② ㄴ ③ ㄱ, ㄷ
④ ㄴ, ㄷ ⑤ ㄱ, ㄴ, ㄷ

2 그림은 맨틀 대류와 판에 작용하는 힘을 모식적으로 나타낸 것이다. A와 B는 해령에서 판을 밀어 내는 힘과 해구에서 섭입하는 판이 잡아당기는 힘 중 하나이다.

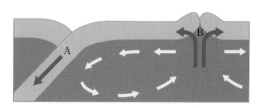

(1) A와 B 중에서 중력에 의해 발생하는 힘을 쓰시오.

(2) A와 B 중 발산형 경계에서 주로 작용하는 힘을 쓰시오.

(3) A와 B 중 플룸이 하강하는 곳에서 크게 작용하는 힘을 쓰시오.

3 그림은 우리나라가 속한 판 경계 부근의 진원(∘)과 지진파(P파)의 속도 분포를 나타낸 것이다.

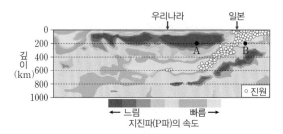

이에 대한 설명으로 옳은 것만을 〈보기〉에서 있는 대로 고른 것은?

── 보기 ──
ㄱ. 지진파의 속도는 A보다 B에서 빠르다.
ㄴ. 우리나라 하부의 차가운 플룸은 판의 섭입으로 형성된다.
ㄷ. 판의 이동에 의한 지진의 진원 깊이는 판의 경계에서 우리나라로 갈수록 얕아진다.

① ㄱ   ② ㄷ   ③ ㄱ, ㄴ
④ ㄴ, ㄷ   ⑤ ㄱ, ㄴ, ㄷ

4 그림은 뜨거운 플룸이 상승하는 모습을 나타낸 것이다.

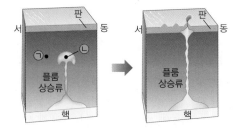

이에 대한 설명으로 옳은 것만을 〈보기〉에서 있는 대로 고른 것은?

── 보기 ──
ㄱ. 판은 서쪽으로 이동하였다.
ㄴ. 밀도는 ㉠ 지점이 ㉡ 지점보다 크다.
ㄷ. 뜨거운 플룸은 내핵과 외핵의 경계에서부터 상승한다.

① ㄱ   ② ㄷ   ③ ㄱ, ㄴ
④ ㄴ, ㄷ   ⑤ ㄱ, ㄴ, ㄷ

5 그림 (가)는 지구의 플룸 구조 모식도이고, (나)는 판의 경계와 열점의 분포를 나타낸 것이다. (가)의 ㉠~㉣은 플룸이 상승하거나 하강하는 곳이고, 이들의 대략적 위치는 각각 (나)의 A~D 중 하나이다.

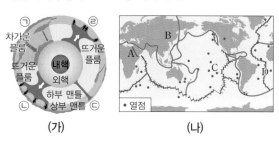

이에 대한 설명으로 옳은 것만을 〈보기〉에서 있는 대로 고른 것은?

── 보기 ──
ㄱ. A는 ㉠에 해당한다.
ㄴ. 열점의 위치는 판이 이동해도 변하지 않는다.
ㄷ. 대규모의 뜨거운 플룸은 맨틀과 외핵의 경계부에서 생성된다.

① ㄱ   ② ㄷ   ③ ㄱ, ㄴ   ④ ㄴ, ㄷ   ⑤ ㄱ, ㄴ, ㄷ

[2020학년도 6월 학평 15번 변형]

6 그림은 하와이 열도의 위치와 절대 연령을 나타낸 것이다.

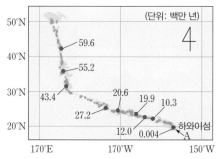

이에 대한 설명으로 옳은 것만을 〈보기〉에서 있는 대로 고른 것은?

── 보기 ──
ㄱ. 하와이 열도가 속한 판의 이동 방향은 남동쪽이다.
ㄴ. A 지역은 열점에 의해 형성되었다.
ㄷ. 하와이섬은 뜨거운 플룸이 상승하여 형성되었다.

① ㄱ   ② ㄷ   ③ ㄱ, ㄴ   ④ ㄴ, ㄷ   ⑤ ㄱ, ㄴ, ㄷ

변동대와 화성암

핵심 개념

1 마그마의 성질에 따른 화산의 형태

- **마그마**: 지하 깊은 곳에서 암석이 부분 용융되어 생성된 물질이다.
- 화산의 분출 형태와 화산체의 모양은 ❶ □□□ 의 성질에 따라 다르게 나타난다.

구분	현무암질 마그마	안산암질 마그마	유문암질 마그마
SiO_2 함량	52 % 이하	52~63 %	63 % 이상
온도	높다.	← →	낮다.
점성	작다.	← →	크다.
화산체의 경사	완만하다.		급하다.
유동성	크다.		작다.
화산의 형태	용암 대지, 순상 화산	—	종상 화산

└ 화산체를 형성하는 마그마의 점성, 유동성과 관련 있다.

2 마그마 생성

- **마그마 생성 조건**: 마그마 생성 장소 온도 > 암석 용융점
  ① 지구 내부 온도 상승, ② 압력 감소, ③ 물의 공급
- **마그마의 생성 장소와 생성 과정** 물이 공급되면 암석의 용융점이 낮아진다.
  ① **발산형 경계(해령)**: 해령 하부에서 고온의 맨틀 물질이 상승하면 압력이 크게 낮아져 맨틀 물질이 용융되어 현무암질 마그마가 생성된다.
  ② **수렴형 경계(섭입대)**: 해양 지각과 해양 퇴적물이 수렴형 경계에서 섭입할 때 광물에 포함된 물 방출, 맨틀 용융점 낮아짐 ➡ 현무암질 마그마가 생성되어 상승한 뒤 대륙 지각 하부를 용융하면 유문암질 마그마가 생성됨 ➡ 두 마그마가 혼합되어 ❷ □□ 질 마그마가 생성된다.
  ③ **열점**: 지하 깊은 곳에서 뜨거운 물질이 상승하면 압력이 감소하여 현무암질 마그마가 생성된다.

답 ❶ 마그마 ❷ 안산암

1-1

그림 (가), (나), (다)는 서로 다른 세 종류의 화산 형태를 나타낸 것이다.

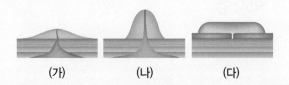

(가)   (나)   (다)

(1) (가), (나), (다)의 명칭을 쓰시오.

(가): (   ) 화산

(나): (   ) 화산

(다): (   ) 대지

(2) 유동성이 크고 점성이 작은 마그마일수록 경사가 (완만한 , 급한) 화산체를 형성한다.

(3) (가)를 형성한 마그마는 (나)를 형성한 마그마보다 온도가 (낮 , 높)다.

1-2

그림은 서로 다른 두 마그마 A와 B의 온도와 점성을 나타낸 것이다.

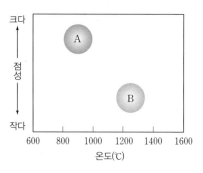

(1) A와 B 중에서 유동성이 작은 마그마는 [   ] 이다.

(2) A와 B 중에서 경사가 급한 화산체를 형성하는 마그마는 [   ] 이다.

> **Hint** 점성과 유동성은 대체로 서로 반비례 관계이고, 점성과 화산체의 경사는 대체로 비례 관계이다.

2-1

그림은 판의 운동에 따른 화성 활동을 나타낸 모식도이다.

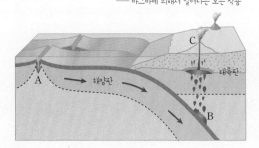

(1) A에서는 압력 감소로 인해 [   ] 마그마가 생성된다.

(2) B에서는 [   ] 마그마가 생성된다.

(3) C에서는 주로 [   ] 마그마가 분출한다.

(4) 열점에서는 A와 같은 [   ] 마그마가 생성된다.

2-2

그림은 지하의 온도 분포와 맨틀의 용융 곡선을 나타낸 것이다.

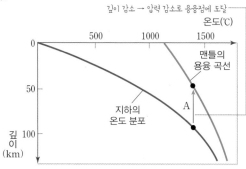

이에 대한 설명으로 옳은 것은 ○, 옳지 않은 것은 ×표 하시오.

(1) A 과정으로 생성되는 마그마의 종류는 유문암질 마그마이다. (   )

> **Hint** A 과정은 압력이 감소하여 마그마를 생성한다.

(2) 해령에서는 A 과정으로 마그마가 생성된다.

(   )

4 일 변동대와 화성암

핵심 개념

3 산출 상태와 조직에 따른 화성암 분류

- **❶**□□□□ : 지표에 분출된 마그마가 급격히 식어 만들어 진 화성암

① 냉각 속도가 빠르면 광물 결정이 충분히 성장하지 못하기 때문에 광물의 크기가 매우 작은 세립질 조직이나 유리질 조직이 주로 형성된다.

② 용암이 급격히 냉각되면서 수축하는 과정에서 주상 절리가 형성된다.

- **심성암**: 마그마가 땅속 깊은 곳에서 천천히 식어 만들어 진 화성암

① 지하에서 천천히 식기 때문에 광물 결정이 크게 성장하여 암석의 조직이 큰 조립질 조직이 주로 형성된다.

② 심성암이 지표에 노출되면 압력 감소로 인해 판상 절리가 형성된다. 암석의 표면에 판 모양으로 갈라지는 틈

4 화학 조성에 따른 화성암 분류

- 화성암은 SiO_2 함량에 따라 **❷**□□□□, 중성암, 산성암으로 구분한다.

- SiO_2 함량이 많을수록 무색 광물의 함량이 많아 암석의 색이 밝다.

구분	염기성암 현무암, 반려암	중성암	산성암 유문암, 화강암
SiO_2 함량	52 % 이하	52~63 %	63 % 이상
생성 과정	현무암질 마그마가 식어서 만들어짐	안산암질 마그마가 식어서 만들어짐	유문암질 마그마가 식어서 만들어짐
함유 광물	철(Fe), 마그네슘(Mg)을 많이 포함하는 유색 광물(감람석, 휘석, 각섬석, 흑운모 등) ←→		규소(Si), 알루미늄(Al)을 많이 포함하는 무색 광물(장석, 석영, 백운모 등)

❶ 화산암 ❷ 염기성암

3-1

그림은 화성암이 생성되는 위치와 각 위치에서 생성되는 화성암 A와 B를 나타낸 것이다.

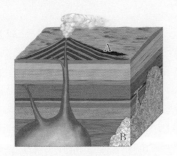

괄호 안에 들어갈 알맞은 말을 고르시오.

(1) A는 지표로 분출된 마그마가 비교적 (천천히 , 빠르게) 식어 굳어진 것으로, (화산암 , 심성암)이다.

(2) B는 마그마가 지하 깊은 곳에서 (천천히 , 빠르게) 냉각된 것으로, (화산암 , 심성암)이다.

(3) 화성암의 결정 크기는 마그마의 냉각 속도가 (느릴 , 빠를)수록 대체로 작다.

3-2

그림은 서로 다른 두 화성암의 조직을 나타낸 것이다.

 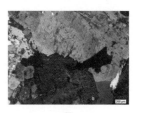

| A | B |

(1) A와 B의 조직 이름을 쓰시오.

　A: (　　　　　　　　) 조직

　B: (　　　　　　　　) 조직

(2) A와 B 중 마그마가 빠르게 식어 만들어진 조직은 어느 것인지 쓰시오.

4-1

그림은 화성암을 구성하는 주요 광물의 부피비를 나타낸 것이다.

암석	A	B	C
광물의 부피비(%)	휘석 / 감람석	사장석 / 각섬석	석영 / 정장석 / 흑운모

A, B, C에 들어갈 화학 조성에 따라 분류한 화성암의 종류를 쓰시오.

(1) A: (　　　　　　　)

(2) B: (　　　　　　　)

(3) C: (　　　　　　　)

4-2

표는 화성암 A, B, C를 화학 조성과 조직에 따라 분류하여 나타낸 것이다.

구분	조직	SiO_2 함량	주요 구성 광물
A	세립질	48 %	사장석, 휘석, 감람석
B	세립질	56 %	사장석, 휘석, 각섬석
C	조립질	70 %	석영, 정장석, 사장석

이에 대한 설명으로 옳은 것은 ○, 옳지 **않은** 것은 ×표 하시오.

(1) A, B, C 중에서 입자의 크기가 가장 큰 암석은 C이다. (　　　)

(2) A, B, C 중에서 암석의 색이 가장 어두운 것은 A이다. (　　　)

　Hint SiO_2 함량이 많을수록 무색 광물이 많이 함유되어 있어서 암석의 색은 밝다.

(3) A를 생성하는 마그마는 C를 생성하는 마그마보다 대체로 점성이 더 크다. (　　　)

대표 **기출 유형**

그림 (가)는 지하 온도 분포와 암석의 용융 곡선 ㉠, ㉡, ㉢을, (나)는 마그마가 분출되는 지역 A와 B를 나타낸 것이다.

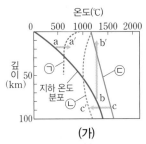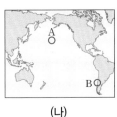

(가)　　　　　(나)

이에 대한 설명으로 옳은 것만을 〈보기〉에서 있는 대로 고른 것은?

── 보기 ──
ㄱ. (가)에서 물이 포함된 암석의 용융 곡선은 ㉠과 ㉡이다.
ㄴ. B에서는 주로 현무암질 마그마가 분출된다.
ㄷ. A에서 분출되는 마그마는 주로 c → c′ 과정에 의해 생성된다.

① ㄱ　② ㄴ　③ ㄷ　④ ㄱ, ㄷ　⑤ ㄴ, ㄷ

개념 point

섭입대: 해양판이 대륙판이나 해양판 아래로 섭입하면서 형성되는 비스듬한 경사면
마그마: 지하 깊은 곳에서 암석이 부분 용융되어 생성된 물질

|보기| 풀이

ㄱ. (가)에서 ㉠은 물이 포함된 화강암의 용융 곡선이고, ㉡은 물이 포함된 맨틀의 용융 곡선이다.
ㄴ. B는 섭입대가 발달하는 수렴형 경계로, 주로 안산암질 마그마가 분출된다.
ㄷ. A는 하와이 열도로 지하 내부에는 열점이 위치한다. 열점에서 분출되는 마그마는 압력 감소(b−b′)로 인해 주로 현무암질 마그마가 분출된다.

함정 탈출

ㄱ. (가)에서 ㉢은 물이 포함되지 않은 맨틀의 용융 곡선으로 섭입대 부근에서 물이 포함될 때 마그마를 생성한다.

답 ①

2019학년도 10월 학평 8번 변형

1 표는 화산체 A, B, C를 형성한 마그마의 SiO_2 함량과 온도, 화산 분출 시 측정한 화산 가스의 성분을 나타낸 것이다.

화산체	마그마		화산 가스의 성분(%)			
	SiO_2 함량(%)	온도 (℃)	수증기	CO_2	SO_2	기타
A	59	900	87.0	9.5	2.3	1.2
B	45	1150	75.0	19.0	4.5	1.5
C	70	820	94.0	4.5	1.3	0.2

이에 대한 설명으로 옳은 것만을 〈보기〉에서 있는 대로 고른 것은?

── 보기 ──
ㄱ. A는 현무암질 마그마가 분출하여 생성된 화산체이다.
ㄴ. B는 C보다 경사가 완만하다.
ㄷ. 점성은 B를 형성한 마그마가 가장 크다.

① ㄱ　　② ㄴ　　③ ㄱ, ㄷ
④ ㄴ, ㄷ　　⑤ ㄱ, ㄴ, ㄷ

2 그림 (가)는 섭입대 부근에서 생성된 마그마 A와 B의 위치를, (나)는 마그마 X와 Y의 성질을 나타낸 것이다. A와 B는 각각 X와 Y 중 하나이다.

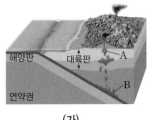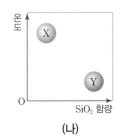

(가)　　　　　(나)

(1) A는 (나)의 X와 Y 중 어느 것에 해당하는지 쓰시오.

(2) B는 (나)의 X와 Y 중 어느 것에 해당하는지 쓰시오.

(3) B가 생성될 때, 해양 지각으로부터 공급되는 물은 어떤 역할을 하는지 서술하시오.

2020학년도 7월 학평 5번 변형

3 그림 (가)는 아메리카 대륙 주변의 열점 분포와 판의 경계를, (나)는 지하의 온도 분포와 암석의 용융 곡선을 나타낸 것이다.

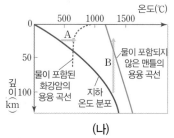

(가)   (나)

이에 대한 설명으로 옳은 것만을 〈보기〉에서 있는 대로 고른 것은?

보기
ㄱ. 열점은 판의 내부에만 존재한다.
ㄴ. 열점에서는 (나)의 B 과정으로 마그마가 생성된다.
ㄷ. 열점에서는 현무암질 마그마가 우세하게 나타난다.

① ㄱ   ② ㄴ   ③ ㄱ, ㄷ
④ ㄴ, ㄷ   ⑤ ㄱ, ㄴ, ㄷ

4 그림은 서로 다른 화성암 A, B의 특성을 비교한 것이며, A와 B는 각각 현무암과 화강암 중 하나이다.
이에 대한 설명으로 옳은 것만을 〈보기〉에서 있는 대로 고른 것은?

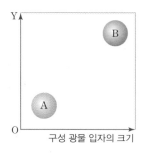

보기
ㄱ. A는 화강암이다.
ㄴ. 암석의 생성 깊이는 B가 A보다 깊다.
ㄷ. Y에는 '마그마 온도'가 들어갈 수 있다.

① ㄱ   ② ㄴ   ③ ㄱ, ㄷ
④ ㄴ, ㄷ   ⑤ ㄱ, ㄴ, ㄷ

5 그림 (가)는 북한산의 화강암, (나)는 제주도 해안에 있는 현무암의 모습이다.

(가)   (나)

이에 대한 설명으로 옳은 것만을 〈보기〉에서 있는 대로 고른 것은?

보기
ㄱ. (가)에서는 판상 절리가 나타난다.
ㄴ. (나)의 절리는 지하 깊은 곳에 있던 암석이 지표에 노출되면서 압력이 감소하여 형성되었다.
ㄷ. (가)는 (나)보다 구성 입자의 크기가 크다.

① ㄱ   ② ㄴ   ③ ㄱ, ㄷ
④ ㄴ, ㄷ   ⑤ ㄱ, ㄴ, ㄷ

6 그림은 화성암 A~D의 광물 조성과 특징을 나타낸 것이다.

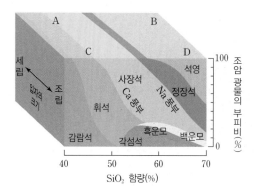

A~D에 해당하는 암석을 〈보기〉에서 각각 골라 기호를 쓰시오.

보기
ㄱ. 화강암   ㄴ. 유문암
ㄷ. 현무암   ㄹ. 반려암

5일 퇴적 구조와 퇴적 환경

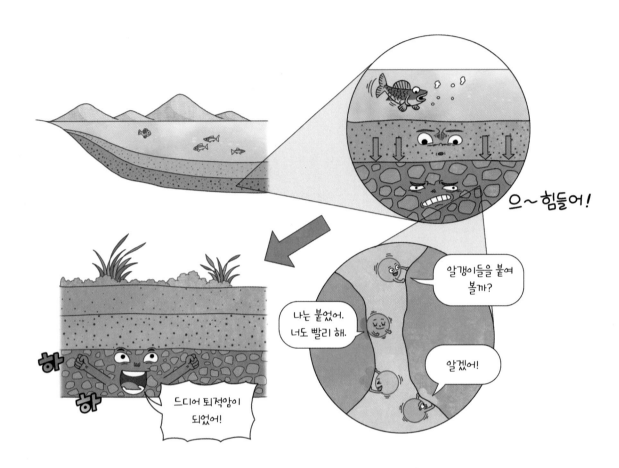

으~힘들어!

알갱이들을 붙여 볼까?

나는 붙었어. 너도 빨리 해.

알겠어!

드디어 퇴적암이 되었어!

하 하

📖 핵심 개념

1 퇴적암의 생성

- 퇴적암은 지표의 암석이 풍화·침식 작용을 받아 생성된 쇄설물, 호수나 바다에 녹아 있는 물질, 생물의 유해 등으로 구성된 퇴적물이 쌓이고 다져지는 속성 작용을 거쳐 굳어진 암석이다.
- 속성 작용은 퇴적물이 쌓인 후 퇴적암이 되기까지의 모든 과정으로, 다짐 작용(압축 작용)과 교결 작용이 있다.
  ① ❶ (압축 작용): 퇴적물이 쌓이면서 퇴적물의 무게로 아래에 있는 퇴적물이 압력을 받아 퇴적물 사이 간격(공극)이 좁아지는 작용이다.
  ② 교결 작용: 퇴적물 속의 수분이나 지하수에 녹아 있던 석회질, 규산염 광물, 산화 철 등의 교결 물질이 침전되면서 퇴적물 입자 사이를 접착하는 작용이다.

2 퇴적암의 종류

- 퇴적물: 퇴적물의 기원, 퇴적암의 생성 과정에 따라 쇄설성 퇴적암, 화학적 퇴적암, 유기적 퇴적암으로 구분한다.
  ① ❷ 퇴적암: 암석이 풍화·침식 작용을 받아 생긴 쇄설성 퇴적물이나 화산 쇄설물이 쌓여 생성된 퇴적암이다. 예 역암, 사암, 셰일, 응회암
  ② 화학적 퇴적암: 호수나 바다 등에서 물에 녹아 있던 물질이 화학적으로 침전되거나 물이 증발하면서 침전되어 생성된 퇴적암이다. 예 석회암, 암염, 처트 건조한 환경에서 형성된다.
  ③ 유기적 퇴적암: 동식물이나 미생물의 유해가 쌓여 생성된 퇴적암이다. 예 석탄, 석회암, 처트

📑 ❶ 다짐 작용 ❷ 쇄설성

1-1

그림은 퇴적암의 생성 과정을 나타낸 것이다.

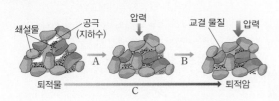

(1) A, B, C에 알맞은 작용을 쓰시오.

A: (　　　　　　)

B: (　　　　　　)

C: (　　　　　　)

(2) 퇴적물이 퇴적암으로 되는 과정에서 다짐 작용을 받으면 공극의 부피는 □□□한다.

(3) 교결 작용은 석회질, 규산염 광물, 산화 철 등의 ❶□□□ 물질이 ❷□□□되면서 일어난다.

1-2

그림 (가), (나), (다)는 퇴적물이 쌓여 퇴적암이 생성되는 과정을 나타낸 것이다.

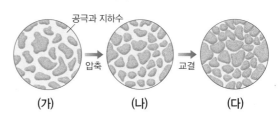

이에 대한 설명으로 옳은 것은 ○, 옳지 <u>않은</u> 것은 ×표 하시오.

(1) (가) → (나) → (다)로 갈수록 퇴적물 공극의 크기는 감소한다. (　　　)

(2) (가) → (나) → (다)로 갈수록 퇴적물의 밀도는 감소한다. (　　　)

> **Hint** 다짐 작용으로 공극의 크기가 줄어들면 질량은 일정하고, 부피가 감소한다.

2-1

빈칸에 알맞은 퇴적물 또는 퇴적암의 이름을 쓰시오.

구분	퇴적물	퇴적암
쇄설성 퇴적암	자갈, 모래, 점토	역암
	모래, 점토	사암
	점토	❶
	화산재	❷
화학적 퇴적암	탄산 칼슘(CaCO₃)	석회암
	❸	암염
	규질	❹
유기적 퇴적암	식물체	석탄
	석회질 생명체	❺
	규질 생명체	처트

2-2

표는 서로 다른 세 종류의 퇴적암 A, B, C의 생성 원인을 나타낸 것이다.

구분	생성 원인
A	화산 쇄설물의 퇴적
B	생물체 유해의 퇴적
C	해수의 증발에 의한 염류의 침전

이에 대한 설명으로 옳은 것은 ○, 옳지 <u>않은</u> 것은 ×표 하시오.

(1) A는 유기적 퇴적암이다. (　　　)

> **Hint** 유기적 퇴적암은 동식물이나 미생물의 유해가 쌓여서 생성된 것이다.

(2) A, B, C 중에서 건조한 환경에서 생성된 퇴적암은 C이다. (　　　)

퇴적 구조와 퇴적 환경

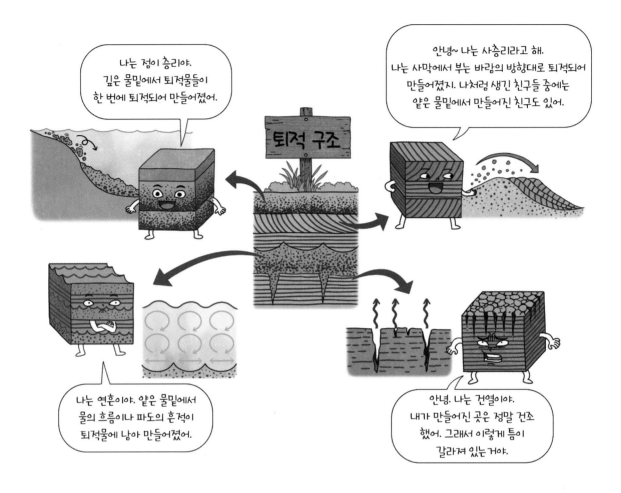

나는 점이 층리야.
깊은 물밑에서 퇴적물들이
한 번에 퇴적되어 만들어졌어.

퇴적 구조

안녕~ 나는 사층리라고 해.
나는 사막에서 부는 바람의 방향대로 퇴적되어
만들어졌지. 나처럼 생긴 친구들 중에는
얕은 물밑에서 만들어진 친구도 있어.

나는 연흔이야. 얕은 물밑에서
물의 흐름이나 파도의 흔적이
퇴적물에 남아 만들어졌어.

안녕. 나는 건열이야.
내가 만들어진 곳은 정말 건조
했어. 그래서 이렇게 틈이
갈라져 있는 거야.

📖 핵심 개념

3 퇴적 구조

- **퇴적 구조**: 퇴적 장소와 환경에 따라 퇴적암에 나타나는 특징적인 구조로, 이를 통해 퇴적 당시의 환경을 알 수 있고, 지층의 상하 관계와 역전 여부를 파악할 수 있다.
- **❶ ☐☐☐**: 한 지층 내에서 위로 갈수록 퇴적물의 입자 크기가 작아지는 구조로, 저탁류 등으로 형성되는 쇄설성 퇴적암에 잘 나타난다. ┌─ 해저 경사면을 따라 흐르는 탁한 물의 흐름
- **사층리**: 물이 흐르거나 바람이 부는 환경에서 퇴적물이 기울어진 상태로 쌓인 구조로, 과거에 물이 흘렀던 방향이나 바람이 불었던 방향을 알 수 있다.
- **연흔**: 물결의 영향으로 퇴적물 표면에 물결 모양이 남은 구조이다.
- **건열**: 건조한 환경에 노출되어 퇴적물 표면이 V자 모양으로 갈라진 구조이다.

4 퇴적 환경

- 크게 육상 환경, 연안 환경, **❷ ☐☐☐**으로 구분한다.
- 유속이 빠른 곳에서는 큰 입자의 퇴적물이 쌓이고, 유속이 느린 곳에서는 작은 입자의 퇴적물이 쌓인다.
- **점이 층리가 나타나는 퇴적 환경**: 대륙대, 심해저, 호수 ┌─ 수심이 깊은 바다 환경에서 주로 나타난다.
- **사층리가 나타나는 퇴적 환경**: 범람원, 사막, 해빈, 삼각주
- **연흔이 나타나는 퇴적 환경**: 호수, 대륙붕
- **건열이 나타나는 퇴적 환경**: 호수, 범람원

답 ❶ 점이 층리 ❷ 해양 환경

3-1

그림은 어떤 퇴적암에서 나타나는 퇴적 구조를 나타낸 것이다.

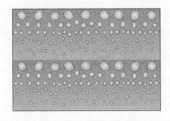

이 퇴적 구조의 이름과 퇴적 당시의 환경, 지층의 역전 여부를 쓰시오.

(1) 퇴적 구조 이름: _____

(2) 퇴적 당시 환경: _____

(3) 역전 여부: _____

3-2

그림 (가)와 (나)는 서로 다른 두 퇴적 구조를 나타낸 것이다.

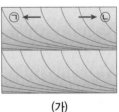 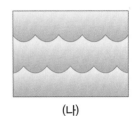

(가)　　　　　　　　(나)

(1) (가)와 (나)의 퇴적 구조 이름을 쓰시오.

(가): (　　　　　　　)

(나): (　　　　　　　)

(2) (가)에서 ㉠과 ㉡ 중 퇴적 구조가 형성되는 동안 퇴적물이 공급된 방향을 쓰시오.

Hint 사층리에서 퇴적물은 층리가 기울어진 방향으로 공급된다.

4-1

그림은 여러 가지 퇴적 환경을 나타낸 것이다.

A, B, C에 적절한 퇴적 환경 용어를 쓰시오.

(1) A: (　　　　　　　)

(2) B: (　　　　　　　)

(3) C: (　　　　　　　)

4-2

그림은 점이 층리가 형성되는 과정을 모식적으로 순서 없이 나타낸 것이다.

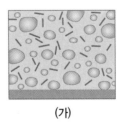 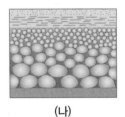

(가)　　　　　　　　(나)

이에 대한 설명으로 옳은 것은 ○, 옳지 않은 것은 ×표 하시오.

(1) 시간 순서대로 나열하면 (나) → (가)이다. (　　　)

(2) 점이 층리가 주로 형성되는 퇴적 환경은 해양 환경이다. (　　　)

(3) 점이 층리는 삼각주보다 심해저에서 발견될 것이다.

(　　　)

Hint 점이 층리는 수심이 깊은 바다 환경에서 주로 형성되는 퇴적 구조이다.

5 일 기초 유형 연습 | 퇴적 구조와 퇴적 환경

표는 퇴적물의 기원에 따른 퇴적암의 종류를 나타낸 것이다.

구분	퇴적물	퇴적암
A	식물	석탄
	규조	처트
B	모래	㉠
	㉡	역암

이에 대한 설명으로 옳은 것만을 〈보기〉에서 있는 대로 고른 것은?

보기
ㄱ. A는 쇄설성 퇴적암이다.
ㄴ. ㉠은 암염이다.
ㄷ. 자갈은 ㉡에 해당한다.

① ㄱ ② ㄴ ③ ㄷ
④ ㄱ, ㄷ ⑤ ㄴ, ㄷ

개념 point

쇄설성 퇴적암: 암석이 풍화·침식 작용을 받아 생긴 쇄설성 퇴적물이나 화산 쇄설물이 쌓여 생성된 퇴적암
암염: 해수에 녹아 있던 염화 나트륨($NaCl$)이 해수의 증발로 침전하여 생성되는 화학적 퇴적암으로, 건조한 환경에서 생성된다.

보기 풀이

ㄱ. A의 석탄과 처트는 동식물이나 미생물의 유해가 쌓여 생성된 유기적 퇴적암이다.
ㄴ. ㉠은 모래가 쌓여 굳어져 생성된 사암이다.
ㄷ. 쇄설성 퇴적암(B)인 역암은 주로 입자의 크기가 2 mm 이상인 자갈이 쌓여 굳어진 퇴적암이다.

함정 탈출

ㄷ. 역암은 자갈 외에도 모래나 점토 등이 함유되어 생성된다.

답 ③

---

1 그림은 퇴적암이 만들어지는 과정을 나타낸 것이다.

이에 대한 설명으로 옳은 것만을 〈보기〉에서 있는 대로 고른 것은?

보기
ㄱ. A에서 퇴적물들의 무게에 의해 다져진다.
ㄴ. B에서 교결 물질이 퇴적물을 접착시킨다.
ㄷ. 역암, 사암, 셰일은 위와 같은 과정으로 만들어진다.

① ㄱ ② ㄷ ③ ㄱ, ㄴ
④ ㄴ, ㄷ ⑤ ㄱ, ㄴ, ㄷ

2020학년도 6월 학평 16번 변형

2 그림은 퇴적암 중 역암, 석탄, 암염을 구분하는 과정을 나타낸 것이다.

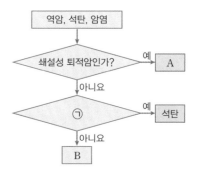

이에 대한 설명으로 옳은 것만을 〈보기〉에서 있는 대로 고른 것은?

보기
ㄱ. A는 역암이다.
ㄴ. '유기적 퇴적암인가?'는 ㉠으로 적절하다.
ㄷ. B는 주로 석회 물질이 침전되어 생성된다.

① ㄱ ② ㄷ ③ ㄱ, ㄴ
④ ㄴ, ㄷ ⑤ ㄱ, ㄴ, ㄷ

3 그림 (가)는 어느 퇴적층에서 볼 수 있는 퇴적암을, (나)는 어느 지층에서 관찰되는 퇴적 구조를 나타낸 것이다.

(가)

A 역암　　　B 사암　　　C 셰일

(나)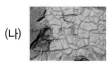

D　　　　　　E

(1) (가)의 A, B, C 중 수심이 가장 얕은 곳에서 형성된 퇴적암을 쓰시오.

(2) (나)의 D와 E 중 과거 퇴적물의 이동 방향을 알려주는 퇴적 구조를 쓰시오.

(3) (나)의 D가 퇴적될 당시의 퇴적 환경을 서술하시오.

4 그림은 어느 지층의 퇴적 구조를 나타낸 것이다.

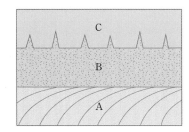

이에 대한 설명으로 옳은 것만을 〈보기〉에서 있는 대로 고른 것은?

보기
ㄱ. 퇴적 당시 물이 흐른 방향을 알 수 있는 것은 A이다.
ㄴ. C가 생성되는 동안 건조한 대기에 노출된 시기가 있었다.
ㄷ. 이 지층의 생성 순서는 A → B → C이다.

① ㄱ　　　② ㄷ　　　③ ㄱ, ㄴ
④ ㄴ, ㄷ　　　⑤ ㄱ, ㄴ, ㄷ

5 그림 (가)와 (나)는 사층리와 연흔을 순서 없이 나타낸 것이다.

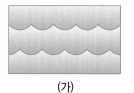 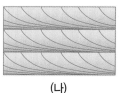

(가)　　　　　　　　(나)

이에 대한 설명으로 옳은 것만을 〈보기〉에서 있는 대로 고른 것은?

보기
ㄱ. (가)는 사층리이다.
ㄴ. (나)는 얕은 물밑이나 사막 환경을 암시한다.
ㄷ. (가), (나)와 같은 퇴적 구조를 통해 지층의 상하를 판단할 수 있다.

① ㄱ　　　② ㄴ　　　③ ㄱ, ㄷ
④ ㄴ, ㄷ　　　⑤ ㄱ, ㄴ, ㄷ

2020학년도 6월 학평 11번 변형

6 그림 (가)는 지층의 퇴적 구조를, (나)는 해양 퇴적 환경의 일부를 나타낸 것이다.

 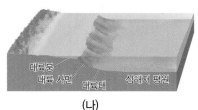

(가)　　　　　　　　(나)

(가)에 대한 설명으로 옳은 것만을 〈보기〉에서 있는 대로 고른 것은?

보기
ㄱ. 점이 층리이다.
ㄴ. 해저 경사면을 따라 흐르는 저탁류에 의해 주로 형성된다.
ㄷ. (나)의 대륙대보다 대륙붕에서 주로 발견된다.

① ㄱ　　　② ㄴ　　　③ ㄷ
④ ㄱ, ㄴ　　　⑤ ㄱ, ㄷ

1 그림은 고생대 말부터 현재까지의 수륙 분포 변화를 나타낸 것이다.

▲ 고생대 말   ▲ 중생대   ▲ 현재

이에 대한 설명으로 옳은 것만을 〈보기〉에서 있는 대로 고른 것은?

── 보기 ──
ㄱ. 고생대 말에 초대륙 판게아가 형성되었다.
ㄴ. 해안선의 전체 길이가 점차 감소하였다.
ㄷ. 대륙 이동의 원동력은 지구 자전에 의한 원심력이다.

① ㄱ   ② ㄴ   ③ ㄱ, ㄷ
④ ㄴ, ㄷ   ⑤ ㄱ, ㄴ, ㄷ

2018학년도 4월 학평 3번

2 다음은 어느 해령 부근 고지자기 분포의 특징이다.

○ 가장 최근에 생성된 해양 지각은 정자극기에 해당한다.
○ 역자극기가 4회 있었다.
○ 해령을 중심으로 고지자기 분포가 대칭적으로 나타난다.

이 해령 부근의 고지자기 분포를 나타낸 모식도로 가장 적절한 것은? (단, ▨은 정자극기, ▥은 역자극기이다.)

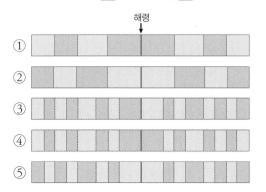

[3~4] 그림 (가)와 (나)는 지각과 맨틀의 이동 방향을 모식적으로 나타낸 것이다.

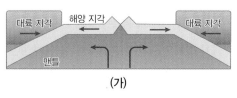

(가)

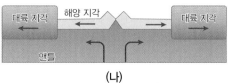

(나)

3 이에 대한 설명으로 옳은 것만을 〈보기〉에서 있는 대로 고른 것은?

── 보기 ──
ㄱ. (가)는 태평양 지역의 단면과 유사하다.
ㄴ. (나)에서 두 대륙은 점점 멀어질 것이다.
ㄷ. 대륙 주변부에서의 화산 활동은 (가)가 (나)보다 활발하다.

① ㄱ   ② ㄴ   ③ ㄱ, ㄷ
④ ㄴ, ㄷ   ⑤ ㄱ, ㄴ, ㄷ

4 맨틀에서 대류가 일어나는 까닭을 서술하시오.

5 그림은 하와이 열도를 구성하는 섬들의 나이를 나타낸 것이다.

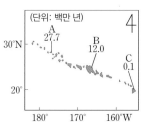

A, B, C 지점 중 하와이 열도를 형성시킨 열점에서 거리가 가장 가까운 지점을 쓰시오.

6 그림은 판의 경계와 화성 활동으로 생성된 지형을 모식적으로 나타낸 것이다.

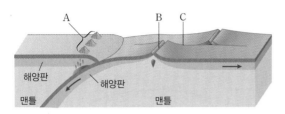

이에 대한 설명으로 옳은 것만을 〈보기〉에서 있는 대로 고른 것은?

─ 보기 ─
ㄱ. A는 호상 열도이다.
ㄴ. B에서는 유문암질 마그마가 분출한다.
ㄷ. C에서는 화산 활동이 빈번하다.

① ㄱ   ② ㄴ   ③ ㄱ, ㄷ
④ ㄴ, ㄷ   ⑤ ㄱ, ㄴ, ㄷ

2019학년도 6월 학평 8번

7 그림은 깊이에 따른 지하의 온도 분포와 암석의 용융 곡선을 나타낸 것이다.

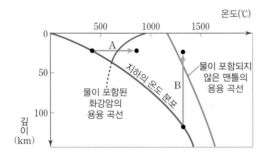

이에 대한 설명으로 옳은 것만을 〈보기〉에서 있는 대로 고른 것은?

─ 보기 ─
ㄱ. 깊이가 깊어질수록 지하의 온도는 증가한다.
ㄴ. 물이 포함된 화강암은 A 과정을 통해 용융될 수 있다.
ㄷ. B 과정의 예로는 해령 아래에서 만들어지는 마그마가 있다.

① ㄱ   ② ㄴ   ③ ㄱ, ㄷ
④ ㄴ, ㄷ   ⑤ ㄱ, ㄴ, ㄷ

2016학년도 수능 5번

8 그림은 화성암의 분류 기준에 암석 A와 B의 상대적인 위치를 나타낸 것이다.

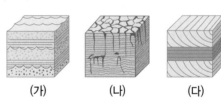

A와 B에 해당하는 화성암으로 가장 적절한 것은?

	A	B		A	B
①	현무암	반려암	②	현무암	화강암
③	화강암	반려암	④	화강암	유문암
⑤	화강암	현무암			

9 표는 퇴적암의 생성 원인을 나타낸 것이다.

퇴적암	생성 원인
응회암	화산 쇄설물 중 화산재의 퇴적
A	해수의 증발에 의한 염류의 침전

A에 적절한 퇴적암의 이름을 쓰시오.

10 그림 (가), (나), (다)는 어느 지역에서 관찰되는 건열, 사층리, 연흔을 순서 없이 나타낸 것이다.

(가)   (나)   (다)

이에 대한 설명으로 옳은 것만을 〈보기〉에서 있는 대로 고른 것은?

─ 보기 ─
ㄱ. (가)는 건열이다.
ㄴ. (나)는 심해 환경에서 생성된다.
ㄷ. (다)에서는 퇴적물의 공급 방향을 알 수 있다.

① ㄱ   ② ㄷ   ③ ㄱ, ㄴ
④ ㄴ, ㄷ   ⑤ ㄱ, ㄴ, ㄷ

✎ 판 구조론이 어떤 과정으로 정립되었는지 만화로 알아봅시다.

| 2021학년도 수능 1번 |

다음은 판 구조론이 정립되는 과정에서 등장한 두 이론에 대하여 학생 A, B, C가 나눈 대화를 나타낸 것이다.

이론	내용
㉠	고생대 말에 판게아가 존재하였고, 약 2억 년 전에 분리되기 시작하여 현재와 같은 대륙 분포가 되었다.
㉡	맨틀이 대류하는 과정에서 대륙이 이동할 수 있다.

대서양 양쪽에 있는 남아메리카 대륙과 아프리카 대륙의 해안선 모양이 비슷한 것은 ㉠의 증거가 될 수 있어.

㉡에 의하면 맨틀 대류가 상승하는 곳에 해구가 형성돼.

베게너는 음향 측심 자료를 이용하여 ㉠을 설명했어.

학생 A 학생 B 학생 C

제시한 내용이 옳은 학생만을 있는 대로 고른 것은?

① A   ② B   ③ A, C   ④ B, C   ⑤ A, B, C

특강 ▶ 대륙 이동설과 맨틀 대류설

● **대륙 이동설**: 1910년대에 베게너는 고생대 말~중생대 초에 모든 대륙들이 한 덩어리로 모여서 만들어진 초대륙인 판게아가 존재하였으며, 약 2억 년 전부터 분리되어 현재와 같은 대륙 분포를 이루게 되었다고 주장하였다.

① 대륙 이동의 한계점: 대륙을 이동시키는 원동력(힘)을 설명하지 못하였다.

② 대륙 이동의 증거

여러 대륙의 해안선 모양과 지질 구조의 유사성이 있다.

여러 대륙에서 발견되는 화석 분포에 연속성이 있다.

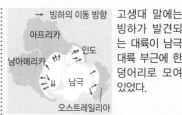

고생대 말에는 빙하가 발견되는 대륙이 남극 대륙 부근에 한 덩어리로 모여 있었다.

● **맨틀 대류설**: 1920년 말 홈스는 맨틀 상부와 하부의 온도 차로 맨틀 내부에 열대류가 일어나며, 그 결과 맨틀 위에 놓인 대륙이 이동한다고 주장하였다.

1 2016학년도 수능 20번

고지자기와 해저의 확장

그림 (가)와 (나)는 서로 다른 두 해령 부근의 고지자기 분포를 나타낸 것이다.

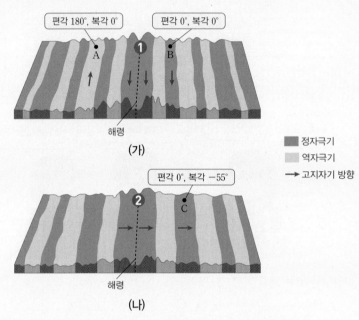

편각 180°, 복각 0°   편각 0°, 복각 0°
A   ①   B
해령
(가)

편각 0°, 복각 −55°
②   C
해령
(나)

■ 정자극기
□ 역자극기
→ 고지자기 방향

A, B, C 지역에 대한 설명으로 옳은 것만을 〈보기〉에서 있는 대로 고른 것은?

┌─ 보기 ──────────────────────────────────┐
│ ㄱ. A는 B보다 먼저 생성되었다.   │
│ ㄴ. B는 서쪽 방향으로 이동한다.   │
│ ㄷ. C는 생성 당시 남반구에 위치하였다.   │
└──────────────────────────────────────┘

① ㄱ   ② ㄷ   ③ ㄱ, ㄴ   ④ ㄴ, ㄷ   ⑤ ㄱ, ㄴ, ㄷ

❶ 정자극기일 때 고지자기 방향이 '↓' 인 경우 ➡ '↓' 이 북쪽

'↓'을 가리키는 방향이 북쪽이므로 A 지역은 동쪽 방향으로 이동하고, B 지역은 서쪽 방향으로 이동하게 된다. 또한 A, B 지역의 고지자기 줄무늬를 비교해 보면 해령과 A 사이의 줄무늬 수가 해령과 B 사이의 줄무늬 수보다 많다. 따라서 A 지역이 B 지역보다 해령의 축을 경계로 더 멀리 떨어져 있으므로 A 지역이 B 지역보다 먼저 생성되었다.

❷ 정자극기일 때 고지자기 방향이 '→' 인 경우 ➡ '→' 이 북쪽

'→'을 가리키는 방향이 북쪽이므로 C 지역은 북쪽 방향으로 이동하고, 고지자기의 복각이 (−)로 나타나므로 생성 당시에는 남반구에 위치하였다. 정자극기에 북반구는 복각이 (＋)로, 남반구는 복각이 (−)로 나타난다.

답 ⑤

2

2019학년도 9월 학평 3번 변형

맨틀 대류

그림은 나무 도막을 판(암석권)으로 가정하여 판의 이동 원리를 알아보기 위한 모형실험을 나타낸 것이다.

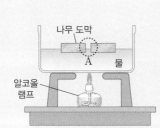

이 모형실험을 통해 베게너가 설명하지 못했던 ㉠ 대류 이동의 원동력을 알 수 있어요.

나무 도막

A 물

알코올 램프

이에 대한 설명으로 옳은 것만을 〈보기〉에서 있는 대로 고른 것은?

── 보기 ──
ㄱ. ㉠은 맨틀 대류이다.
ㄴ. 물이 가열되면서 나무 도막 사이의 거리가 멀어진다.
ㄷ. 해령은 A에 해당하는 판의 경계에서 형성될 수 있다.

① ㄱ　　　② ㄷ　　　③ ㄱ, ㄴ　　　④ ㄴ, ㄷ　　　⑤ ㄱ, ㄴ, ㄷ

>> 자료 분석 Tip
 • 나무 도막: 판(암석권)
 • 물: 상부 맨틀(연약권)
➡ A 영역의 아래에는 알코올 램프로 가열된 물이 밀도가 작아져 상승한다.
ㄱ. 대륙 이동의 원동력은 맨틀 대류로 설명된다.
ㄷ. 해령은 발산형 경계에서 형성된다.

>> 문제 해결 Tip
열대류로 인해 수면 위의 나무 도막이 양쪽으로 멀어지는 것은 맨틀 대류를 표현한다는 것을 이해하고 있어야 한다.

3

2018년 10월 학평 7번 변형

화성암의 분류

그림 (가)는 현무암으로 이루어진 총석정이 그려진 옛날 지폐의 일부를, (나)는 화강암으로 이루어진 사인암을 그린 작품의 일부를 나타낸 것이다.

(가)

(나)

이에 대한 설명으로 옳은 것만을 〈보기〉에서 있는 대로 고른 것은?

── 보기 ──
ㄱ. (가)의 암석은 조립질 조직이다.
ㄴ. (나)의 암석에는 판상 절리가 나타난다.
ㄷ. 암석이 생성된 깊이는 (가)가 (나)보다 깊다.

① ㄱ　　　② ㄴ　　　③ ㄱ, ㄷ　　　④ ㄴ, ㄷ　　　⑤ ㄱ, ㄴ, ㄷ

>> 자료 분석 Tip
ㄱ. 현무암은 지표로 분출한 용암이 빠르게 식어 굳어진 암석으로, 세립질 조직으로 이루어져 있다.
ㄴ. 심성암에서는 주로 판상 절리(압력 감소)가 나타나고, 화산암에서는 주로 주상 절리(빠른 냉각 속도)가 나타난다.

>> 문제 해결 Tip
화성암은 마그마가 냉각되어 굳어진 위치에 따라 화산암과 심성암으로 구분한다는 것을 이해하고 있어야 한다.

4 2020학년도 11월 학평 4번 변형

플룸 구조와 열점

다음은 맨틀의 온도 변화에 따른 지진파의 속도 분포를 통해 플룸 상승류의 존재를 밝혀낸 연구에 대한 기사의 일부이다.

○○ 연구팀이 플룸 상승류의 존재를 밝혀내어 하와이에서 일어나는 화산 활동을 설명하였다. 이 연구는 맨틀의 온도가 낮은 곳보다 높은 곳에서 지진파의 속도가 느린 성질을 이용하였다.

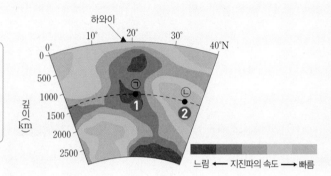

이 자료에 대한 설명으로 옳은 것만을 〈보기〉에서 있는 대로 고른 것은?

보기
ㄱ. 지진파의 속도는 ㉠보다 ㉡ 지점에서 빠르다.
ㄴ. ㉠ 지점에는 플룸 상승류가 있다.
ㄷ. 하와이는 열점에 의해 형성된 화산섬이다. ❸

① ㄱ   ② ㄴ   ③ ㄱ, ㄷ   ④ ㄴ, ㄷ   ⑤ ㄱ, ㄴ, ㄷ

❶ 뜨거운 플룸이 상승하는 지역 ➡ ㉠

뜨거운 플룸은 맨틀의 최하단부에 도달한 차가운 플룸에 대한 열적 반응으로, 맨틀과 핵의 경계로부터 공급되는 뜨거운 상승류이다. 뜨거운 플룸이 상승하는 곳은 같은 깊이에 있는 주변 맨틀보다 온도가 높고 밀도가 작아 지진파의 속도가 느리게 나타난다.

❷ 차가운 플룸이 하강하는 지역 ➡ ㉡

차가운 플룸은 수렴형 경계에서 섭입된 판의 물질이 상부 맨틀과 하부 맨틀의 경계부에 쌓여 있다가 밀도가 커지게 되어 맨틀과 핵의 경계부까지 가라앉아 형성되는 차가운 하강류이다. 차가운 플룸이 하강하는 곳은 같은 깊이에 있는 주변 맨틀보다 온도가 낮고 밀도가 커서 지진파의 속도가 빠르게 나타난다.

❸ 열점의 분포 ➡ 주로 판의 내부에 위치하지만, 판의 경계에도 분포함

열점은 플룸 상승류가 지표면과 만나는 지점 아래에 마그마가 생성되는 곳이다. 상부 맨틀에 의해 판이 이동해도 열점의 위치는 고정되어 있어서 위치는 변하지 않는다. 대표적으로 하와이섬은 플룸 상승류에 의한 열점으로 만들어진 화산섬이다. 하와이가 포함된 판은 대체로 북서쪽으로 이동하기 때문이 하와이 열도의 섬들은 북서쪽 방향으로 배열되어 있다. 🔑 ⑤

5

2019학년도 11월 학평 3번 **퇴적암의 종류**

그림은 퇴적암을 쇄설성, 유기적, 화학적 퇴적암으로 분류하고, 그 예를 나타낸 것이다.

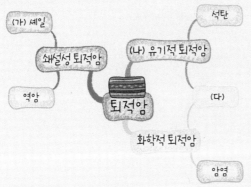

이에 대한 설명으로 옳은 것만을 〈보기〉에서 있는 대로 고른 것은?

─ 보기 ─
ㄱ. (가)에서는 층리를 관찰할 수 있다.
ㄴ. (나)는 생물의 유해가 쌓여서 생성된 퇴적암이다.
ㄷ. 석회암은 (다)에 해당한다.

① ㄱ   ② ㄷ   ③ ㄱ, ㄴ   ④ ㄴ, ㄷ   ⑤ ㄱ, ㄴ, ㄷ

》 자료 분석 Tip

ㄱ. 셰일은 기존의 암석이 풍화·침식을 받아 생성된 점토 등이 쌓인 후 굳어진 퇴적암이다.
ㄴ. 유기적 퇴적암은 석회질 생명체, 규질 생명체, 식물체 등의 유기물이 쌓여서 생성된 퇴적암이다.
ㄷ. 석회암은 주로 수중 환경에서 탄산 칼슘($CaCO_3$)이 침전되어(화학적 퇴적암) 생성되거나 석회질 생명체의 유해 등이 쌓여서(유기적 퇴적암) 생성된다.

》 문제 해결 Tip

퇴적암은 생성 원인에 따라 쇄설성 퇴적암, 화학적 퇴적암, 유기적 퇴적암으로 구분된다는 것을 알고 있어야 한다.

6

2018학년도 9월 모평 2번 **퇴적암과 퇴적 구조**

그림은 쇄설성 퇴적암과 퇴적 구조에 대해 학생 A, B, C가 대화하는 모습이다.

제시한 내용이 옳은 학생만을 있는 대로 고른 것은?

① A   ② B   ③ C   ④ A, C   ⑤ B, C

》 자료 분석 Tip

A. 쇄설성 퇴적암은 구성 입자의 크기로 분류한다.
B. 쇄설성 퇴적암은 압축(다짐) 작용과 교결 작용으로 생성된다.
C. 점이 층리는 지층 내에서 위로 갈수록 구성 입자의 크기가 작아지는 퇴적 구조이다.

》 문제 해결 Tip

쇄설성 퇴적암의 분류 방법과 생성 과정, 점이 층리의 특징에 대해 이해하고 있어야 한다.

이번 주에는
무엇을 공부할까? ❶

II. 지구의 역사 ~ III. 대기와 해양의 변화

이번 시간에는 지구의 역사와 날씨의 변화에 대해 알아봅시다.

중학 기초 개념

1 마그마의 관입

앗 뜨거!
자꾸 밀지마!

마그마가 지하에서 지층 사이를 뚫고 들어가 관입하는
과정에서 마그마의 열로 주변 암석이 변성된다.

Quiz 지하에서 마그마가 식어서 굳어진 화성암은 ❶ ▢
이고, 마그마가 위로 상승하는 과정에서 지층 사이를 뚫고 들어
와 식어서 된 구조를 ❷ ▢ 이라고 한다.

2 층리와 화석

층리면

층리

화석

층리는 크기나 색이 다른 퇴적물이 번갈아 쌓여 나타난
나란한 줄무늬로, 퇴적물이 쌓이는 방향과 평행하다.

Quiz ❸ ▢ 에서는 퇴적물이 쌓여 나타나는 줄무늬인 층
리와 생물체의 유해나 ❹ ▢ 이 굳어져 지층 속에 보존되어
있는 화석이 나타난다.

3 열에 의한 변성 작용

사암 → 규암
셰일 → 혼펠스
석회암 → 대리암

암석이 마그마와 접촉하여 높은 열을 받으면 새로운 광
물로 변하거나 알갱이 크기가 커져 변성암이 된다.

Quiz 마그마와 접촉하여 높은 열을 받으면 셰일은 ❺ ▢
가 되고, 사암은 ❻ ▢ 이 된다.

4 암석의 순환

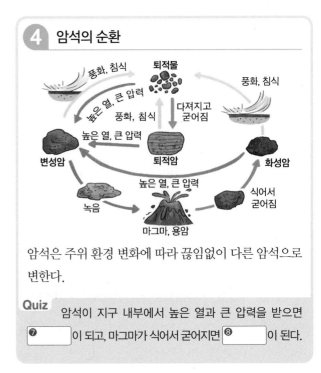

풍화, 침식   퇴적물   풍화, 침식

높은 열, 큰 압력   다져지고
풍화, 침식   굳어짐

높은 열, 큰 압력
변성암   퇴적암   화성암

높은 열, 큰 압력   식어서
녹음   굳어짐

마그마, 용암

암석은 주위 환경 변화에 따라 끊임없이 다른 암석으로
변한다.

Quiz 암석이 지구 내부에서 높은 열과 큰 압력을 받으면
❼ ▢ 이 되고, 마그마가 식어서 굳어지면 ❽ ▢ 이 된다.

답 ❶ 심성암 ❷ 관입 ❸ 퇴적암 ❹ 흔적 ❺ 혼펠스 ❻ 규암 ❼ 변성암 ❽ 화성암

5 기압

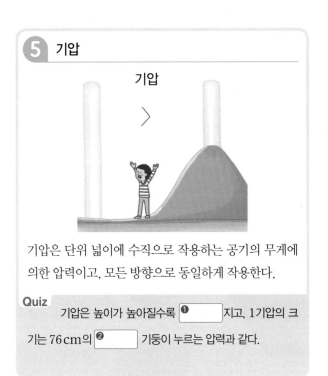

기압은 단위 넓이에 수직으로 작용하는 공기의 무게에 의한 압력이고, 모든 방향으로 동일하게 작용한다.

Quiz

기압은 높이가 높아질수록 **❶**[   ]지고, 1기압의 크기는 76cm의 **❷**[   ] 기둥이 누르는 압력과 같다.

6 기단

한곳에 오래 머물러서 지표의 영향으로 온도와 습도가 비슷해진 커다란 공기 덩어리를 기단이라고 한다.

Quiz

우리나라는 겨울철에 한랭 건조한 **❸**[   ] 기단의 영향을 주로 받고, 여름철에 고온 다습한 **❹**[   ] 기단의 영향을 주로 받는다.

7 전선

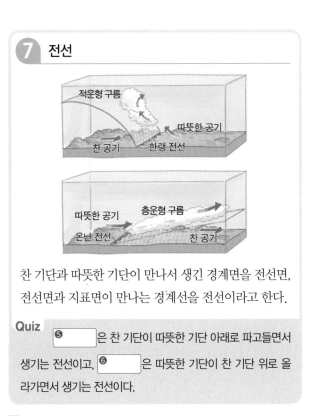

찬 기단과 따뜻한 기단이 만나서 생긴 경계면을 전선면, 전선면과 지표면이 만나는 경계선을 전선이라고 한다.

Quiz

❺[   ]은 찬 기단이 따뜻한 기단 아래로 파고들면서 생기는 전선이고, **❻**[   ]은 따뜻한 기단이 찬 기단 위로 올라가면서 생기는 전선이다.

8 온대 저기압

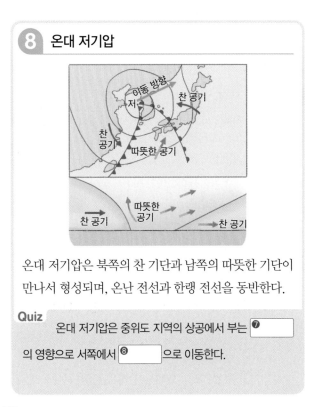

온대 저기압은 북쪽의 찬 기단과 남쪽의 따뜻한 기단이 만나서 형성되며, 온난 전선과 한랭 전선을 동반한다.

Quiz

온대 저기압은 중위도 지역의 상공에서 부는 **❼**[   ]의 영향으로 서쪽에서 **❽**[   ]으로 이동한다.

답 ❶ 낮아 ❷ 수은 ❸ 시베리아 ❹ 북태평양 ❺ 한랭 전선 ❻ 온난 전선 ❼ 편서풍 ❽ 동쪽

지질 구조

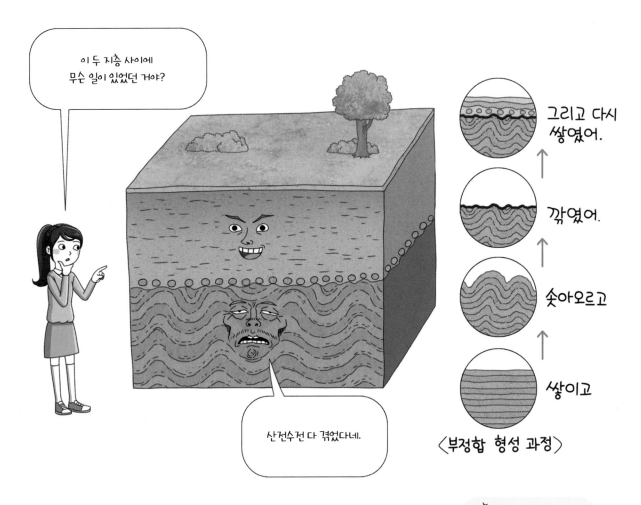

이 두 지층 사이에 무슨 일이 있었던 거야?

산전수전 다 겪었다네.

그리고 다시 쌓였어.

↑

깎였어.

↑

솟아오르고

↑

쌓이고

〈부정합 형성 과정〉

📖 **핵심 개념**

1 관입과 포획

- **관입**: 지하에서 마그마가 지층 사이를 뚫고 들어와 식어서 된 구조 ➡ 마그마 주변 암석은 열에 의해 변성 작용을 받을 수 있다.
- ❶ ▢▢▢▢ : 관입한 마그마가 식어서 굳어진 암석
- **포획**: 마그마가 관입할 때 주변 암석이나 지층의 조각이 떨어져 나와 마그마에 포함된 구조 ➡ 포획암(포획된 암석)
  └─ 화성암 사이에서 포획된 암석으로, 화성암보다 먼저 생성되었다.

2 부정합

- **정합**: 상하 퇴적층이 큰 시간 간격 없이 나란히 쌓여 있는 관계
- ❷ ▢▢▢▢ : 상하 지층 사이에 큰 시간 간격이 있는 불연속적인 두 지층의 관계
- **부정합의 형성 과정**: 퇴적 → 융기 → 풍화·침식 → 침강 → 퇴적

부정합의 종류

평행 부정합	부정합면을 경계로 상하 지층이 나란한 부정합 → 조륙 운동을 받은 지층에서 잘 나타난다.	부정합면 바로 위에 놓인 역암 · 기저 역암 · 부정합면
경사 부정합	부정합면 아래 지층이 경사져 있는 부정합 → 조산 운동을 받은 지층에서 잘 나타난다.	부정합면
난정합	부정합면 아래 심성암이나 변성암이 분포하는 부정합 → 상하 지층 사이의 시간 간격이 매우 크다.	부정합면

🔑 ❶ 관입암 ❷ 부정합

1-1

그림은 마그마가 관입한 지역의 지질 단면도이다.

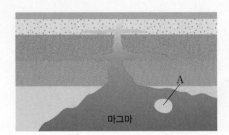

(1) 지구 내부에서 생성된 마그마가 위로 상승하는 과정에서 암석의 틈을 벌리거나 지층 사이로 뚫고 들어와 식어서 된 구조를 [   ]이라고 한다.

(2) A는 무엇인지 쓰시오.

(3) 관입암은 주변 암석보다 (먼저 , 나중에) 생성되었고, 포획암은 포획한 화성암보다 (먼저 , 나중에) 생성되었다.

1-2

그림은 어느 지역의 지질 단면도를 나타낸 것이다.

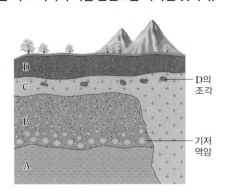

(1) 지층 A와 B 사이는 **❶**[   ]이고, C는 지층 A, B, D를 **❷**[   ]한 것이다.

(2) A~D를 오래된 것부터 순서대로 나열하시오.

(   ) → (   ) → (   ) → (   )

Hint 마그마가 지층을 관입할 때, 관입한 마그마가 식어서 생긴 암석은 주변 지층보다 나중에 생긴 것이다.

2-1

그림 (가)와 (나)는 서로 다른 두 종류의 부정합 모습을 나타낸 것이다.

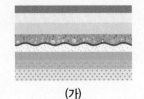 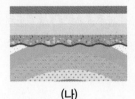

      (가)   (나)

(1) (가)와 (나)의 부정합 종류를 쓰시오.

(가): (   )

(나): (   )

(2) (가)와 (나) 중 조산 운동을 받은 지층에서 잘 나타나는 것은 **❶**[   ]이고, 조륙 운동을 받은 지층에서 잘 나타나는 것은 **❷**[   ]이다.

2-2

그림은 어떤 부정합이 형성되는 과정의 일부 모습을 나타낸 것이다.

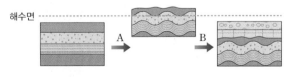

이에 대한 설명으로 옳은 것은 O, 옳지 <u>않은</u> 것은 ×표 하시오.

(1) 상하 지층 사이에 큰 시간 간격 없이 나란히 쌓여 있는 관계를 부정합이라고 한다. (   )

(2) A에서 일어나는 과정을 융기, B에서 일어나는 과정을 침강이라 한다. (   )

Hint 모든 종류의 부정합에서 '융기 → 풍화·침식 → 침강'의 과정이 일어난다.

1^일 지질 구조

미는 힘이 작용하면
역단층이 생겨.

습곡도 횡압력을 받아서 생기지.

정습곡 경사 습곡 횡와 습곡

수평 방향으로 힘이 작용하면
주향 이동 단층이 생겨.

당기는 힘이 작용하면
정단층이 생겨.

📖 핵심 개념

3 습곡과 단층

- **①** : 지층이 양 쪽에서 미는 힘(횡압력)을 받아 생긴다.
  ① 배사: 습곡 구조에서 위로 볼록하게 휘어진 부분
  ② 향사: 습곡 구조에서 아래로 오목하게 휘어진 부분

[그림: 습곡축면, 배사, 향사, 습곡축, 습곡 중앙의 축]

- **습곡의 종류**

정습곡	습곡축면이 수평면에 대해 거의 수직인 습곡
경사 습곡	습곡축면이 수직에서 기울어진 습곡
횡와 습곡	습곡축면이 거의 수평으로 누운 습곡

- 비교적 온도가 높은 지하 깊은 곳에서 힘을 받는 지층은 끊어지기보다 휘어지기가 쉬워 습곡이 형성된다.

- **②** : 습곡 작용이 일어나는 깊이보다 온도가 낮은 지표 근처에서 횡압력이나 장력 또는 중력을 받은 지층이 끊어지면서 형성된다.

4 절리

- 절리는 암석 내에 형성된 틈이나 균열이다.

주상 절리	판상 절리
• 다각형(사각형~육각형)의 기둥 모양 • 화산암에서 잘 나타난다.	• 얇은 판 모양 • 심성암에서 잘 나타난다.

용암이 중심 방향으로 빠르게 식는 과정에서 수축하여 형성	암석이 융기할 때 암석을 누르는 압력이 감소하면서 팽창하여 형성

3-1

그림 (가)와 (나)는 서로 다른 종류의 습곡을, (다)와 (라)는 서로 다른 종류의 단층을 나타낸 것이다.

(1) (가)~(다)의 빈칸에 들어갈 알맞은 말을 쓰시오.

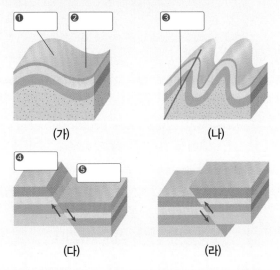

(가)   (나)

(다)   (라)

(2) (가)는 **❶**[   ] 습곡이고, (나)는 **❷**[   ] 습곡이다.

(3) (다)와 (라)의 단층 종류와 작용한 힘의 종류를 쓰시오.

(다): (   ) − (   )력

(라): (   ) − (   )력

3-2

그림 (가)는 습곡의 한 종류를, (나)는 단층의 한 종류를 나타낸 것이다.

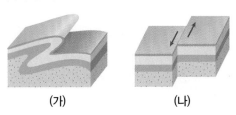

(가)   (나)

이에 대한 설명으로 옳은 것은 O, 옳지 <u>않은</u> 것은 ×표 하시오.

(1) (가)는 횡와 습곡이다. (   )

(2) (가)는 지층이 양쪽에서 잡아당기는 장력을 받아서 휘어진 지질 구조이다. (   )

(3) (나)는 지층이 수직으로 이동한 단층이다. (   )

> **Hint** 습곡은 지층이 양쪽에서 미는 힘을 받아서 형성되고, 주향 이동 단층은 변환 단층이다.

(4) (가)는 판의 발산형 경계에서 주로 형성된다.

(   )

(5) (나)는 판의 보존형 경계에서 주로 형성된다.

(   )

4-1

그림은 판상 절리가 형성되는 과정을 나타낸 것이다.

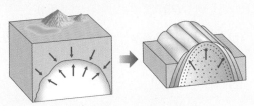

괄호 안에 들어갈 알맞은 말을 고르시오.

(1) 판상 절리는 (화산암 , 심성암)에서 주로 관찰된다.

(2) 판상 절리는 암석이 (융기 , 침강)할 때 암석을 누르는 압력이 (감소 , 증가)하여 형성된다.

4-2

절리에 대한 설명으로 옳은 것은 O, 옳지 <u>않은</u> 것은 ×표 하시오.

(1) 암석 내에 형성된 틈이나 균열을 절리라고 한다.

(   )

(2) 판상 절리는 화산암에서 잘 나타난다. (   )

(3) 주상 절리는 용암이 냉각 수축되는 과정에서 형성된다. (   )

(4) 판상 절리가 나타나는 암석은 주상 절리가 나타나는 암석보다 더 깊은 곳에서 생성되었다. (   )

1^일 기초 유형 연습 | 지질 구조

그림 (가), (나), (다)는 습곡, 포획, 절리를 순서 없이 나타낸 것이다.

| (가) | (나) | (다) |

이에 대한 설명으로 옳은 것만을 〈보기〉에서 있는 대로 고른 것은?

보기
ㄱ. (가)는 (나)보다 깊은 곳에서 형성되었다.
ㄴ. (나)는 수축에 의해 형성되었다.
ㄷ. (다)에서 A는 B보다 먼저 생성되었다.

① ㄱ   ② ㄷ   ③ ㄱ, ㄴ
④ ㄴ, ㄷ   ⑤ ㄱ, ㄴ, ㄷ

개념 point
습곡: 지층이 양쪽에서 미는 횡압력을 받아서 휘어진 지질 구조
포획: 마그마가 관입할 때 주변 암석의 일부가 떨어져 나와 마그마 속으로 유입되는 것
절리: 암석 내에 형성된 틈이나 균열

보기 풀이
ㄱ. (가)는 습곡, (나)는 주상 절리이다. (가)는 지층 내부에서 양쪽으로 미는 횡압력을 받아 형성되고, (나)는 지표로 노출된 용암이 식어 굳으면서 형성된다. 따라서 (가)는 (나)보다 깊은 곳에서 형성되었다.
ㄴ. (나)는 마그마나 용암이 식어 굳으면서 수축할 때 주로 형성된다.
ㄷ. 포획암(A)은 포획하는 화성암(B)보다 먼저 생성되었다.

함정 탈출
ㄷ. 마그마가 관입할 때에는 주변 암석에서 떨어져 나온 암석 조각들이 마그마 속으로 유입되기도 한다.

답 ⑤

1 그림 (가)와 (나)는 서로 다른 두 지역의 지질 단면도를 나타낸 것이다.

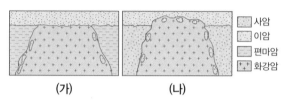

| (가) | (나) |

사암 / 이암 / 편마암 / 화강암

이에 대한 설명으로 옳은 것만을 〈보기〉에서 있는 대로 고른 것은?

보기
ㄱ. (가)에서 편마암은 화강암보다 먼저 생성되었다.
ㄴ. (나)의 화강암에서는 사암과 이암이 포획암으로 나타난다.
ㄷ. 난정합이 나타나는 것은 (나)이다.

① ㄱ   ② ㄷ   ③ ㄱ, ㄴ
④ ㄴ, ㄷ   ⑤ ㄱ, ㄴ, ㄷ

2 그림 (가)와 (나)는 부정합이 발견되는 두 지역의 지층 단면을 나타낸 것이다. (단, 두 지역에서 지층의 역전은 없었다.)

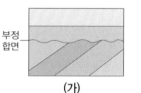
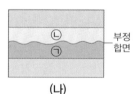

부정합면 ··· 부정합면

| (가) | (나) |

(1) (가)와 (나)의 부정합의 종류를 각각 쓰시오.

(2) (나)의 ㉠과 ㉡ 중 기저 역암이 나타나는 지층은 어느 것인지 쓰시오.

(3) 다음은 부정합의 생성 과정이다. 빈칸에 들어갈 알맞은 말을 쓰시오.

> 퇴적 → (   ) → 풍화·침식 → (   ) → 퇴적

3 그림은 어느 지역의 지질 단면도를 나타낸 것이다.

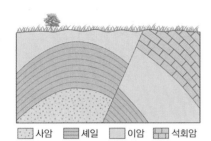

🟦 사암　🟫 셰일　🟪 이암　🟧 석회암

이에 대한 설명으로 옳은 것만을 〈보기〉에서 있는 대로 고른 것은? (단, 지층의 역전은 없었다.)

── 보기 ──
ㄱ. 단층이 관찰된다.
ㄴ. 습곡 구조가 나타난다.
ㄷ. 사암층이 셰일층보다 먼저 형성되었다.

① ㄱ　　　② ㄷ　　　③ ㄱ, ㄴ
④ ㄴ, ㄷ　　⑤ ㄱ, ㄴ, ㄷ

4 그림은 어느 지역의 지질 구조를 모식적으로 나타낸 것이다.

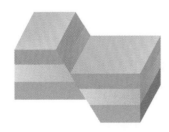

이에 대한 설명으로 옳은 것만을 〈보기〉에서 있는 대로 고른 것은?

── 보기 ──
ㄱ. 상반은 단층면을 따라 위로 이동하였다.
ㄴ. 장력에 의해 형성되었다.
ㄷ. 이 지질 구조는 판의 보존형 경계에서 잘 발달한다.

① ㄱ　　　② ㄴ　　　③ ㄱ, ㄷ
④ ㄴ, ㄷ　　⑤ ㄱ, ㄴ, ㄷ

2020학년도 4월 학평 2번 변형

5 그림 (가)와 (나)는 서로 다른 지질 구조를 나타낸 것이다.

(가)　　　　　　　(나)

이에 대한 설명으로 옳은 것만을 〈보기〉에서 있는 대로 고른 것은? (단, 지층의 역전은 없었다.)

── 보기 ──
ㄱ. (가)에서는 향사 구조가 나타난다.
ㄴ. (나)는 역단층이다.
ㄷ. (가)와 (나)는 모두 횡압력을 받아 형성되었다.

① ㄱ　　　　　② ㄷ　　　　　③ ㄱ, ㄴ
④ ㄴ, ㄷ　　　⑤ ㄱ, ㄴ, ㄷ

2019학년도 6월 학평 16번 변형

6 그림 (가)는 판상 절리를, (나)는 주상 절리를 나타낸 것이다.

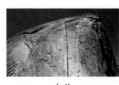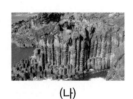

(가)　　　　　　　(나)

이에 대한 설명으로 옳은 것만을 〈보기〉에서 있는 대로 고른 것은?

── 보기 ──
ㄱ. (가)는 심성암에서 주로 관찰된다.
ㄴ. (가)는 용암이 급격히 냉각 수축하는 과정에서 형성된다.
ㄷ. (나)는 암석의 융기로 인한 압력 감소에 의해 형성된다.

① ㄱ　　　　　② ㄴ　　　　　③ ㄱ, ㄷ
④ ㄴ, ㄷ　　　⑤ ㄱ, ㄴ, ㄷ

2일 지사 해석 방법과 지층의 연령

지층은 이렇게 차곡차곡 쌓이지.

〈수평 퇴적의 법칙〉

먼저 퇴적된 지층은 아래에 위치해.

— 나중에 퇴적된 지층

— 먼저 퇴적된 지층

〈지층 누중의 법칙〉

지층이 퇴적되는 시대의 생물이 화석으로 남지.

〈동물군 천이의 법칙〉

관입한 암석은 관입당한 암석보다 나중에 생성되었어.

관입당한 암석   〈관입의 법칙〉   관입한 암석

부정합면을 기준으로 위아래 지층에는 긴 시간 간격이 있어.

부정합면

〈부정합의 법칙〉

📖 핵심 개념

1 지사학의 법칙(1)

● **수평 퇴적의 법칙**: 퇴적물은 수평으로 퇴적된다. ➡ 지층이 지표면과 나란한 수평층은 비교적 지각 변동을 받지 않은 지층이고, 경사층은 지각 변동을 받은 지층이다.

● **지층 누중의 법칙**: 지층이 쌓일 때 아래쪽이 위쪽보다 먼저 퇴적되었다. ➡ 퇴적물은 이전에 쌓였던 퇴적물 위에 수평으로 쌓인다. 지층 누중의 법칙을 적용하려면 지층이 역전되지 않아야 한다.

● ❶ ⬜️ 의 법칙: 관입한 암석은 관입당한 암석보다 나중에 생성되었다.

① 마그마가 관입하면 고온의 열로 인해 마그마 접촉부를 따라 기존 암석에 변성 작용이 일어난다.

② 변성 작용을 받은 지층은 관입한 화성암보다 먼저 생성되었다.

2 지사학의 법칙(2)

● **동물군 천이의 법칙**: 퇴적 시기가 다른 지층에서는 발견되는 화석의 종류와 진화 정도가 다르다. ➡ 멀리 떨어져 있는 지층의 생성 시기를 비교할 수 있다.

● ❷ ⬜️ 의 법칙: 부정합면을 기준으로 위아래 지층 사이에는 긴 시간 간격이 있다. ➡ 부정합면의 상하 지층을 이루는 암석의 조성, 지질 구조, 화석의 종류 등이 다르다.

● **부정합으로 알 수 있는 것**

① 지층이 융기한 시기에 지층의 퇴적이 중단되었다.

② 지층이 육지로 드러나기 전까지는 부정합면의 수만큼 융기가 일어났다.

③ 지층이 육지로 드러나려면 융기 과정을 한 번 더 거쳐야 한다.

📖 ❶ 관입 ❷ 부정합

1-1

그림은 어느 지역의 지질 단면도를 나타낸 것이다.

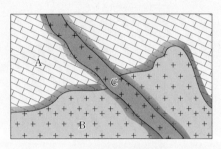

(1) 이 지역 지층의 선후 관계를 판단할 때 이용할 수 있는 지사학의 법칙을 쓰시오.

(2) A~C의 생성 순서를 순서대로 쓰시오.

(   ) → (   ) → (   )

1-2

그림은 지층의 역전이 없었던 어느 지역의 지질 단면도를 나타낸 것이다.

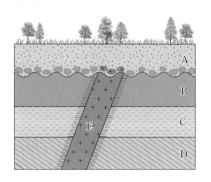

(1) B~E의 생성이 오래된 것부터 순서대로 쓰시오.

(   ) → (   ) → (   ) → (   ) → A

Hint 지층 누중의 법칙과 관입의 법칙을 이용한다.

(2) 이 지역의 지층이 융기한 횟수를 쓰시오.

Hint 지층이 육지로 드러났으므로 융기한 횟수는 '부정합면 수+1'이다.

2-1

그림은 어느 지역의 지질 단면도를 나타낸 것이다.

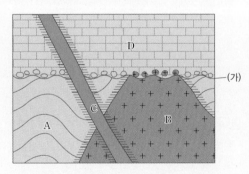

(1) 지층 A와 지층 D의 선후 관계를 판단할 때 이용되는 지사학의 법칙을 쓰시오.

(2) (가)는 무엇을 나타낸 것인지 쓰시오.

(3) 지층 D의 하부에서는 [   ] 역암이 발견된다.

2-2

그림 (가)와 (나)는 인접한 서로 다른 두 지역의 지층 단면과 산출되는 화석을 나타낸 것이다.

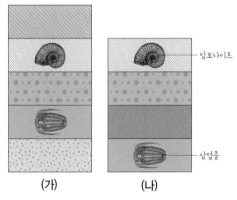

(1) (가)와 (나) 중 가장 오래된 지층이 분포하는 지역을 쓰시오.

(2) (가)와 (나) 중 가장 새로운 지층이 분포하는 지역을 쓰시오.

Hint 새로운 지층으로 갈수록 진화된 화석이 발견된다.

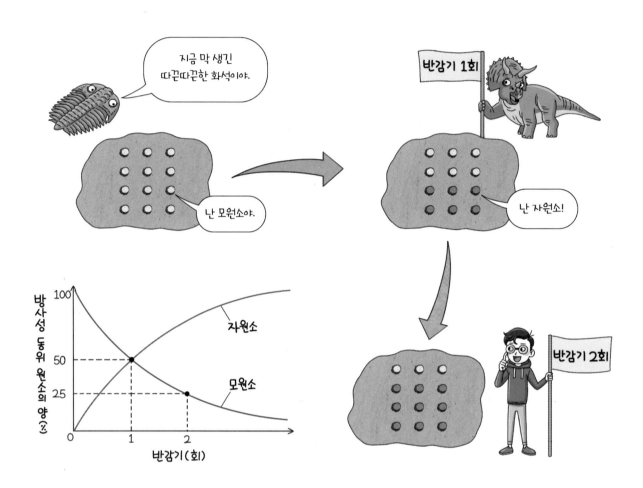

---

3 상대 연령과 지층의 대비

- **상대 연령**: 지사학의 법칙을 이용하여 지층이나 암석의 생성 시기 및 지질학적 사건을 상대적인 선후 관계로 나타낸 것이다.
- **지층의 대비**: 지층의 특징이나 화석을 이용하여 여러 지역에 분포하는 지층들의 시간적 선후 관계를 밝히는 것이다.

  ┌─ 지층 대비의 기준이 되는 층이다.

  ① **암상에 의한 대비**: 암석의 종류나 성분, 퇴적 구조 등으로 지층의 선후 관계를 밝히는 것이다. ─ 비교적 가까운 거리에 위치하는 지층의 대비에 이용된다.

  ➡ **건층(열쇠층)**: 비교적 짧은 시간 동안 넓은 지역에서 동시에 퇴적된 지층이다. 석탄층, 응회암층이 대표적이다.

  ② **❶[화석]에 의한 대비**: 특정 시기의 지층에서 발견되는 화석을 이용하여 지층의 선후 관계를 밝히는 것이다. ─ 가까운 거리뿐만 아니라 멀리 떨어져 있는 지층의 대비에도 이용된다.

4 절대 연령

- **절대 연령**: 지층이나 암석의 생성 시기 및 지질학적 사건의 발생 시기를 수치로 나타낸 것이다.
- **절대 연령의 측정**: 방사성 동위 원소를 분석하여 알아낸다.
- **방사성 동위 원소**: 자연 상태에서 불안정하기 때문에 스스로 붕괴하여 방사선을 방출하면서 안정하게 변하는 원소로, 외부의 온도와 압력 조건에 상관없이 항상 일정한 비율로 붕괴하여 안정한 원소로 변한다.
- **❷[반감기]**: 방사성 동위 원소가 붕괴하여 모원소의 양이 처음의 절반으로 줄어드는 데 걸리는 시간이다.
- 방사성 동위 원소의 반감기와 광물에 포함된 모원소와 자원소의 비율을 조사하면 광물이나 암석의 절대 연령을 알 수 있다. ➡ 절대 연령=반감기 횟수×반감기

3-1

그림은 인접한 세 지역 A, B, C의 지질 주상도이다. 이 지역에는 동일한 시기에 분출된 화산재가 쌓여 만들어진 암석이 있다. (단, 지층의 역전은 없었다.)

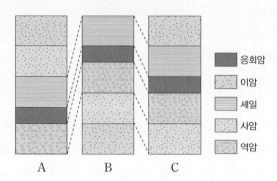

■	응회암
⬚	이암
≡	셰일
⬚	사암
⬚	역암

(1) 지층 대비의 기준이 되는 건층으로 가장 적절한 지층을 쓰시오.

(2) A, B, C 지역의 지층을 대비해 보면 '이암층 → 사암층 → **①**⬚ → 응회암층 → 셰일층 → 사암층 → **②**⬚' 순으로 퇴적되었다.

(3) A 지역의 사암층은 응회암층보다 (먼저 , 나중에) 퇴적되었고, C 지역의 사암층은 응회암층보다 (먼저 , 나중에) 퇴적되었다.

3-2

그림은 인접한 서로 다른 세 지역 A, B, C의 지층 단면과 산출되는 화석을 나타낸 것이다. (단, 지층의 역전은 없었다.)

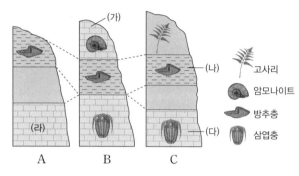

🌿	고사리
🐚	암모나이트
◗	방추충
🐛	삼엽충

(1) (가), (나), (다)에 해당하는 지질 시대를 각각 쓰시오.

(가): (　　　　　　　　)

(나): (　　　　　　　　)

(다): (　　　　　　　　)

(2) C에서 삼엽충과 방추충이 산출되는 두 지층 사이에 생성된 지층이 B에서 (나타난다 , 나타나지 않는다).

(3) (라)에서는 삼엽충이 발견될 수 (있다 , 없다).

Hint (라)에는 고생대 표준 화석이 발견될 가능성이 크다.

(4) C에는 육성층이 (존재한다 , 존재하지 않는다).

4-1

그림은 방사성 동위 원소 X의 붕괴 곡선을 나타낸 것이다.

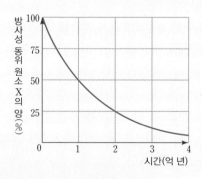

방사성 동위 원소 X의 반감기를 쓰시오.

4-2

다음은 방사성 동위 원소에 대한 설명이다.

> 암석이 생성된 이후, 방사성 원소가 외부로 빠져나가거나 외부에서 유입되지 않은 어떤 암석 속에 들어 있는 방사성 동위 원소의 모원소와 자원소의 양을 조사하였더니 <u>모원소의 양은 $\frac{1}{4}$</u>이, 자원소의 양은 $\frac{3}{4}$이 들어 있었다.
> └ 원래의 방사성 동위 원소
> 모원소가 붕괴하여 새로 생성된 원소

이 암석이 생성된 후 반감기는 몇 회 지났는지 쓰시오.

Hint 반감기가 한 번 지날 때마다 모원소의 함량은 절반씩 줄어든다.

2일 기초 유형 연습 | 지사 해석 방법과 지층의 연령

대표 기출 유형

그림은 방사성 동위 원소 A와 B의 붕괴 곡선을 나타낸 것이다.

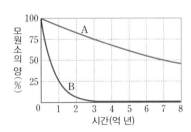

이에 대한 설명으로 옳은 것만을 〈보기〉에서 있는 대로 고른 것은?

― 보기 ―
ㄱ. 반감기는 A가 B의 14배이다.
ㄴ. 7억 년 전 생성된 화성암에 포함된 A는 두 번의 반감기를 거쳤다.
ㄷ. 암석에 포함된 $\dfrac{\text{B의 양}}{\text{B의 자원소 양}}$ 이 $\dfrac{1}{3}$ 로 되는 데 걸리는 시간은 1억 년이다.

① ㄱ   ② ㄴ   ③ ㄱ, ㄷ
④ ㄴ, ㄷ   ⑤ ㄱ, ㄴ, ㄷ

개념 point

반감기: 방사성 동위 원소가 붕괴하여 모원소의 양이 처음의 절반으로 줄어드는 데 걸리는 시간
모원소: 원래의 방사성 동위 원소
자원소: 모원소가 붕괴하여 새로 생성된 원소

보기 풀이

ㄱ. A의 반감기는 7억 년이고, B의 반감기는 0.5억 년이다. 따라서 반감기는 A가 B의 14배이다.
ㄴ. A의 반감기가 7억 년이므로, 7억 년 전에 생성된 화성암에 포함된 A는 한 번의 반감기를 거쳤다.
ㄷ. B는 반감기가 0.5억 년이다. 두 번의 반감기를 거친 1억 년 후 암석에 포함된 $\dfrac{\text{B의 양}}{\text{B의 자원소 양}}$ 은 $\dfrac{1}{3}$ 이 된다.

함정 탈출

ㄷ. 두 번의 반감기를 거치면 암석에 포함된 모원소는 25 %, 자원소는 75 %가 된다.

답 ③

---

1 표는 지사학의 법칙 일부를 정리한 것이다.

법칙	설명
㉠	먼저 쌓인 지층이 나중에 쌓인 지층보다 아래에 위치한다.
관입의 법칙	마그마가 기존의 암석을 관입하여 식으면 관입암이 생성된다. 따라서 (㉡) 먼저 생성되었다.
동물군 천이의 법칙	새로운 지층으로 갈수록 더욱 진화된 동물 화석군이 발견된다.

(1) ㉠에 들어갈 지사학의 법칙을 쓰시오.

(2) ㉡에 들어갈 알맞은 말을 쓰시오.

2019학년도 6월 모평 1번 변형

2 그림은 어느 지역의 지질 단면도와 산출되는 화석을 나타낸 것이다.

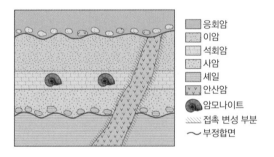

이에 대한 설명으로 옳은 것만을 〈보기〉에서 있는 대로 고른 것은?

― 보기 ―
ㄱ. 석회암층은 중생대에 퇴적되었다.
ㄴ. 안산암은 응회암층보다 나중에 생성되었다.
ㄷ. 셰일층과 사암층 사이에 퇴적이 중단된 시기가 있었다.

① ㄱ   ② ㄴ   ③ ㄱ, ㄷ
④ ㄴ, ㄷ   ⑤ ㄱ, ㄴ, ㄷ

2019학년도 6월 학평 15번 변형

3 그림은 인접한 세 지역 A, B, C의 지층 단면을 나타낸 것이다. 이 지역에는 동일한 시기에 분출된 화산재가 쌓여 만들어진 지층이 있다.

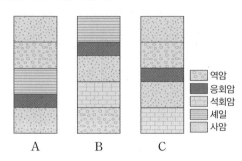

역암
응회암
석회암
셰일
사암

이에 대한 설명으로 옳은 것만을 〈보기〉에서 있는 대로 고른 것은? (단, 지층의 역전은 없었다.)

보기
ㄱ. 응회암층이 건층으로 가장 적절하다.
ㄴ. 가장 오래된 지층은 C에 존재한다.
ㄷ. A와 B의 역암층은 동일한 시기에 퇴적된 것이다.

① ㄱ ② ㄴ ③ ㄱ, ㄷ ④ ㄴ, ㄷ ⑤ ㄱ, ㄴ, ㄷ

4 그림은 서로 다른 세 지역 (가), (나), (다)의 지층 단면과 각 지층에서 산출되는 화석을 나타낸 것이다.

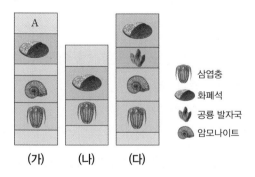

삼엽충
화폐석
공룡 발자국
암모나이트

(가) (나) (다)

이에 대한 설명으로 옳은 것만을 〈보기〉에서 있는 대로 고른 것은? (단, 지층의 역전은 없었다.)

보기
ㄱ. (가)의 A층에서는 공룡 발자국 화석이 산출될 수 있다.
ㄴ. (나)에서 중생대 지층은 발견되지 않았다.
ㄷ. (다)의 지층은 모두 바다에서 퇴적되었다.

① ㄱ ② ㄴ ③ ㄱ, ㄷ ④ ㄴ, ㄷ ⑤ ㄱ, ㄴ, ㄷ

5 그림은 인접한 두 지역 (가)와 (나)의 지질 주상도와 지층에서 산출되는 화석을 나타낸 것이다.

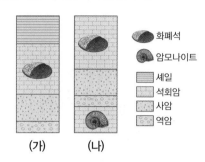

화폐석
암모나이트
셰일
석회암
사암
역암

(가) (나)

(1) (가)와 (나)에서 가장 나중에 형성된 지층을 쓰시오.

(2) (가)와 (나) 중 가장 오래된 지층이 존재하는 지역을 쓰고, 가장 오래된 지층이 퇴적된 지질 시대를 쓰시오.

6 그림은 방사성 동위 원소 X의 붕괴 곡선을 나타낸 것이다.

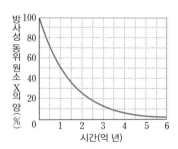

이에 대한 설명으로 옳은 것만을 〈보기〉에서 있는 대로 고른 것은?

보기
ㄱ. X의 반감기는 1억 년이다.
ㄴ. X가 3번의 반감기를 지나는 데 걸리는 시간은 2억 년이다.
ㄷ. 2억 년 후에는 X의 양이 처음의 25 %가 된다.

① ㄱ ② ㄴ ③ ㄱ, ㄷ
④ ㄴ, ㄷ ⑤ ㄱ, ㄴ, ㄷ

3^일 지질 시대의 환경과 생물

빙하 속에 무언가 많이 들어있네?

빙하층

$^{18}O / ^{16}O$

빙하   공기 방울

📖 핵심 개념

1 화석

- **화석**: 과거 지질 시대에 살았던 생물의 유해나 흔적이 지층 속에 남아 있는 것으로, 주로 퇴적암에서 발견된다.
- **❶** : 특정 시기에 출현하여 일정 기간 번성하다가 멸종된 생물의 화석 ➡ 넓은 지역에 분포해야 하며, 개체 수가 많고 생존 기간이 짧아야 한다.
- **시상 화석**: 환경 변화에 민감하여 특정한 환경에서만 번성하는 생물의 화석 ➡ 생존 기간이 길고, 서식지가 한정되어 있어야 한다.
- **화석의 생성 조건**: ① 생물체의 개체 수가 많아야 하고, ② 생물체에 뼈나 줄기, 껍데기와 같은 단단한 부분이 있어야 하며, ③ 생물체가 박테리아에 의해 분해되기 전에 땅속에 빨리 매몰되어야 하고, ④ 퇴적암이 생성된 후 심한 지각 변동이나 변성 작용을 받지 않아야 한다.

2 고기후 연구 방법

- **빙하 코어 연구**
  ① 빙하에 포함된 꽃가루 화석을 분석하여 식물의 종류나 당시 번성했던 식물을 통해 과거의 기온을 알 수 있다.
  ② 눈 결정 사이에 포함된 공기 방울을 분석하여 빙하가 형성된 당시의 대기 조성을 알 수 있다.
- **❷** ($^{18}O / ^{16}O$): 빙하에서 분석하면 온난한 시기에 높고 한랭한 시기에 낮으며, 유공충 화석에서는 온난한 시기에 낮고, 한랭한 시기에 높다.
- **나무의 나이테 폭**: 과거의 기온과 강수량의 변화를 알 수 있다. ➡ 온난하고 강수량이 많아지면 나무의 생장이 활발해져 나무의 나이테 폭이 넓어진다.
- **산호 성장률 연구**: 수온이 높을수록 산호의 성장 속도가 빨라지므로 산호를 연구하면 과거의 수온을 알 수 있다.

📗 답 ❶ 표준 화석 ❷ 산소 동위 원소비

1-1

그림은 분포 면적과 생존 기간에 따른 화석의 조건을 나타낸 것이다.

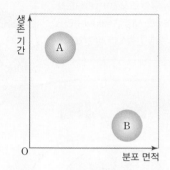

생존 기간 / 분포 면적

(1) A와 B에 알맞은 화석의 종류를 쓰시오.

A: (   )

B: (   )

(2) A와 B 중 산호는 어디에 속하는지 쓰시오.

1-2

그림 (가), (나), (다)는 서로 다른 지층에서 발견된 화석을 나타낸 것이다.

(가) 화폐석   (나) 삼엽충   (다) 고사리

(1) (가), (나), (다) 중 [   ]는 지질 시대를 구분할 때 주로 이용한다.

(2) (가), (나), (다) 중 [   ]는 지층이 퇴적된 당시의 환경을 판단하는 데 주로 이용한다.

2-1

그림은 과거의 기후를 추정하는 데 사용하는 자료를 나타낸 것이다.

▲ 산호 화석   ▲ 나무의 나이테

괄호 안에 들어갈 알맞은 말을 고르시오.

(1) 해수의 온도가 낮을수록 산호의 성장 속도는 (느리다 , 빠르다).

(2) 나무 나이테의 폭이 (좁은 , 넓은) 시기는 한랭 건조한 시기였다.

2-2

다음은 빙하 코어를 이용한 고기후 연구 방법이다.

- ㉠빙하 코어에 포함된 공기 방울의 이산화 탄소 농도와 얼음의 ㉡산소 동위 원소비($^{18}O/^{16}O$)를 측정한다.
- ㉠의 농도와 얼음의 ㉡이 높을 때 기온이 높다고 추정한다.

(1) 온난한 시기와 한랭한 시기의 빙하 속 산소 동위 원소비($^{18}O/^{16}O$)를 부등호를 이용하여 비교하시오.

$$\text{온난한 시기의 } \frac{^{18}O}{^{16}O} \;(\quad)\; \text{한랭한 시기의 } \frac{^{18}O}{^{16}O}$$

Hint 한랭한 시기보다 온난한 시기에 대기 중 $\frac{^{18}O}{^{16}O}$가 높았다.

(2) 해수에서 증발하는 산소 동위 원소비($^{18}O/^{16}O$)가 높으면, 수증기가 눈으로 내려 형성되는 빙하 코어 속의 산소 동위 원소비($^{18}O/^{16}O$)는 [   ]진다.

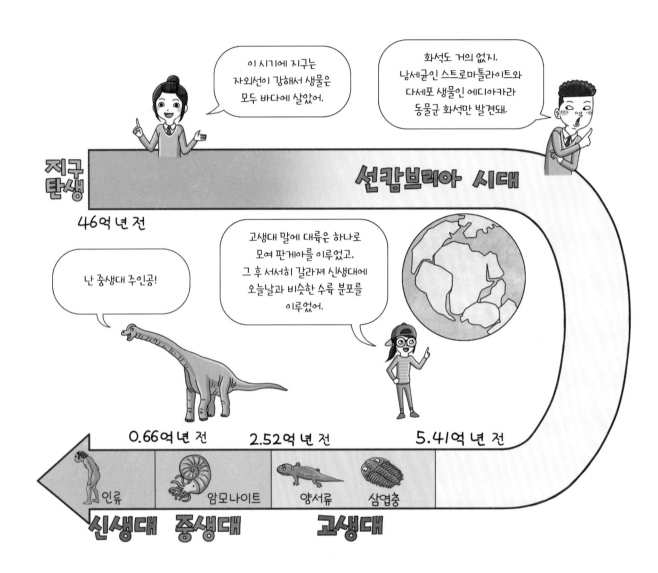

이 시기에 지구는 자외선이 강해서 생물은 모두 바다에 살았어.

화석도 거의 없지. 남세균인 스트로마톨라이트와 다세포 생물인 에디아카라 동물군 화석만 발견돼.

지구 탄생

선캄브리아 시대

46억 년 전

고생대 말에 대륙은 하나로 모여 판게아를 이루었고, 그 후 서서히 갈라져 신생대에 오늘날과 비슷한 수륙 분포를 이루었어.

난 중생대 주인공!

0.66억 년 전   2.52억 년 전   5.41억 년 전

인류   암모나이트   양서류   삼엽충

신생대   중생대   고생대

📖 핵심 개념

3 지질 시대의 환경과 생물

- **지질 시대**: 지구가 탄생한 약 46억 년 전부터 현재까지이다.
- **지질 시대의 구분 기준**: 생물계에 일어난 급격한 변화(출현과 멸종), 지각 변동, 기후 변화 등을 기준으로 구분한다.
- **지질 시대의 구분 단위**: 누대 → 대 → 기 → 세
- 지질 시대는 화석이 거의 발견되지 않는 시생 누대, 원생 누대와 화석이 많이 발견되는 현생 누대로 구분하며, 현생 누대는 ❶▢▢▢, 중생대, 신생대로 구분한다.
- 지질 시대의 길이는 선캄브리아 시대＞고생대＞중생대＞신생대 순이다.

- **지질 시대의 특징**
  ① 선캄브리아 시대에는 지각 변동을 받아서 대부분의 화석이 변형되거나 소실되었다.
  ② 고생대에 최초의 육상 생물이 출현하였다.
  ③ ❷▢▢▢ 는 지질 시대 중에서 유일하게 빙하기가 없었던 시기이다.
  └─ 신생대 때 히말라야산맥이 형성되었다.
  ④ 신생대 제4기에는 빙하기와 간빙기가 반복되었다.
- **생물의 대멸종**: 짧은 시간에 일어난 많은 생물들의 대규모 멸종으로, 전 지구적으로 나타난 급격한 환경 변화로 인해 지질 시대 동안 총 5차례의 대멸종이 있었다. ➡ 생물은 고생대 페름기 말에 가장 많이 멸종하였다.

3-1

그림은 지질 시대의 상대적인 길이를 나타낸 것이다.

(1) 지질 시대의 길이가 긴 것부터 순서대로 나열하시오.

(   ) - (   ) - (   ) - (   )

(2) 빈칸에 들어갈 알맞은 지질 시대를 쓰시오.

❶	❷	❸
양치식물, 삼엽충, 갑주어 번성	겉씨식물, 공룡, 암모나이트 번성	속씨식물, 화폐석, 매머드 번성

3-2

그림은 지질 시대 중 현생 누대를 구분하여 나타낸 것이다.

현생 누대										
고생대						중생대		신생대		
캄브리아기	오르도비스기	실루리아기	데본기	A	페름기	트라이아스기	B	백악기	팔레오기	네오기	제4기

↑ 5.41억 년 전   ↑ 2.52억 년 전   ↑ 6600만 년 전

(1) A와 B에 알맞은 지질 시대를 쓰시오.

A: (   )

B: (   )

(2) 중생대는 ❶[   ]류의 시대이고, 신생대는 ❷[   ]류의 시대이다.

(3) 지질 시대별 식물의 번성 순서는 ❶[   ]식물 → ❷[   ]식물 → ❸[   ]식물이다.

(4) [   ]대에 최초의 육상 식물이 출현하였다.

4-1

그림은 6억 년 전부터 현재까지 생물 종의 수 변화를 나타낸 것이다.

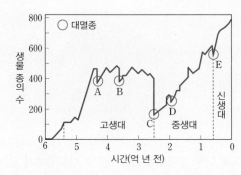

(1) A~E 중 생물 종의 수가 가장 많이 멸종한 시기를 쓰시오.

(2) C와 E 중 판게아의 형성으로 인한 대멸종 시기는 [   ]이다.

(3) [   ] 시기를 경계로 중생대와 신생대가 구분된다.

4-2

표는 서로 다른 두 지질 시대 A와 B의 환경과 기후를 나타낸 것이다.

지질 시대	환경과 기후
A	• 초대륙인 판게아 형성 시작 • 대체로 온난하다가 후기에 빙하기 있었다.
B	• 오늘날과 비슷한 수륙 분포 형성 • 초기에는 온난, 말기에는 빙하기와 간빙기가 반복되었다.

(1) A와 B의 지질 시대를 쓰시오.

A: (   )

B: (   )

Hint 판게아는 고생대 말~중생대 초의 대륙 분포이며, 중생대에는 빙하기가 없었다.

(2) A와 B 중 히말라야산맥이 형성된 시대를 쓰시오.

대표 기출 유형

다음은 스트로마톨라이트에 대한 설명과 A, B, C 누대의 특징이다. A, B, C는 각각 시생 누대, 원생 누대, 현생 누대 중 하나이다.

스트로마톨라이트는 광합성을 하는 (㉠)이 만든 층상 구조의 석회질 암석으로 따뜻하고 수심이 얕은 바다에서 형성된다.

누대	특징
A	대륙 지각 형성 시작
B	에디아카라 동물군 출현
C	겉씨식물 출현

이에 대한 설명으로 옳은 것만을 〈보기〉에서 있는 대로 고른 것은?

보기

ㄱ. ㉠은 A 시기에 출현하였다.
ㄴ. 지질 시대의 길이는 A가 C보다 짧다.
ㄷ. B 시기에는 초대륙이 존재하지 않았다.

① ㄱ   ② ㄴ   ③ ㄱ, ㄷ
④ ㄴ, ㄷ   ⑤ ㄱ, ㄴ, ㄷ

개념 point

에디아카라 동물군 화석: 원생 누대 후기에 최초로 출현한 다세포 동물들의 화석
초대륙: 대륙들이 하나로 모여 형성한 거대한 대륙

보기 풀이

A는 시생 누대, B는 원생 누대, C는 현생 누대이다.
ㄱ. ㉠은 남세균이다. 남세균은 시생 누대에 출현하였다.
ㄴ. 지질 시대의 길이는 시생 누대가 약 15억 년이고, 현생 누대가 약 5.4억 년이다. 따라서 시생 누대가 현생 누대보다 지질 시대의 길이가 더 길다.
ㄷ. 원생 누대에는 약 12억 년 전에 형성된 로디니아라는 초대륙이 존재하였다.

함정 탈출

ㄷ. 고생대 말~중생대 초에 존재하였던 초대륙 판게아 외에도 지질 시대에는 여러 개의 초대륙이 존재하였다.

답 ①

1 표는 서로 다른 지질 시대 A, B, C를 표준 화석과 함께 순서 없이 나타낸 것이다.

지질 시대(단위: 대)	표준 화석
A	화폐석, 매머드
B	공룡, 암모나이트
C	삼엽충, 갑주어, 방추충

(1) 지질 시대 A, B, C를 시간 순으로 나열하시오.
(   )-(   )-(   )

(2) A, B, C 중 트라이아스기, 쥐라기, 백악기로 세 분화할 수 있는 시대를 쓰시오.

`2020학년도 6월 학평 17번 변형`

2 그림은 지질 시대를 선캄브리아 시대, 고생대, 중생대, 신생대로 나누어 시간의 상대적인 길이에 따라 A~D로 나타낸 것이다.

이에 대한 설명으로 옳은 것만을 〈보기〉에서 있는 대로 고른 것은?

보기

ㄱ. 생물 종류의 수는 A 시기가 D 시기보다 많다.
ㄴ. B 시기 말에 판게아가 형성되었다.
ㄷ. C 시기에 파충류가 번성하였다.

① ㄱ   ② ㄴ   ③ ㄱ, ㄷ
④ ㄴ, ㄷ   ⑤ ㄱ, ㄴ, ㄷ

3 다음은 화석에 대한 수업 장면을 나타낸 것이다.

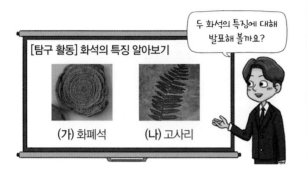

두 화석의 특징에 대해
발표해 볼까요?

[탐구 활동] 화석의 특징 알아보기

(가) 화폐석   (나) 고사리

발표한 내용이 옳은 학생만을 있는 대로 고르시오.

철수: (가)는 신생대에 번성하였어요.
영희: (나)는 지질 시대를 구분할 때 주로 이용해요.
민수: (가)와 (나)는 모두 육지 환경에서 서식했던 생물이에요.

2019학년도 6월 학평 20번

4 그림 (가)~(다)는 과거의 기후를 추정하는 데 사용하는 자료이다.

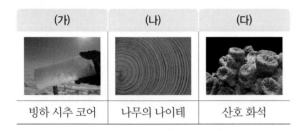

(가)	(나)	(다)
빙하 시추 코어	나무의 나이테	산호 화석

이에 대한 설명으로 옳은 것만을 〈보기〉에서 있는 대로 고른 것은?

보기
ㄱ. (가) 내부의 기포를 분석하여 과거 대기의 조성을 알 수 있다.
ㄴ. (나)가 조밀한 시기는 온난 다습한 기후였음을 알 수 있다.
ㄷ. (다)가 발견되는 지층은 퇴적될 당시 따뜻하고 얕은 바다였을 것이다.

① ㄱ   ② ㄴ   ③ ㄱ, ㄷ
④ ㄴ, ㄷ   ⑤ ㄱ, ㄴ, ㄷ

2020학년도 11월 학평 8번 변형

5 그림은 지질 시대의 평균 기온 변화를 나타낸 것이다.

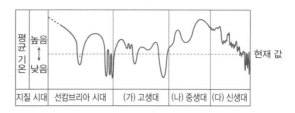

이에 대한 설명으로 옳은 것만을 〈보기〉에서 있는 대로 고른 것은?

보기
ㄱ. (가)는 최초의 육상 생물이 등장한 시대이다.
ㄴ. (나)의 평균 기온은 현재보다 높았다.
ㄷ. (다)에는 빙하기와 간빙기가 있었다.

① ㄱ   ② ㄷ   ③ ㄱ, ㄴ
④ ㄴ, ㄷ   ⑤ ㄱ, ㄴ, ㄷ

6 그림은 현생 누대 동안 생물 과의 멸종 비율과 대멸종 시기 A, B, C를 나타낸 것이다.

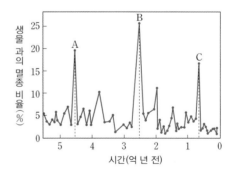

이에 대한 설명으로 옳은 것만을 〈보기〉에서 있는 대로 고른 것은?

보기
ㄱ. 생물 과의 멸종 비율은 A 시기보다 B 시기에 높다.
ㄴ. B 시기를 경계로 고생대와 중생대가 구분된다.
ㄷ. 공룡과 암모나이트는 C 시기에 멸종하였다.

① ㄱ   ② ㄷ   ③ ㄱ, ㄴ
④ ㄴ, ㄷ   ⑤ ㄱ, ㄴ, ㄷ

4 일 기압과 날씨의 변화

1 기단의 형성

- **우리나라 주변의 기단**: 우리나라는 북반구 중위도에서 대륙과 해양의 경계에 위치하여 계절에 따라 영향을 받는 기단의 종류가 달라져 날씨가 변한다.
- **기단의 변질**: 기단이 발원지를 떠나 이동하면 지표면의 영향으로 기단의 성질이 변하고 날씨의 변화로 이어진다.
  ① **온난한 기단이 한랭한 바다를 통과할 때**: 층운형 구름이 발달하고, 약한 이슬비가 내리거나 안개가 생성된다.
  ⑩ 북태평양 기단이 북상하여 남해안에 안개 발생
  ② **한랭한 기단이 온난한 바다를 통과할 때**: 적운형 구름이 발달하고, 해안 지역에 폭설이나 소나기가 발생한다.
  ⑩ 시베리아 기단이 황해를 지나면서 서해안에 폭설을 내린다.

2 전선의 형성

- **한랭 전선과 온난 전선**

구분	한랭 전선	❶
전선면 기울기	급하다.	완만하다.
강수 형태	전선 후면에 소나기	전선 전면에 이슬비
이동 속도	빠르다.	느리다.
전선 통과 후	기온 하강	기온 상승
	남서풍 → 북서풍	남동풍 → 남서풍

- ❷ : 두 기단의 세력이 비슷하여 한곳에 오래 머무르면서 형성되는 전선이다. ⑩ 우리나라 초여름 장마 전선
- **폐색 전선**: 이동 속도가 빠른 한랭 전선이 이동 속도가 느린 온난 전선을 따라가 겹쳐져 형성된 전선이다.

1-1

그림은 우리나라 주변의 기단을 나타낸 것이다.

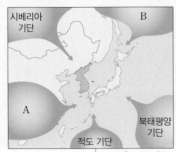

└─ 한여름 고온 다습함과 태풍을 형성

(1) A와 B에 해당하는 기단의 이름을 쓰시오.

A: (　　　　　　　), B: (　　　　　　　)

(2) 시베리아 기단과 북태평양 기단을 비교하여 쓰시오.

구분	시베리아 기단	북태평양 기단
성질	❶	고온 다습
계절	겨울	❷

1-2

그림 (가)와 (나)는 서로 다른 두 기단이 변질되는 모습을 나타낸 것이다.

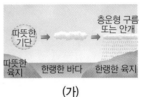 

시베리아 기단과 북태평양 기단 중 (가)와 (나)의 예로 알맞은 기단의 이름을 쓰시오.

(가): (　　　　　　　　　)

(나): (　　　　　　　　　)

Hint (가)로 인해 여름철 남해안 지역에 안개가 생성되고, (나)로 인해 겨울철 서해안 지역에 폭설이 내린다.

2-1

그림은 온대 저기압의 모습을 나타낸 것이다.

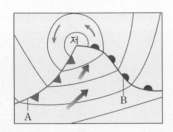

(1) A와 B에 해당하는 전선의 이름을 쓰시오.

A: (　　　　　　　), B: (　　　　　　　)

(2) 전선 A와 B를 비교하여 빈칸을 채우시오.

구분	A	B
전선면 기울기	급하다.	완만하다.
생성 구름 형태	적운형 구름	층운형 구름
이동 속도	❶ .	❷ .

(3) A가 B를 따라가 겹쳐져 [　　] 전선이 형성된다.

2-2

그림은 초여름에 정체 전선이 발달한 우리나라 주변의 가시광선 영상이다.

└─ 구름이 두꺼울수록 햇빛을 강하게 반사하여 밝게 보임

이에 대한 설명으로 옳은 것은 ○, 옳지 않은 것은 ×표 하시오.

(1) 정체 전선은 남쪽의 따뜻한 기단과 북쪽의 찬 기단이 만나 형성되었다. (　　　)

(2) 주로 우리나라 겨울철에 잘 발달한다. (　　　)

(3) A 지역에서는 북태평양 기단이 발달해 있다.

(　　　)

(4) A 지역의 기단이 발달할수록 정체 전선은 남하할 것이다. (　　　)

4일 기압과 날씨의 변화

3 기압과 날씨의 변화

- **①[   ]**: 주위보다 기압이 높은 곳으로, 공기가 하강하면 단열 압축이 일어나 기온이 높아지고 수증기의 응결이 일어나지 않아 날씨가 맑다.
- **저기압**: 주위보다 기압이 낮은 곳으로, 공기가 상승하면 단열 팽창이 일어나 기온이 낮아지고 수증기의 응결이 일어나 구름이 형성된다.

[바람이 시계 반대 방향으로 불어 들어감(북반구)] [바람이 시계 방향으로 불어 나감(북반구)]

- **이동성 고기압**: 정체성 고기압에서 분리되어 생성되거나 온대 저기압의 전·후면에 발달하는 고기압 ➡ 우리나라 봄·가을에 영향을 주어 날씨 변화가 심하다.

온대 저기압

- **온대 저기압**: 중위도 온대 지방에서 발달하는 전선을 동반하는 저기압

위치	풍향	특징
온난 전선 앞쪽	남동풍	• 층운형 구름 • 지속적인 비
온난 전선과 한랭 전선 사이	②[ ]	• 대체로 맑음 • 기온 약간 높음
한랭 전선 뒤쪽	북서풍	• 적운형 구름 • 소나기성 비

4 기상 위성 영상 해석

- **가시 영상**: 구름이 반사하는 태양 복사 에너지 중 가시광선 영역의 에너지를 나타낸다. ➡ 구름이 두꺼울수록 햇빛을 더 많이 반사하므로 두꺼운 구름은 밝고, 얇은 구름은 흐리게 나타난다. ── 낮(주간)에만 촬영이 가능하다.
- **적외 영상**: 구름이 방출하는 적외선 영역의 에너지를 나타낸다. ➡ 온도가 낮을수록 더 밝게 표시되므로 고도가 높은 구름은 밝게, 고도가 낮은 구름은 흐리게 나타난다. ── 낮(주간)과 밤(야간)에 모두 촬영이 가능하다.

❶ 고기압 ❷ 남서풍

3-1

그림 (가)와 (나)는 북반구 어느 지역에서 기압 차이로 나타나는 공기의 흐름을 나타낸 것이다.

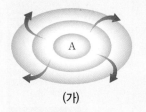 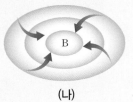

(가)   (나)

괄호 안에 들어갈 알맞은 말을 고르시오.

(1) A는 (고 , 저)기압이고, B는 (고 , 저)기압이다.

(2) (가)는 중심으로 갈수록 기압이 (높 , 낮)으므로, 북반구 지상에서는 바람이 (시계 , 시계 반대) 방향으로 불어 나간다.

(3) (나)는 중심으로 갈수록 기압이 (높 , 낮)으므로, 북반구 지상에서는 바람이 (시계 , 시계 반대) 방향으로 불어 들어온다.

3-2

그림은 어느 지역에서 온대 저기압이 통과하는 동안 관측한 기온과 기압의 변화를 나타낸 것이다.

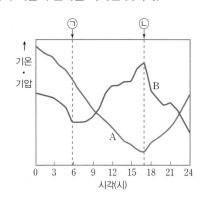

(1) A와 B의 기상 요소를 쓰시오.

A : (   )

B : (   )

(2) ㉠과 ㉡ 중 온난 전선이 통과할 때는 언제인지 쓰시오.

> **Hint** 일반적으로 온난 전선이 통과하면 기온은 높아지고, 한랭 전선이 통과하면 기온은 낮아진다.

4-1

그림은 어떤 기상 위성 영상 관측 방법을 나타낸 것이다.

(1) 이와 같은 관측 방법에 이용되는 전자기파의 파장대를 쓰시오.

(2) 구름이 두꺼울수록 햇빛을 더 (적게 , 많이) 반사하므로, 두께가 두꺼운 구름은 가시 영상에서 (밝게 , 어둡게) 나타난다.

4-2

그림은 어느 날 우리나라 주변의 구름 분포를 가시 영상으로 촬영하여 나타낸 것이다.

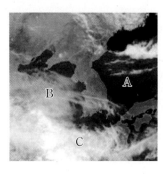

(1) 구름 분포 영상을 촬영한 시간대를 쓰시오.

(2) A, B, C 중 구름의 두께가 가장 두꺼운 것을 쓰시오.

> **Hint** 가시 영상은 낮(주간)에만 촬영이 가능하고, 구름의 두께가 두꺼울수록 더 밝게 나타난다.

4일 기초 유형 연습 | 기압과 날씨의 변화

그림 (가)와 (나)는 어느 날 같은 시각 우리나라 부근의 가시 영상과 지상 일기도를 각각 나타낸 것이다.

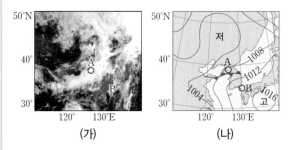

(가)　　　　(나)

이 자료에 대한 설명으로 옳은 것만을 〈보기〉에서 있는 대로 고른 것은?

보기
ㄱ. 구름의 두께는 A 지역이 B 지역보다 두껍다.
ㄴ. A 지역의 구름을 형성하는 수증기는 주로 전선의 남쪽에 위치한 기단에서 공급된다.
ㄷ. B 지역의 지상에서는 남풍 계열의 바람이 분다.

① ㄱ　② ㄴ　③ ㄱ, ㄷ　④ ㄴ, ㄷ　⑤ ㄱ, ㄴ, ㄷ

개념 point

가시 영상: 구름이 반사하는 태양 복사 에너지 중 가시광선 영역의 에너지를 나타낸 영상
전선: 전선면과 지표면이 만나는 경계선
기단: 넓은 지역에서 공기가 오랫동안 머물면서 형성되어 기온과 습도가 균일한 거대한 공기 덩어리

보기 풀이

ㄱ. 가시 영상에서는 두꺼운 구름일수록 밝게 나타난다. 따라서 구름의 두께는 A 지역이 B 지역보다 두껍다.
ㄴ. A 지역의 남쪽에 위치한 북태평양 기단(고온 다습)은 전선 부근에서 수증기를 공급하는 역할을 한다.
ㄷ. 북반구의 고기압에서는 바람이 시계 방향으로 불어 나가므로 B 지역의 지상에서는 남풍 계열의 바람이 분다.

함정 탈출

ㄱ. 가시 영상에서는 구름이 두꺼울수록 햇빛을 많이 반사하므로, 두꺼운 구름이 더 밝게 나타난다.

답 ⑤

1 그림 (가)는 우리나라 주변의 기단 A∼D를, (나)는 긴급 재난 문자의 예를 나타낸 것이다.

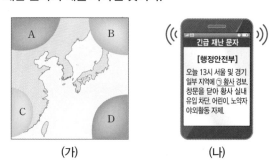

(가)　　　　(나)

이에 대한 설명으로 옳은 것만을 〈보기〉에서 있는 대로 고른 것은?

보기
ㄱ. A와 B는 건조한 성질의 기단이다.
ㄴ. ㉠은 주로 중국이나 몽골의 사막 지대에서 발생한다.
ㄷ. D의 확장으로 (나)와 같은 재난 문자가 발송되었다.

① ㄱ　② ㄴ　③ ㄱ, ㄷ　④ ㄴ, ㄷ　⑤ ㄱ, ㄴ, ㄷ

2 그림은 어느 온대 저기압에 동반된 전선 ㉠, ㉡과 지표면의 지점 A, B, C를 나타낸 것이다.

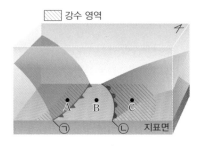

(1) A, B, C 중 지표 부근의 기온이 가장 높은 곳을 쓰시오.

(2) 강수 영역 A와 C 중 소나기가 내리는 곳을 쓰시오.

(3) 전선 ㉠과 ㉡의 이름을 쓰고, 두 전선의 이동 속도를 비교하여 서술하시오.

2020학년도 7월 학평 6번 변형

3 그림 (가)는 어느 날 우리나라 주변의 지상 일기도를, (나)는 B, C 중 한 곳의 날씨를 일기 기호로 나타낸 것이다.

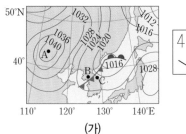

(가)　　　　　　　(나)

이에 대한 설명으로 옳은 것만을 〈보기〉에서 있는 대로 고른 것은?

> 보기
> ㄱ. A에는 상승 기류가 나타난다.
> ㄴ. 기온은 C가 B보다 높다.
> ㄷ. (나)는 C의 일기 기호이다.

① ㄱ　　　　② ㄴ　　　　③ ㄱ, ㄷ
④ ㄴ, ㄷ　　　⑤ ㄱ, ㄴ, ㄷ

4 그림은 북반구의 온대 저기압을 나타낸 것이다.

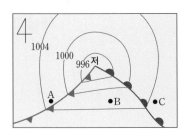

A, B, C 지역에 대한 설명으로 옳은 것만을 〈보기〉에서 있는 대로 고른 것은?

> 보기
> ㄱ. A는 B보다 찬 공기의 영향을 많이 받는다.
> ㄴ. B에서는 소나기성 강수가 나타난다.
> ㄷ. C에서는 북풍 계열의 바람이 분다.

① ㄱ　　　　② ㄷ　　　　③ ㄱ, ㄴ
④ ㄴ, ㄷ　　　⑤ ㄱ, ㄴ, ㄷ

2020학년도 6월 학평 20번 변형

5 그림 (가)는 겨울철 어느 날 우리나라 주변의 지상 일기도와 P 지점의 일기를, (나)는 이 시기 가시광선 영역의 위성 영상을 나타낸 것이다.

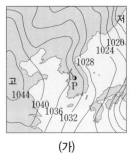 

(가)　　　　　　　(나)

이에 대한 설명으로 옳은 것만을 〈보기〉에서 있는 대로 고른 것은?

> 보기
> ㄱ. 우리나라는 시베리아 기단의 영향을 받고 있다.
> ㄴ. P 지점은 북풍 계열의 바람이 불고 있다.
> ㄷ. (나)는 야간에 관측한 영상이다.

① ㄱ　② ㄷ　③ ㄱ, ㄴ　④ ㄴ, ㄷ　⑤ ㄱ, ㄴ, ㄷ

6 그림 (가)와 (나)는 어느 날 같은 시각에 우리나라 부근을 촬영한 기상 위성 영상을 나타낸 것이다.

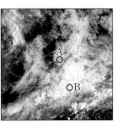 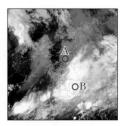

(가) 가시광선 영상　　　(나) 적외선 영상

이에 대한 설명으로 옳은 것만을 〈보기〉에서 있는 대로 고른 것은?

> 보기
> ㄱ. (가)에서는 구름이 두꺼운 곳일수록 밝게 보인다.
> ㄴ. 구름 최상부에서의 온도는 B가 A보다 낮다.
> ㄷ. 집중 호우가 발생할 가능성은 B가 A보다 높다.

① ㄱ　② ㄴ　③ ㄱ, ㄷ　④ ㄴ, ㄷ　⑤ ㄱ, ㄴ, ㄷ

태풍과 우리나라의 주요 악기상

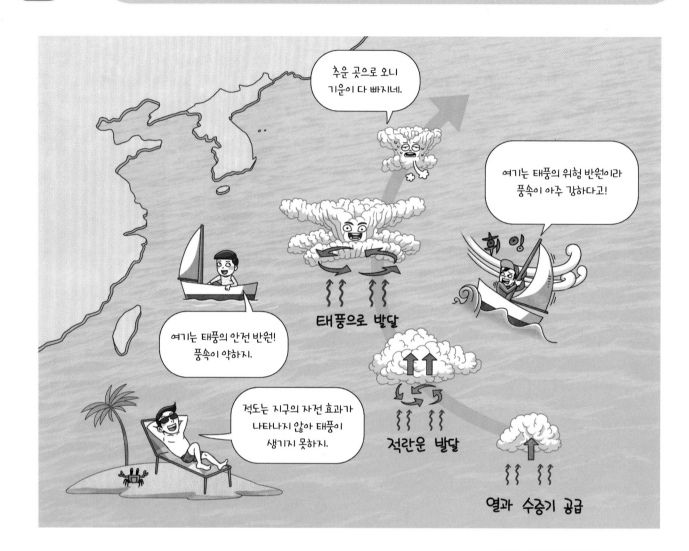

📖 **핵심 개념**

1 태풍의 발생과 이동 과정

- 태풍(열대 저기압)의 발생 조건은 ① 수온이 27 ℃ 이상인 열대 해상, ② 북동 무역풍과 남동 무역풍의 수렴이 일어나는 저압대, ③ 지구 자전 효과가 나타나는 곳이다.
- 태풍의 에너지원: 수증기가 대기 중에서 응결하며 방출하는 숨은열(잠열)
- 태풍의 이동 경로: 저위도에서는 무역풍의 영향을 받아 북서쪽으로 이동하고, 중위도에서는 ❶ ☐ 의 영향을 받아서 북동쪽으로 이동한다.
- 태풍의 소멸: 고위도로 이동하면 수온이 낮아져 수증기 공급이 줄어들고, 지면과의 마찰로 세력이 약해져 소멸한다.

2 태풍의 구조와 풍향 변화

- **태풍의 구조**
  ① 태풍의 눈에서는 하강 기류가 나타나고, 날씨가 맑으며, 바람이 약하게 분다.
  ② 풍속은 태풍의 눈벽에서 가장 빠르고, 태풍의 눈에서 느려진다. 기압은 태풍의 눈에 가까워질수록 낮아져 태풍의 눈에서 가장 낮다.
- **태풍의 풍향**
  ① 위험 반원은 저기압성 바람과 태풍의 이동 방향이 같아 풍속이 빠른 태풍 진행 방향의 오른쪽 영역이다.
  ② 안전(가항) 반원은 저기압성 바람과 태풍의 이동 방향이 반대라 풍속이 느린 태풍 진행 방향의 왼쪽 영역이다.
  ③ **위험 반원**: 풍향이 시계 방향으로 변한다.
  ④ **안전 반원**: 풍향이 ❷ ☐ 방향으로 변한다.

답 ❶ 편서풍 ❷ 시계 반대

1-1

그림 (가)와 (나)는 우리나라를 통과하는 저기압의 경로를 나타낸 것이다.

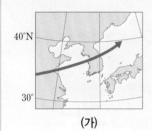 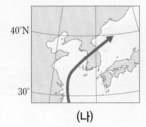

(가)　　　　　　　　(나)

(가)와 (나)는 어떤 저기압의 이동 경로인지 쓰시오.

(가): (　　　　　　　　　　　)

(나): (　　　　　　　　　　　)

Hint 열대 저기압(태풍)은 저위도에서 고위도로 포물선 경로로 이동한다.

1-2

그림 (가)와 (나)는 우리나라 부근의 지상 일기도를 나타낸 것이다.

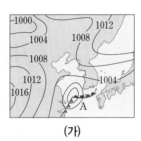 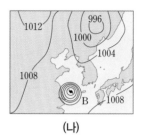

(가)　　　　　　　　(나)

이에 대한 설명으로 옳은 것은 ○, 옳지 <u>않은</u> 것은 ×표 하시오.

(1) A는 온대 저기압이고, B는 태풍이다. (　　)

(2) B는 전선을 동반하지 않는다. (　　)

(3) 최대 풍속은 A가 B보다 빠르다. (　　)

Hint 등압선 간격이 좁을수록 풍속이 강하다.

2-1

그림은 태풍 주변의 기압과 풍속 분포를 나타낸 것이다.

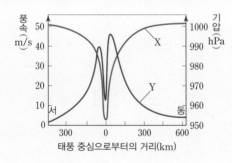

(1) X와 Y에 알맞은 기상 요소를 쓰시오.

X: (　　　　　　　　　　　)

Y: (　　　　　　　　　　　)

(2) 태풍은 (저 , 고)기압이므로 중심부로 갈수록 기압이 (낮 , 높)아진다.

(3) 태풍의 가장자리에서 중심부로 갈수록 풍속은 (약 , 강)해지다가 태풍의 눈에서 (약 , 강)해진다.

2-2

그림은 우리나라를 통과한 어떤 태풍의 위치를 하루 간격으로 나타낸 것이다.

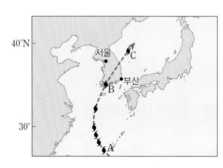

서울과 부산에서의 풍향 변화 쓰시오.

서울: (　　　　　　　　　　　)

부산: (　　　　　　　　　　　)

Hint 서울은 태풍 진행 방향의 왼쪽 영역인 안전 반원이고, 부산은 오른쪽 영역인 위험 반원이다.

📖 핵심 개념

3 우리나라의 주요 악기상

- 우리나라의 주요 악기상에는 뇌우, 호우, 폭설, 강풍, 우박, 황사 등이 있다.
- 뇌우: 천둥과 번개를 동반한 폭풍우이다.
- 뇌우의 발달 단계는 ① 강한 상승 기류가 발생하면서 적운이 발달하는 적운 단계, ② 상승 기류와 하강 기류가 함께 나타나는 **①** 단계, ③ 하강 기류만 남은 소멸 단계이다.
- 우박: 지상으로 얼음 덩어리가 떨어지는 강수 현상으로, 주로 초여름이나 가을에 발생한다. 우박은 강한 상승 기류가 나타나는 적란운에서 빙정이 상승과 하강을 반복하며 성장해 생긴다.

- 국지성 호우(집중 호우): 비교적 좁은 지역에서 단기간 내에 많은 양의 비가 집중적으로 내리는 현상이다.
- 폭설: 짧은 시간에 많은 양의 눈이 내리는 현상이다.
- 황사: 중국 또는 몽골 지역의 모래 먼지가 상공으로 올라가 멀리 이동하는 현상이다.

  ① 바람이나 저기압(상승 기류)이 있을 때 모래 먼지가 상승하고, ② 편서풍을 타고 동쪽으로 이동하며, ③ 이동하면서 낙하하거나 고기압(하강 기류)이 있을 때 낙하한다.
- **②** 는 건조한 토양에서 잘 발생하고, 양쯔강 기단의 세력이 강해지는 3월에서 5월 사이에 많이 발생한다.

답 ❶ 성숙 ❷ 황사

3-1

1 그림은 짧은 시간 동안 강수로 인한 피해를 나타낸 것이다.

이와 같은 피해를 주는 기상 현상을 쓰시오.

2 그림은 우리나라에 영향을 주는 어떤 기상 현상을 나타낸 것이다.

이와 같은 종류의 기상 현상을 쓰시오.

3 그림 (가), (나), (다)는 뇌우의 발달 단계를 순서 없이 나타낸 것이다.

  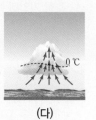

| (가) | (나) | (다) |

(1) 뇌우의 발달 단계를 순서대로 나열하시오.

(   ) → (   ) → (   )

(2) (가), (나), (다) 중 소나기가 내릴 가능성이 가장 높은 단계를 쓰시오.

> **Hint** (가)는 성숙 단계, (나)는 소멸 단계, (다)는 적운 단계이다.

3-2

1 다음은 기상 현상의 특징에 대해 학생들이 대화를 나누는 장면을 나타낸 것이다.

> 학생 A: 뇌우는 주로 온난 전선이 통과할 때 발생해.
> 학생 B: 중국과 몽골 지역의 사막화를 억제하면 황사에 의한 피해를 줄일 수 있어.
> 학생 C: 우박은 층운형 구름보다 적운형 구름에서 잘 발생해.

옳게 설명한 학생은 누구인지 쓰시오.

2 그림은 황사의 이동 과정을 나타낸 것이다.

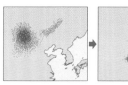

이에 대한 설명으로 옳은 것은 O, 옳지 <u>않은</u> 것은 ×표 하시오.

(1) 황사는 편동풍을 타고 이동한다. (   )

(2) 중국과 몽골의 사막화가 진행될수록 우리나라에 황사가 자주 나타날 것이다. (   )

> **Hint** 발원지에서 상승한 모래 먼지가 동쪽으로 이동한다.

3 그림은 1960년부터 2015년까지 서울 지역의 평균 월별 황사 관측 일수를 나타낸 것이다.

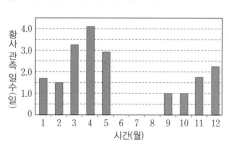

황사가 가장 많이 관측되는 계절을 쓰시오.

> **Hint** 우리나라에 영향을 주는 황사는 3월~5월경에 가장 많이 발생한다.

5일 기초 유형 연습 | 태풍과 우리나라의 주요 악기상

대표 기출 유형

그림 (가)는 어느 태풍의 중심 기압을 22일부터 24일까지 3시간 간격으로, (나)는 이 태풍의 위치를 6시간 간격으로 나타낸 것이다.

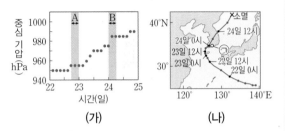

(가)　　　　　(나)

이에 대한 설명으로 옳은 것만을 〈보기〉에서 있는 대로 고른 것은?

보기
ㄱ. 태풍의 세력은 A 시기가 B 시기보다 강하다.
ㄴ. 태풍의 평균 이동 속도는 A 시기가 B 시기보다 빠르다.
ㄷ. 23일 18시부터 24일 06시까지 ㉠ 지점에서 풍향은 시계 반대 방향으로 변한다.

① ㄱ ② ㄷ ③ ㄱ, ㄴ ④ ㄴ, ㄷ ⑤ ㄱ, ㄴ, ㄷ

개념 point

태풍: 중심 부근 최대 풍속이 17 m/s 이상인 열대 저기압
태풍의 이동 경로: 저위도에서는 무역풍의 영향을 받아서 북서쪽으로 이동하고, 중위도에서는 편서풍의 영향을 받아서 북동쪽으로 이동하는 포물선 경로

보기 풀이

ㄱ. 태풍은 중심 기압이 낮을수록 세력이 강하다. 따라서 태풍의 세력은 중심 기압이 낮은 A 시기가 상대적으로 중심 기압이 높은 B 시기보다 강하다.
ㄴ. (나)에서 보면 전향점 부근에 위치한 A 시기보다 전향점을 지나 편서풍의 영향을 받는 B 시기에 태풍의 평균 이동 속도가 더 빠르다.
ㄷ. ㉠ 지점은 태풍 이동 경로의 오른쪽 영역인 위험 반원에 위치한다. 위험 반원에서 풍향은 시계 방향으로 변한다.

함정 탈출

ㄴ. 평균 이동 속도는 전체 이동 거리를 전체 걸린 시간으로 나눈 값이다.

답 ①

---

1 그림은 우리나라를 향해 북상해 오고 있는 태풍의 중심을 지나는 직선을 따라 측정한 지상 풍속을 나타낸 것이다.

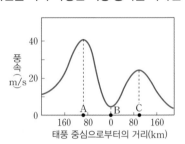

지점 A, B, C에 대한 설명으로 옳은 것만을 〈보기〉에서 있는 대로 고른 것은?

보기
ㄱ. A는 태풍의 위험 반원에 위치한다.
ㄴ. B에서는 태풍의 눈이 발달한다.
ㄷ. C에서 기압이 가장 낮다.

① ㄱ　　　② ㄷ　　　③ ㄱ, ㄴ
④ ㄴ, ㄷ　　⑤ ㄱ, ㄴ, ㄷ

2020학년도 3월 학평 18번 변형

2 그림 (가)는 어느 해 9월 6일 15시부터 8일 09시까지 태풍이 이동한 경로를, (나)는 이 기간 동안 서울에서 관측한 기압과 풍속의 변화를 나타낸 것이다.

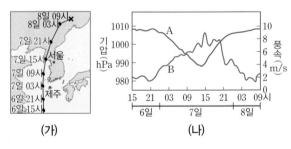

(가)　　　　　(나)

(1) A와 B에 해당하는 기상 요소를 쓰시오.

(2) 6일 21시부터 7일 09시까지 제주에서의 풍향은 시계 방향과 시계 반대 방향 중 어느 방향으로 변했는지 쓰시오.

3 그림은 서로 다른 시기에 우리나라에 영향을 준 태풍 A 와 B의 이동 경로를 나타낸 것이다.

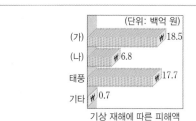

이에 대한 설명으로 옳은 것만을 〈보기〉에서 있는 대로 고른 것은?

─ 보기 ─
ㄱ. 태풍 A가 육지에 상륙한 후 기압은 높아졌다.
ㄴ. 태풍 B가 통과하는 동안 울산은 위험 반원에 속했다.
ㄷ. 태풍 A와 B는 울산 부근을 지나는 동안 편서 풍의 영향을 받았다.

① ㄱ   ② ㄴ   ③ ㄷ
④ ㄱ, ㄷ   ⑤ ㄴ, ㄷ

4 그림은 우리나라에 영향을 주는 기상 현상을 나타낸 것이다.

이에 대한 설명으로 옳은 것만을 〈보기〉에서 있는 대로 고른 것은?

─ 보기 ─
ㄱ. 강수 현상 중 하나이다.
ㄴ. 구름 내부에서 상승과 하강을 반복하면서 빙 정이 성장한다.
ㄷ. 주로 기온이 낮은 겨울철에 잘 나타난다.

① ㄱ   ② ㄷ   ③ ㄱ, ㄴ
④ ㄴ, ㄷ   ⑤ ㄱ, ㄴ, ㄷ

2019학년도 9월 학평 16번 변형

5 다음은 어느 해 악기상에 의한 우리나라의 기상 재해 피 해액과 악기상 (가), (나)에 대한 설명을 나타낸 것이다.

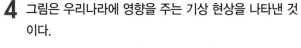

기상 재해에 따른 피해액

(가) 시간과 공간 규모에 관계없이 많은 비가 연속 적으로 내리는 현상
(나) 겨울철 ㉠ 찬 기단이 확장되거나 기압골이 통 과할 때 많은 눈이 집중적으로 내리는 현상

이 자료에 대한 설명으로 옳은 것만을 〈보기〉에서 있는 대로 고른 것은?

─ 보기 ─
ㄱ. ㉠은 북태평양 기단이다.
ㄴ. 황해나 동해를 지나면서 ㉠은 열과 수증기를 공급받아 대류 활동이 활발해진다.
ㄷ. 기상 재해 피해액은 태풍이 호우보다 많았다.

① ㄱ   ② ㄴ   ③ ㄱ, ㄷ
④ ㄴ, ㄷ   ⑤ ㄱ, ㄴ, ㄷ

6 그림 (가)는 어느 해 우리나라에 영향을 미친 황사가 발 원한 3월 4일의 일기도를, (나)는 3월 4일부터 8일까지 백령도에서 관측된 황사 농도를 나타낸 것이다.

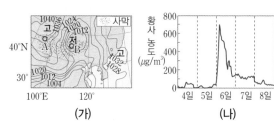

(가)   (나)

(1) (가)에서 A와 B 중 황사의 발원지일 가능성이 큰 곳을 쓰시오.

(2) (나)에서 3월 4일~8일 중 백령도에서 하강 기류 의 영향을 가장 크게 받았을 날짜를 쓰시오.

1 그림 (가)와 (나)는 서로 다른 단층의 모습을 나타낸 것이다.

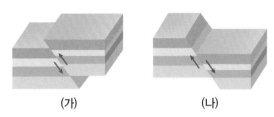

(가)   (나)

이에 대한 설명으로 옳은 것만을 〈보기〉에서 있는 대로 고른 것은?

┌─ 보기 ─────────────────────────┐
ㄱ. (가)는 역단층이다.
ㄴ. (나)는 횡압력을 받아 형성되었다.
ㄷ. (가)와 (나)는 모두 판의 보존형 경계에서 잘 발달한다.
└────────────────────────────────┘

① ㄱ   ② ㄴ   ③ ㄱ, ㄷ
④ ㄴ, ㄷ   ⑤ ㄱ, ㄴ, ㄷ

2019학년도 6월 학평 17번 변형

2 그림은 어느 지역의 지층 단면이다.

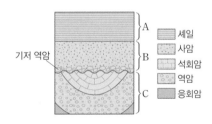

셰일
사암
석회암
역암
응회암

이에 대한 설명으로 옳은 것만을 〈보기〉에서 있는 대로 고른 것은? (단, 지층의 역전은 없었다.)

┌─ 보기 ─────────────────────────┐
ㄱ. 지층의 생성 순서는 C → B → A이다.
ㄴ. C에서 습곡 구조가 발견된다.
ㄷ. 사암층과 석회암층 사이에는 부정합면이 있다.
└────────────────────────────────┘

① ㄱ   ② ㄷ   ③ ㄱ, ㄴ
④ ㄴ, ㄷ   ⑤ ㄱ, ㄴ, ㄷ

3 그림 (가)와 (나)는 두 지역의 지질 단면도이다. (가)와 (나)에서 화강암의 관입 시기는 같다.

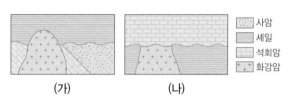

사암
셰일
석회암
화강암

(가)   (나)

(가)의 석회암층과 (나)의 석회암층 중 먼저 생성된 지역을 쓰시오.

4 그림은 시간에 따른 방사성 동위 원소 X와 이 원소가 붕괴되어 생성된 자원소 Y의 함량을 나타낸 것이다.

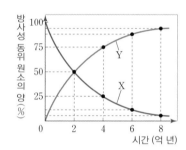

방사성 동위 원소 X의 반감기를 쓰시오.

2017학년도 4월 학평 18번 변형

5 그림 (가), (나), (다)는 서로 다른 지층에서 발견된 화석을 나타낸 것이다.

(가) 삼엽충   (나) 암모나이트   (다) 화폐석

이에 대한 설명으로 옳은 것만을 〈보기〉에서 있는 대로 고른 것은?

┌─ 보기 ─────────────────────────┐
ㄱ. (가)는 중생대의 표준 화석이다.
ㄴ. 번성했던 기간은 (나)가 (다)보다 짧다.
ㄷ. (가), (나), (다)는 모두 해성층에서 발견된다.
└────────────────────────────────┘

① ㄱ   ② ㄴ   ③ ㄷ
④ ㄱ, ㄷ   ⑤ ㄴ, ㄷ

6 그림은 현생 누대 동안 번성한 주요 동물계를 나타낸 것이다.

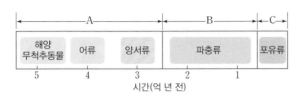

이에 대한 설명으로 옳은 것만을 〈보기〉에서 있는 대로 고른 것은?

┌─ 보기 ─────────────────────────┐
ㄱ. 최초의 육상 식물은 A 시기에 출현하였다.
ㄴ. 암모나이트는 B 시기의 생물이다.
ㄷ. 공룡은 C 시기에 번성하였다.
└────────────────────────────────┘

① ㄱ ② ㄷ ③ ㄱ, ㄴ ④ ㄴ, ㄷ ⑤ ㄱ, ㄴ, ㄷ

7 그림은 우리나라를 통과하는 온대 저기압에 동반된 한랭 전선과 온난 전선을 물리량에 따라 구분한 것이다.
A, B에 알맞은 전선의 이름을 쓰시오.

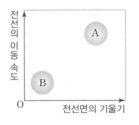

8 그림 (가)는 어느 날 우리나라 주변의 일기도이고, (나)는 A, B, C 중 한 지역에 나타나는 구름의 모습이다.

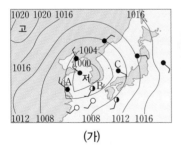

(가)　　　　　(나)

A, B, C 세 지역의 날씨에 대한 해석으로 옳은 것은?

① A는 온난 전선 전면이다.
② B의 풍향은 북서풍이다.
③ B의 기온이 가장 낮다.
④ 풍속은 A가 C보다 크다.
⑤ (나)는 B에서 주로 관측된다.

9 그림은 우리나라에 폭설이 발생했을 때의 위성 영상을 나타낸 것이다.

이에 대한 설명으로 옳은 것은?

① 시베리아 기단의 영향을 직접 받았다.
② 우리나라에 온대 저기압이 지나고 있다.
③ 서해안 지역에 남동풍이 불면서 폭설이 내린다.
④ 황해를 지나온 공기가 습하고 따뜻한 성질로 변하였다.
⑤ 성질이 다른 공기가 만나 상승 기류가 발달하면서 폭설이 내린 것이다.

┌─────────────────────┐
│ 2020학년도 9월 학평 16번 변형 │
└─────────────────────┘

10 그림은 어느 해 우리나라에서 발생한 낙뢰(번개)와 황사 관측 일수를 나타낸 것이다.

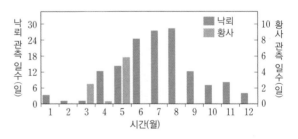

이에 대한 설명으로 옳은 것만을 〈보기〉에서 있는 대로 고른 것은?

┌─ 보기 ─────────────────────────┐
ㄱ. 낙뢰가 가장 많이 관측된 계절은 겨울철이다.
ㄴ. 황사는 북태평양 기단의 영향이 강할 때 잘 관측된다.
ㄷ. 이 해의 황사 관측 일수는 4월보다 3월에 더 많다.
└────────────────────────────────┘

① ㄱ　　　　② ㄷ　　　　③ ㄱ, ㄴ
④ ㄴ, ㄷ　　　⑤ ㄱ, ㄴ, ㄷ

2
주

100점

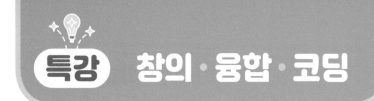

다음은 일기 예보 뉴스의 정확성을 살펴보기 위해 실제 날씨를 관찰한 내용이다.

| 2018학년도 9월 모평 5번 |

그림 (가)와 (나)는 5월 중 어느 날 12시간 간격의 지상 일기도를 순서 없이 나타낸 것이고, (다)는 이 기간 중 어느 시점에 P에서 관측된 풍향계의 모습이다.

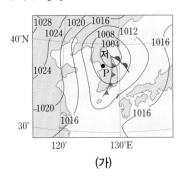
(가)

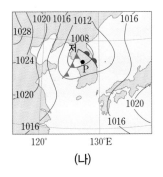
(나)

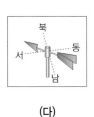
(다)

이에 대한 설명으로 옳은 것만을 <보기>에서 있는 대로 고른 것은?

─ 보기 ─
ㄱ. (가)는 (나)보다 12시간 전의 일기도이다.
ㄴ. (다)의 풍향은 (나)일 때이다.
ㄷ. 이 기간 중 P에는 소나기가 내렸다.

① ㄱ   ② ㄷ   ③ ㄱ, ㄴ   ④ ㄴ, ㄷ   ⑤ ㄱ, ㄴ, ㄷ

특강 **온대 저기압과 날씨**

- **온대 저기압**: 중위도 온대 지방에서 북쪽의 찬 기단과 남쪽의 따뜻한 기단이 만나 형성되는 저기압
  ① 구조: 남서쪽에 한랭 전선, 남동쪽에 온난 전선을 동반한다.
  ② 이동: 편서풍의 영향으로 서쪽에서 동쪽으로 이동한다.
- **온대 저기압 주변의 날씨 변화**: 저기압 중심이 관측자의 북쪽을 지나는 경우 온난 전선과 한랭 전선이 차례로 통과하면서 풍향은 남동풍 → 남서풍 → 북서풍(시계 방향)으로 변한다.

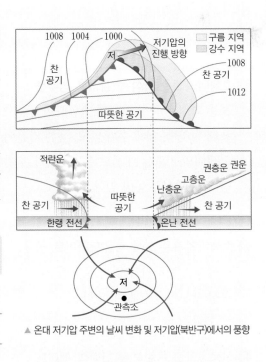
▲ 온대 저기압 주변의 날씨 변화 및 저기압(북반구)에서의 풍향

구분	한랭 전선 뒤쪽	한랭 전선과 온난 전선 사이	온난 전선 앞쪽
강수	좁은 지역에 소나기성 비	맑음	넓은 지역에 지속적인 비
기온	낮다(찬 공기).	높다(따뜻한 공기).	낮다(찬 공기).
풍향	북서풍	남서풍	남동풍
구름	적운형 구름	—	층운형 구름

1

2020학년도 9월 모평 1번

화석에 의한 지층의 대비

그림은 서로 다른 지역 (가)와 (나)의 지질 주상도와 각 지층에서 산출되는 화석을 나타낸 것이다.

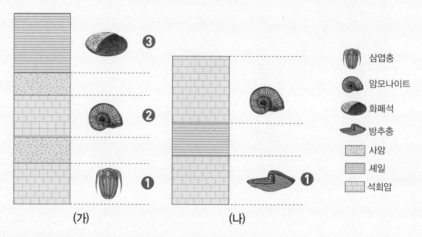

삼엽충
암모나이트
화폐석
방추충
사암
셰일
석회암

(가)   (나)

이에 대한 설명으로 옳은 것만을 〈보기〉에서 있는 대로 고른 것은?

┌─ 보기 ─────────────────────────────────────┐
ㄱ. 두 지역의 셰일은 동일한 시대에 퇴적되었다.
ㄴ. 가장 젊은 지층은 (가)에 나타난다.
ㄷ. 화석이 산출되는 지층은 모두 해성층이다.
└──┘

① ㄱ   ② ㄷ   ③ ㄱ, ㄴ   ④ ㄴ, ㄷ   ⑤ ㄱ, ㄴ, ㄷ

❶ 고생대의 표준 화석 ➡ 삼엽충, 방추충

표준 화석은 특정 시기에 출현하여 일정 기간 번성하다가 멸종된 생물의 화석으로, 지리적으로 넓게 분포해야 하며, 개체 수가 많고, 생존 기간이 짧아야 한다.

고생대의 기후는 대체로 온난하다가 후기에 빙하기가 있었으며, 표준 화석으로는 해양 생물인 삼엽충, 방추충, 필석류 등이 있다.

❷ 중생대의 표준 화석 ➡ 암모나이트, 공룡

중생대는 빙하기가 없는 온난한 기후가 지속된 시기이며, 표준 화석으로는 해양 생물인 암모나이트와 육상 생물인 공룡 등이 있다.

❸ 신생대의 표준 화석 ➡ 화폐석, 매머드

신생대는 오늘날과 비슷한 수륙 분포였으며, 초기에는 온난하였고 제4기부터 빙하기와 간빙기가 반복되어 나타났다. 표준 화석으로는 해양 생물인 화폐석과 육상 생물인 매머드 등이 있다.   답 ④

2

2020학년도 6월 학평 19번 변형

지사학의 법칙

그림은 지층의 생성 과정을 통해 지사학의 법칙을 이해하는 수업 모습이다.

지층의 생성 과정을 말해볼까요?

사암층과 석회암층이 퇴적될 때 수평으로 쌓였어요.

사암층과 석회암층이 퇴적되고 오랜 시간 후에 셰일층이 퇴적되었어요.

관입한 화강암은 셰일층보다 나중에 형성되었어요.

A, B, C 학생이 설명하는 지사학의 법칙을 각각 쓰시오.

학생 A: _____, 학생 B: _____, 학생 C: _____

2
주

특강

3

2016학년도 4월 학평 19번 변형

지질 시대의 환경과 생물

그림은 자연사 박물관에 전시된 어떤 화석에 대한 설명판이다.

화석명: ○○○○

화석   복원도

○ 발견 장소: 영국(1937년)
○ 특징: 최초로 출현한 육상 식물로 포자낭을 이용해 번식하였다.
○ 크기: 최대 크기는 15 cm이며 대부분은 10 cm 미만으로 발견되었다.

이 자료에 대해 옳게 말한 학생만을 있는 대로 고르시오.

철수: 이 식물은 양치식물이야.
영희: 오존층이 생성되어서 육지에 이 식물이 출현할 수 있었어.
민수: 이 식물이 최초로 출현했던 시기는 중생대야.

4 2017학년도 6월 모평 15번

태풍의 이동 경로와 날씨

그림 (가)는 어느 태풍의 이동 경로와 중심 기압을, (나)는 이 태풍이 지나는 동안 제주 지역에서 27일 15시, 28일 03시, 28일 15시에 관측한 풍향과 풍속을 ㉠, ㉡, ㉢으로 순서 없이 나타낸 것이다.

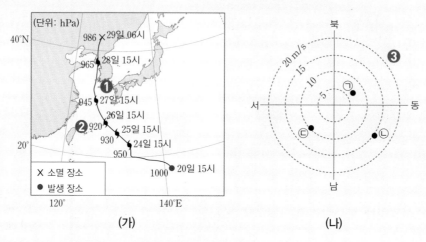

(가)   (나)

이에 대한 설명으로 옳은 것만을 〈보기〉에서 있는 대로 고른 것은?

─ 보기 ─
ㄱ. 제주도는 위험 반원에 있었다.
ㄴ. (가)에서 중심 기압은 태풍이 발생할 때 가장 낮았다.
ㄷ. 27일 15시에 관측한 바람은 ㉡이다.

① ㄱ　　　　　② ㄴ　　　　　③ ㄷ　　　　　④ ㄱ, ㄴ　　　　　⑤ ㄴ, ㄷ

❶ 태풍 이동 경로에 따른 제주도의 위치 ➡ 위험 반원

제주도는 태풍 진행 방향의 오른쪽 영역에 위치한다. 태풍 진행 방향의 오른쪽 영역은 저기압성 바람과 태풍의 이동 방향이 같아서 풍속이 빠른 위험 반원이다.

❷ 태풍의 세기(강도) ➡ 중심 기압이 낮을수록 강한 태풍이다.

태풍의 중심 기압은 태풍이 발생한 20일 15시에 1000 hPa로 가장 높았고, 26일 15시에 920 hPa로 가장 낮았다. 태풍은 열대 저기압의 일종이므로 중심 기압이 낮을수록 태풍의 세기가 강해진다.

❸ 태풍의 이동에 따른 풍향 변화 ➡ 위험 반원: 시계 방향, 안전 반원: 시계 반대 방향

태풍 진행 방향의 오른쪽인 위험 반원에서는 풍향이 시계 방향으로 변하고, 왼쪽인 안전 반원에서는 풍향이 시계 반대 방향으로 변한다. 제주 지역은 태풍의 위험 반원에 위치하였기 때문에 태풍이 진행함에 따라 풍향이 점차 시계 방향으로 변한다. (나)에서 풍향이 시계 방향으로 변하려면 관측 순서는 ㉠ 북동풍(27일 15시) → ㉡ 남동풍(28일 03시) → ㉢ 남서풍(28일 15시) 순이다.　　　　　답 ①

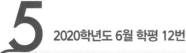

2020학년도 6월 학평 12번

고기후 연구 방법

다음은 지질 시대의 기후를 추정하기 위해 이용할 수 있는 방법에 대한 세 학생의 발표 내용이다.

나무의 나이테 사이 간격을 통해 당시 기후를 알 수 있어요.

빙하를 구성하는 물 분자의 산소 동위 원소비를 통해 평균 기온을 추정할 수 있어요.

퇴적물 속에 보존되어 있는 꽃가루 화석을 연구하여 기후 분포를 알 수 있어요.

A   B   C

제시한 내용이 옳은 학생만을 있는 대로 고른 것은?

① A   ② C   ③ A, B   ④ B, C   ⑤ A, B, C

>> **자료 분석 Tip**

학생 A: 나무의 나이테 사이 간격이 넓으면 온난한 기후로, 조밀하면 한랭한 기후로 추정 가능하다.

학생 B: 빙하 속 산소 동위 원소비($^{18}O/^{16}O$)가 증가하면 온난한 기후로, 감소하면 한랭한 기후로 추정 가능하다.

학생 C: 꽃가루 화석을 분석하여 식물이 서식했던 기후 환경을 추정할 수 있다.

>> **문제 해결 Tip**

나무의 나이테 간격과 산소 동위 원소비($^{18}O/^{16}O$), 꽃가루 화석으로 당시의 기후를 추정할 수 있다는 것을 이해하고 있어야 한다.

2
주

특강

2020학년도 9월 학평 13번

기단과 날씨

그림 (가)는 우리나라에 영향을 주는 기단을 분류하는 과정을, (나)는 날씨와 관련된 뉴스를 나타낸 것이다.

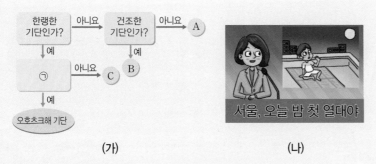

(가)   (나)

이에 대한 설명으로 옳은 것만을 〈보기〉에서 있는 대로 고른 것은?

― 보기 ―

ㄱ. '장마 전선을 형성하는가?'는 ㉠에 적합하다.

ㄴ. (나)의 뉴스가 나오는 계절에는 기단 B의 영향을 받는다.

ㄷ. 기단 C의 영향을 받을 때 우리나라 서해안 지역에 폭설이 내릴 수 있다.

① ㄱ   ② ㄴ   ③ ㄱ, ㄷ   ④ ㄴ, ㄷ   ⑤ ㄱ, ㄴ, ㄷ

>> **자료 분석 Tip**

• 북태평양 기단 ➡ 고온 다습
• 양쯔강 기단 ➡ 온난 건조
• 시베리아 기단 ➡ 한랭 건조
• 오호츠크해 기단 ➡ 한랭 다습
• 장마 전선을 형성하는 기단: 오호츠크해 기단과 북태평양 기단
• 열대야: 한여름에 나타나는 기상 현상 ➡ 주로 북태평양 기단의 영향으로 나타난다.

>> **문제 해결 Tip**

기단은 형성되는 장소에 따라 성질이 달라진다는 것을 이해하고 있어야 한다.

이번 주에는
무엇을 공부할까? ❶

대기, 해양, 우주의 별에는 어떤 특징이 있는지 알아봅시다.

중학 기초 개념

① 해수의 층상 구조

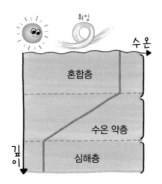

해수는 깊이에 따른 수온 변화를 기준으로 혼합층, 수온 약층, 심해층으로 구분한다.

Quiz ❶ [　　　]은 바람이 강할수록 두꺼워지고, ❷ [　　　]은 매우 안정한 층이며, ❸ [　　　]은 연중 수온 변화가 거의 없는 층이다.

② 전 세계 바다의 표층 수온 분포

해수의 표층 수온은 태양 복사 에너지를 많이 받는 저위도에서 높고 고위도로 갈수록 낮아진다.

Quiz 저위도에서 고위도로 갈수록 표층 수온이 낮아지는 까닭은 해수면으로 들어오는 ❹ [　　　]양이 줄어들기 때문이다.

③ 전 세계 바다의 표층 염분 분포

해수의 표층 염분은 증발량과 강수량, 담수 유입, 해수의 결빙과 해빙 등에 영향을 받는다. 빙하가 녹는 고위도의 경우 염분이 낮다.

Quiz 중위도 해역은 (증발량－강수량) 값이 커서 표층 염분이 적도 지역보다 ❺ [　　　].

④ 우리나라 주변의 해류

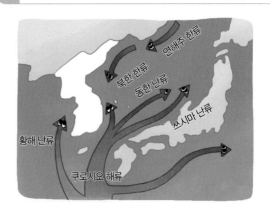

쿠로시오 해류의 지류가 북상하여 황해 난류, 대마 난류(쓰시마 난류), 동한 난류를 형성하고, 연해주 한류의 지류가 남하하여 북한 한류를 형성한다.

Quiz 동해에서는 ❻ [　　　] 난류와 ❼ [　　　] 한류가 만나 조경 수역을 이룬다.

📋 ❶ 혼합층 ❷ 수온 약층 ❸ 심해층 ❹ 태양 복사 에너지 ❺ 높다 ❻ 동한 ❼ 북한

5 지구의 복사 평형

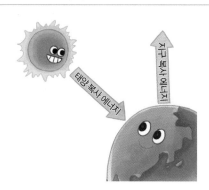

지구가 흡수하는 태양 복사 에너지양과 방출하는 지구 복사 에너지양이 같아서 지구의 평균 기온이 일정하게 유지된다.

Quiz
지구는 전체적으로 ❶[＿＿＿] 평형 상태이지만 위도별로는 흡수하는 에너지양과 방출하는 에너지양이 다른 상태이다.

6 지구 온난화

인간 활동으로 화석 연료 사용량이 증가하면서 대기 중 이산화 탄소 농도가 높아지고, 이로 인한 온실 효과로 지구의 평균 기온이 상승하고 있다.

Quiz
이산화 탄소는 지구 복사 에너지를 흡수한 뒤 재방출 하는 ❷[＿＿＿] 효과를 일으켜 지구의 평균 기온이 점점 상승하는 지구 ❸[＿＿＿] 현상을 일으킨다.

7 별의 밝기와 등급

내가 너보다 100배 더 밝아!

아이, 눈 부셔.

1등급 별　　6등급 별

별의 겉보기 등급은 별을 눈으로 보았을 때의 밝기 등급이고, 별의 절대 등급은 별을 지구로부터 10 pc의 거리에 두었을 때의 밝기 등급이다.

Quiz
1등급인 별보다 약 2.5배 밝은 별은 ❹[＿＿＿] 등급이고, 2등급인 별보다 100배 밝은 별의 등급은 ❺[＿＿＿] 등급이다.

8 별의 색과 표면 온도

나는 표면 온도가 매우 높아! 녹여 줄까?

아... 아니

별의 색은 표면 온도에 따라 달라진다. 별의 색을 표면 온도가 높은 것부터 순서대로 나열하면 청색 > 청백색 > 백색 > 황백색 > 황색 > 주황색 > 적색이다.

Quiz
별의 표면 온도가 낮을수록 ❻[＿＿＿]을 띠고, 높을수록 ❼[＿＿＿]을 띤다.

답 ❶ 복사 ❷ 온실 ❸ 온난화 ❹ 0 ❺ −3 ❻ 적색 ❼ 청색

1일 해수의 성질

여기는 온도 차가 아주 커.

저위도는 태양 복사 에너지양이 많아 표층 수온이 높고 수온 약층이 발달하지.

중위도는 바람이 강하게 불어서 혼합층이 두껍고 세 개의 층이 뚜렷해.

혼합층
수온 약층
심해층
저위도

📖 **핵심 개념**

1 해수의 온도

- 표층 해수의 온도는 저위도에서 고위도로 갈수록 대체로 낮아진다. ➡ ❶ [　　　] 이 줄어들기 때문이다.
- 표층 수온은 난류의 영향을 받는 대양의 서쪽이 한류의 영향을 받는 동쪽보다 대체로 높다.
- 해양의 층상 구조는 수온의 연직 분포에 따라 세 개의 층으로 구분한다.
  ① 혼합층: 바람에 의해 해수가 혼합되어 수심에 따라 수온이 일정한 층이다. 바람이 강한 지역일수록 두껍다.
  ② 수온 약층: 아래쪽에 찬 해수, 위쪽에 따뜻한 해수가 있어 매우 안정하며, 수심이 깊어질수록 수온이 급격히 낮아진다.
  ③ 심해층: 수온이 낮고 수심에 따른 수온 변화가 거의 없다. 위도나 계절에 관계없이 수온이 일정하다.

2 해수의 염분

- 염분: 해수에 녹아 있는 염류의 양이다.
- 표층 염분 분포는 (증발량－강수량) 값과 대체로 일치하며, 위도 30° 부근에서 가장 높고 적도에서 낮다.
- 연안 해역은 대륙에서 하천수가 유입되어 대양의 중심부보다 염분이 낮다.
  ① 적도 해역: 증발량에 비해 ❷ [　　　] 이 많다. ➡ 표층 염분이 낮다.
  ② 중위도 해역: 아열대 고기압의 영향으로 강수량이 적지만 증발량은 비교적 많다. ➡ 표층 염분이 높다.
  ③ 고위도 해역: 증발량이 적고 빙하가 융해되어 표층 염분이 낮다. 하지만 결빙이 일어나는 일부 해역에서는 표층 염분이 높게 나타난다. └ 결빙이 일어나면 물만 언다.

답 ❶ 태양 복사 에너지양 ❷ 강수량

1-1

그림은 해양의 층상 구조에 따른 수온 분포이다. 괄호 안에 들어갈 알맞은 말을 고르시오.

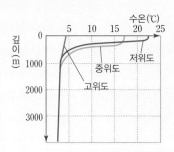

(1) 저위도 해역: 혼합층과 심해층 간의 수온 차가 크다.
　➡ 수온 약층이 (강하게 , 약하게) 발달한다.

(2) 중위도 해역: 저위도에 비해 혼합층이 두껍다.
　➡ 저위도보다 중위도에서 바람의 세기가 (강하다 , 약하다).

(3) 고위도 해역: 태양 복사 에너지양이 매우 (적어 , 많아) 혼합층과 심해층 간의 수온 차가 거의 없다.
　➡ 층상 구조가 뚜렷하지 않다.

1-2

그림은 세 해역 A, B, C에서 깊이에 따른 수온 분포를 순서 없이 나타낸 것이다. A, B, C는 각각 적도, 중위도, 고위도 해역 중 하나이다.

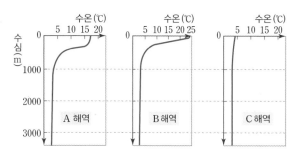

(1) A, B, C는 각각 어느 위도대의 해역인지 쓰시오.

(2) A와 B 해역 중 바람이 더 강한 해역은 [　　　]이다.

(3) 수온 약층은 [　　　] 해역에서 가장 잘 발달한다.
　　Hint 혼합층과 심해층의 수온 차이가 클수록 수온 약층이 강하게 발달한다.

2-1

그림은 위도에 따른 (증발량－강수량)과 표층 염분 값을 나타낸 것이다.

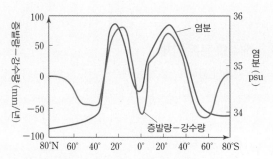

괄호 안에 들어갈 알맞은 말을 고르시오.

(1) 0° 부근에서는 증발량에 비해 강수량이 많아 (증발량－강수량) 값과 표층 염분이 (낮다 , 높다).

(2) 30° 부근에서는 강수량이 적지만 증발량은 비교적 많아 (증발량－강수량) 값과 표층 염분이 (높다 , 낮다).

2-2

그림은 위도에 따른 연간 증발량과 연간 강수량 분포를 나타낸 것이다.

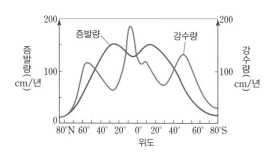

이에 대한 설명으로 옳은 것은 ○, 옳지 않은 것은 × 표 하시오.

(1) (증발량－강수량) 값은 위도 30° 부근 해역보다 위도 60° 부근 해역에서 더 크다. (　　　)

(2) 표층 염분은 적도 부근 해역보다 위도 30° 부근 해역에서 더 높다. (　　　)

1^일 해수의 성질

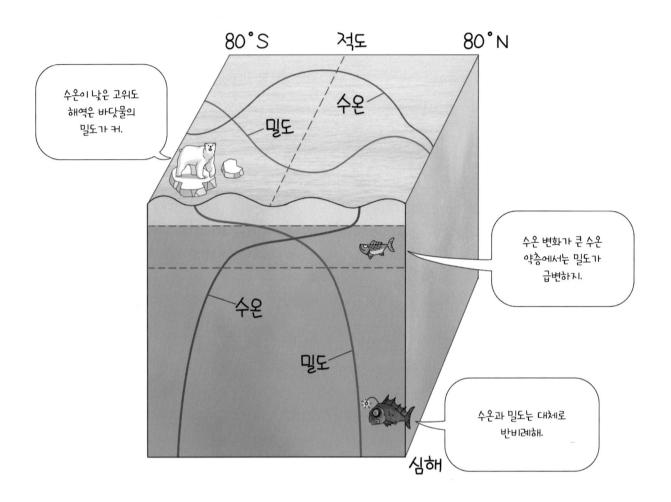

3 해수의 밀도

- 해수의 밀도는 수온이 낮을수록, 염분이 높을수록 크다.
- 수온 염분도(**❶**): 수온과 염분을 가로축과 세로축으로 하는 그래프에 등밀도선을 나타낸 것이다. ➡ 수온과 염분을 통해 밀도를 알아낼 수 있다.

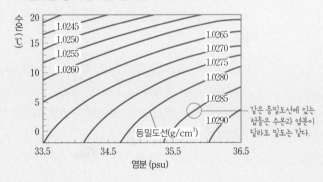

4 해수의 용존 기체

- 기체의 용해도: 기체는 해수의 온도가 낮을수록, 염분이 낮을수록 많이 녹는다. ➡ 용해도 증가
- **❷** : 대기 중의 산소가 표층에 녹거나 해양 식물의 광합성으로 공급
  ① 표층 용존 산소량은 수온이 높은 적도 부근에서 최소이고, 고위도로 갈수록 대체로 많아진다.
  ② 표층은 플랑크톤의 광합성과 대기로부터 산소가 공급되므로 용존 산소량이 가장 높고, 수심이 깊어질수록 점점 줄어들어 수심 1000 m 부근에서 용존 산소량이 가장 낮다. 심해에서는 극지방에서 침강한 찬 해수에 의해 용존 산소량이 약간 높아진다.
- 용존 이산화 탄소: 표층에서 가장 적고(해양 식물의 광합성에 이용), 수심이 깊어질수록 증가한다.

3-1

그림은 위도별 표층 해수의 수온과 밀도 분포를 나타낸 것이다.

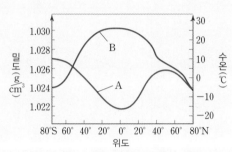

A와 B는 각각 수온과 밀도 중 무엇인지 쓰시오.

A: _____ B: _____

Hint 수온은 표면에 입사하는 태양 복사 에너지양에 따라 변하고, 수온과 밀도는 서로 대칭적인 변화를 보인다.

3-2

그림은 해수 A, B, C를 수온 염분도에 나타낸 것이다.

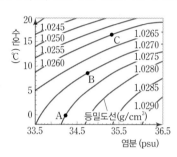

해수 A, B, C의 수온, 염분, 밀도의 크기를 부등호로 나타내어 비교하시오.

(1) 해수의 수온: _____

(2) 해수의 염분: _____

(3) 해수의 밀도: _____

4-1

그림은 어느 해역에서 깊이에 따른 용존 산소량 분포를 나타낸 것이다. 그림에 대한 설명으로 옳은 것은 ○, 옳지 않은 것은 × 표 하시오.

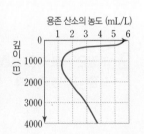

(1) 해수에 녹아 있는 산소량은 수심이 깊어질수록 증가한다. (   )

(2) 용존 산소량은 혼합층보다 수온 약층에서 더 많다. (   )

(3) 심해층의 용존 산소는 주로 극 지역 해수의 침강을 거쳐 형성된다. (   )

4-2

그림은 위도별 표층 해수의 용존 산소량 분포이다.

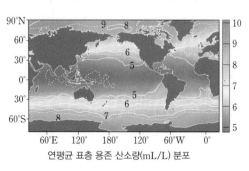

연평균 표층 용존 산소량(mL/L) 분포

용존 산소량의 크기를 부등호로 나타내어 비교하시오.

(1) 적도 해역 ☐ 중위도 해역

(2) 위도 30°에서 한류가 흐르는 해역 ☐ 위도 30°에서 난류가 흐르는 해역

Hint 한류는 난류보다 수온이 낮아 기체의 용해도가 더 크다.

대표 기출 유형

그림 (가)는 우리나라 주변 해역 A, B, C를, (나)는 세 해역 표층 해수의 수온과 염분을 수온 염분도에 나타낸 것이다. B와 C의 수온과 염분 분포는 각각 ㉠과 ㉡ 중 하나이다.

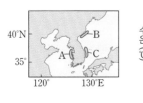 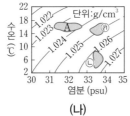

(가)　　　　　　　(나)

이 자료에 대한 설명으로 옳은 것만을 〈보기〉에서 있는 대로 고른 것은?

┌── 보기 ──────────────────
ㄱ. ㉡은 B에 해당한다.
ㄴ. 해수의 밀도는 A가 C보다 크다.
ㄷ. B와 C의 해수 밀도 차이는 수온보다 염분의 영향이 더 크다.
└──────────────────────

① ㄱ　　　② ㄷ　　　③ ㄱ, ㄷ
④ ㄴ, ㄷ　　⑤ ㄱ, ㄴ, ㄷ

개념 point

수온 염분도: 가로축에 염분, 세로축에 수온을 나타낸 그래프에 등밀도선을 나타낸 것
수온 분포: 저위도에서 고위도로 갈수록 대체로 감소

보기 풀이

ㄱ. 해수의 수온은 ㉡이 ㉠보다 낮으므로 ㉡은 고위도에서 위치한 B이고 ㉠은 저위도에 위치한 C이다.
ㄴ. 해수의 밀도는 수온이 낮고 염분이 높을수록 크므로 A가 C(㉠)보다 작다.
ㄷ. B(㉡)와 C(㉠)는 염분이 비슷하지만 수온은 B가 C보다 낮으므로 밀도가 차이 난다.

함정 탈출

ㄴ. 그림 (나)에서 해수의 밀도는 오른쪽 아래로 갈수록 커지므로 해수의 밀도는 A<㉠<㉡ 이다.

답 ①

---

1 그림은 해수의 연직 수온 분포를 나타낸 것이다.

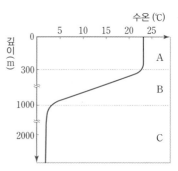

A, B, C에 대한 설명으로 옳은 것만을 〈보기〉에서 있는 대로 고른 것은?

┌── 보기 ──────────────────
ㄱ. A는 혼합층이다.
ㄴ. B는 연직 혼합이 가장 활발한 층이다.
ㄷ. C는 연중 수온 변화가 가장 큰 층이다.
└──────────────────────

① ㄱ　　　　② ㄴ　　　　③ ㄱ, ㄷ
④ ㄴ, ㄷ　　　⑤ ㄱ, ㄴ, ㄷ

2 그림은 서로 다른 표층 해수 A, B, C의 수온과 염분 분포를 나타낸 것이다.

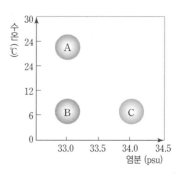

(1) A~C를 밀도가 큰 해수부터 차례대로 쓰시오.

(2) A, B 중 용존 산소량이 더 적을 것으로 예상되는 해수를 고르고, 그 까닭을 설명하시오.

3 그림은 어느 해역의 깊이에 따른 해수의 물리량이다. A, B, C는 각각 수온, 염분, 밀도 중 하나이다.

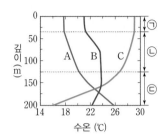

(1) A, B, C는 각각 무엇인지 쓰시오.

(2) ㉠, ㉡, ㉢ 중에서 가장 안정한 구간을 쓰시오.

2021학년도 6월 모평 4번 변형

4 다음은 해수의 염분에 영향을 미치는 요인을 알아보기 위한 실험이다.

염분이 34.5 psu인 소금물 900 mL를 만들어 3개의 비커 A, B, C에 300 mL씩 나눠 담은 뒤 각 비커의 소금물에 다음 과정을 수행한다.

과정	실험 방법
A	증류수 100 mL를 넣어 섞는다.
B	10분간 가열하여 증발시킨다.
C	표층이 얼 때까지 천천히 얼린다.

이에 대한 설명으로 옳은 것만을 〈보기〉에서 있는 대로 고른 것은?

보기
ㄱ. A 과정에서 염분은 변하지 않는다.
ㄴ. B 과정에서 소금물의 염분이 증가한다.
ㄷ. C 과정에서 얼지 않은 소금물의 염분은 34.5 psu 보다 크다.

① ㄱ ② ㄴ ③ ㄱ, ㄷ ④ ㄴ, ㄷ ⑤ ㄱ, ㄴ, ㄷ

5 그림 (가)와 (나)는 우리나라 주변 해역에서 여름과 겨울의 표층 염분 분포를 순서 없이 나타낸 것이다.

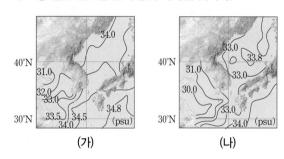

(가)　　　　(나)

(1) (가)와 (나)는 각각 언제 관측한 것인지 쓰시오.

(2) 표층 염분이 (가)보다 (나)에서 대체로 낮은 까닭을 서술하시오.

2021학년도 수능 2번 변형

6 그림 (가)는 태평양의 해역 A, B, C를, (나)는 이 세 해역에서 관측한 수온과 염분을 수온 염분도에 ㉠, ㉡, ㉢으로 순서 없이 나타낸 것이다.

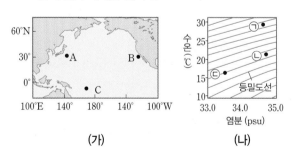

(가)　　　　(나)

이에 대한 설명으로 옳은 것만을 〈보기〉에서 있는 대로 고른 것은?

보기
ㄱ. A의 관측값은 ㉡이다.
ㄴ. 해수의 밀도는 B보다 C에서 크다.
ㄷ. 해수의 용존 산소량은 B>A>C이다.

① ㄱ　　　　② ㄴ　　　　③ ㄱ, ㄷ
④ ㄴ, ㄷ　　　　⑤ ㄱ, ㄴ, ㄷ

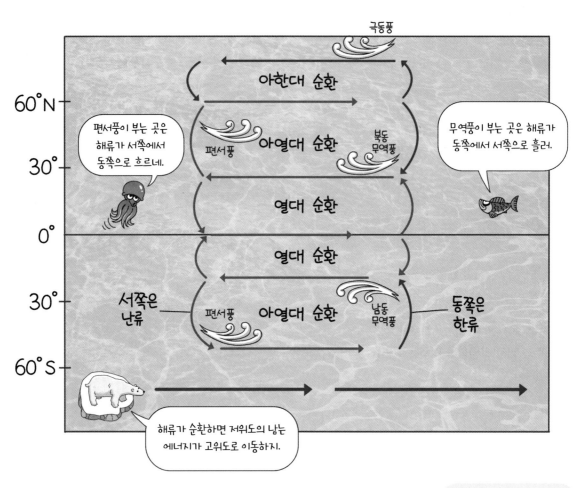

핵심 개념

1 대기 대순환

- 위도별 에너지 불균형으로 저위도의 남는 에너지가 고위도로 이동한다. ➡ 지구 자전의 영향으로 북반구와 남반구에 각각 세 개의 순환 세포 형성

순환 세포	위도	지상 바람 (북반구)	특징
해들리 순환	$0°\sim30°$	무역풍 (북동풍)	직접 순환 (적도 지표면 가열)
페렐 순환	$30°\sim60°$	편서풍 (남서풍)	간접 순환
❶	$60°\sim90°$	극동풍 (북동풍)	직접 순환 (극 지표면 냉각)

- **저압대**: 대기 대순환에서 상승 기류가 발달한 곳으로 강수량이 많다. ➡ 적도 저압대($0°$), 한대 전선대($60°$)
- **고압대**: 대기 대순환에서 하강 기류가 발달한 곳으로 맑고 건조하다. ➡ 아열대 고압대($30°$), 극 고압대($90°$)

2 해양의 표층 순환

- ❷ : 대기 대순환에 의해 해양의 표층에서 수평 방향으로 일어나는 해수의 순환이다. ─ 바람과 수면의 마찰력으로 발생
- **북태평양 아열대 순환**: 북적도 해류, 쿠로시오 해류, 북태평양 해류, 캘리포니아 해류로 이루어져 있으며, 시계 방향으로 순환한다.
- **남태평양 아열대 순환**: 남적도 해류, 동오스트레일리아 해류, 남극 순환 해류, 페루 해류로 이루어져 있으며, 시계 반대 방향으로 순환한다.

열대 순환	무역풍에 의한 적도 해류와 적도 반류로 이루어진 순환 ➡ 북반구는 시계 반대 방향, 남반구는 시계 방향
아열대 순환	무역풍대의 서쪽으로 흐르는 해류와 편서풍대의 동쪽으로 흐르는 해류가 이어져 생긴 순환 ➡ 북반구는 시계 방향, 남반구는 시계 반대 방향
아한대 순환	편서풍대의 동쪽으로 흐르는 해류와 극동풍대의 서쪽으로 흐르는 해류가 이어져 생긴 순환 ➡ 북반구는 시계 반대 방향, 남반구는 나타나지 않음.

답 ❶ 극순환 ❷ 표층 순환

1-1

그림은 대기 대순환을 나타낸 것이다. 빈칸에 알맞은 말을 쓰시오.

순환 세포	위도	지상에서 부는 바람	순환의 종류
(㉠) 순환	0°~30°	(㉡)	직접 순환
(㉢) 순환	30°~60°	편서풍	(㉣)순환
극순환	60°~90°	극동풍	(㉤)순환

1-2

그림은 북반구의 대기 대순환 A, B, C를 나타낸 것이다.

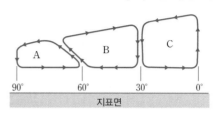

이에 대한 설명으로 옳은 것은 ○, 옳지 <u>않은</u> 것은 × 표 하시오.

(1) A에 의해 지상에서 부는 바람은 극동풍이다.

( )

(2) B는 가열과 냉각 때문에 형성된 열적 순환이다.

( )

(3) C의 하강 기류가 나타나는 곳에 고압대가 발달한다.

( )

2-1

그림은 북태평양의 아열대 순환을 이루고 있는 해류 A~D를 나타낸 것이다.

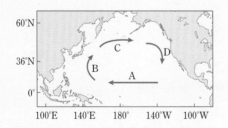

(1) A~D 해류 중 한류와 난류를 각각 쓰시오.

한류: _____ 난류: _____

(2) A~D 해류 중 무역풍과 편서풍에 의해 형성된 해류를 각각 쓰시오.

무역풍에 의해 형성된 해류: **❶**

편서풍에 의해 형성된 해류: **❷**

2-2

그림은 태평양의 주요 표층 해류가 흐르는 해역 A, B, C를 나타낸 것이다.

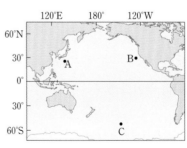

(1) A~C 해역의 표층 수온을 높은 곳부터 순서대로 나열하시오.

(2) A~C 해역에서 해류가 흘러가는 방향을 쓰시오.

A: ( )위도 → ( )위도

B: ( )위도 → ( )위도

C: ( )쪽 → ( )쪽

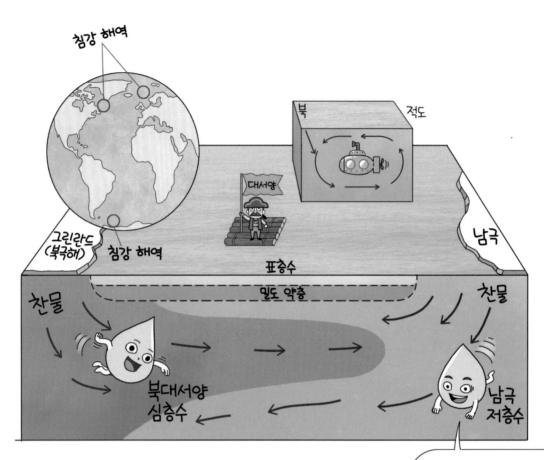

나는 남극의 웨델해에서 바닷물이 얼면 주변 해수의 염분이 높아져 가라앉아 생기지. 난 밀도가 커서 가장 아래로 흘러.

3 우리나라 주변의 해류

- **❶◻◻◻** : 우리나라 주변 난류의 근원은 쿠로시오 해류이다. 쿠로시오 해류의 지류가 동중국해에서 갈라져 나와 북상하여 서해안을 따라 흐르는 황해 난류와 동해로 흐르는 쓰시마 난류, 동한 난류를 형성한다.
- **한류**: 우리나라 주변 한류의 근원은 오호츠크해에서 연해주를 따라 남하하는 연해주 한류이고, 연해주 한류의 지류가 갈라져 북한 한류를 형성한다.
- 동한 난류와 북한 한류가 동해에서 만나 조경 수역을 이룬다. ➡ 여름철에 북상하고 겨울철에 남하한다. —— 난류가 강해지는 여름에 북상

4 해수의 심층 순환

- **심층 순환**: 수온과 염분의 변화로 해수의 밀도 차이가 생겨 발생하는 해수의 순환이다. ① 표층 해수가 극 해역으로 이동한 후 냉각되어 밀도가 높아진다. ② 밀도가 높아진 해수는 가라앉는다. ③ 가라앉은 해수는 저위도로 이동하여 온대나 열대 해역에서 천천히 상승한다.
- **심층 순환의 역할**: **❷◻◻◻**의 남는 에너지를 에너지가 부족한 고위도로 수송하며, 용존 산소가 풍부한 고위도 표층 해수를 전 지구의 심해로 운반한다.
- **대서양의 심층 순환**: 그린란드에서 가라앉은 북대서양 심층수는 남쪽으로 이동하고, 남극 웨델해에서 가라앉은 남극 저층수는 해저를 따라 북쪽으로 이동한다.

답 ❶ 난류 ❷ 저위도

3-1

표는 우리나라 주변 해류의 종류와 특징을 나타낸 것이다.

해류	한류/난류	특징
(㉠)	난류	우리나라 주변 난류의 근원
황해 난류	난류	제주도 부근 해역에서 갈라져 황해의 중앙으로 북상
쓰시마 난류	난류	제주도 남동쪽에서 대한 해협을 통과한 후 동해로 유입
(㉡)	난류	쓰시마 난류로부터 갈라져 나와 동해안을 따라 북상
(㉢)	한류	연해주 한류의 지류로 동해안을 따라 남하
연해주 한류	한류	우리나라 주변 한류의 근원

빈칸 ㉠~㉢에 들어갈 해류를 쓰시오.

3-2

그림은 우리나라 주변의 해류 분포를 나타낸 것이다.

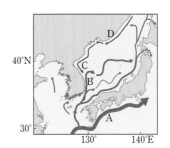

(1) A~D 중 한류를 모두 쓰시오.

(2) A~D 중 난류를 모두 쓰시오.

(3) A~D 중 동해에서 조경 수역을 형성하는 두 해류의 기호와 이름을 쓰시오.

4-1

그림은 해양의 심층 순환 모형을 나타낸 것이다.

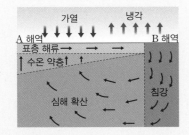

이에 대한 설명으로 옳은 것은 ○, 옳지 않은 것은 × 표 하시오.

(1) 위도는 A 해역이 B 해역보다 높다. (   )

(2) 표층류의 흐름은 심층류의 흐름보다 느리다.
(   )

(3) 심층 순환은 지구의 위도별 에너지 불균형을 해소하는 역할을 한다. (   )

4-2

그림은 전 세계 해수의 순환을 나타낸 것이다.

(1) A에서 형성되는 심층수의 이름을 쓰시오.

(2) B에서 형성되는 심층수의 이름을 쓰시오.

(3) A와 B에서 형성되는 심층수의 밀도 크기를 부등호로 비교하시오.

> **Hint** 해수의 밀도는 수온이 낮을수록, 염분이 높을수록 커진다. 밀도가 높은 해수는 아래로 가라앉는다.

3
주

2일

대표 기출 유형

그림은 북대서양 심층 순환의 세기 변화를 시간에 따라 나타낸 것이다.

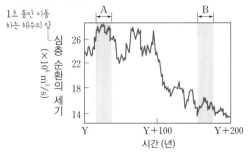

A 시기와 비교할 때, B 시기의 북대서양 심층 순환과 관련된 설명으로 옳은 것만을 〈보기〉에서 있는 대로 고른 것은?

보기
ㄱ. 북대서양 심층수가 형성되는 해역에서 해수의 침강이 약하다.
ㄴ. 북대서양에서 고위도로 이동하는 표층 해류의 흐름이 강하다.
ㄷ. 북대서양에서 저위도와 고위도의 표층 수온 차가 크다.

① ㄱ   ② ㄴ   ③ ㄱ, ㄷ
④ ㄴ, ㄷ   ⑤ ㄱ, ㄴ, ㄷ

개념 point

해수의 침강: 밀도가 커진 해수가 아래로 가라앉는 현상
심층 순환: 수온과 염분 변화에 따른 밀도 차로 형성되는 해수의 순환

[보기] 풀이

ㄱ. 심층 순환의 세기가 B 시기에 더 약했으므로 해수의 침강도 B 시기에 더 약했다.
ㄴ. 심층 순환의 세기가 B 시기에 더 약했으므로 표층 해류의 흐름도 B 시기에 더 약했다.
ㄷ. 심층 순환이 약해지면 고위도로 수송되는 에너지양이 감소하여 저위도와 고위도 간의 수온 차가 커진다.

함정 탈출

ㄱ, ㄴ. 심층 순환의 세기가 강할수록 침강이 우세하고, 표층 해류의 흐름도 강하다.   답 ③

---

1 그림은 북반구의 대기 대순환을 나타낸 것이다.

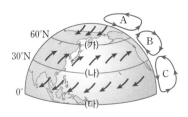

이에 대한 설명으로 옳은 것만을 〈보기〉에서 있는 대로 고른 것은?

보기
ㄱ. 아열대 고압대는 (나)에서 나타난다.
ㄴ. A, B, C 중에서 간접순환은 A이다.
ㄷ. 남반구에서 대기 대순환 세포의 수는 세 개이다.

① ㄱ   ② ㄴ   ③ ㄱ, ㄷ
④ ㄴ, ㄷ   ⑤ ㄱ, ㄴ, ㄷ

2 해수의 연직 순환을 알아보기 위한 실험 과정이다.

[실험 과정]
(가) 수조에 ㉠ 상온의 물을 채운다.
(나) 종이컵 바닥에 작은 구멍이 뚫은 다음 수조의 한쪽 측면에 고정시킨다.
(다) 잉크로 착색시킨 ㉡ 상온의 소금물을 종이컵에 천천히 붓는다.

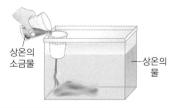

(1) ㉠을 찬물로 바꾸어 실험하면 연직 순환이 어떻게 달라질지 서술하시오.

(2) ㉡을 농도가 더 높은 상온의 소금물로 바꾸어 실험하면 연직 순환이 어떻게 달라질지 서술하시오.

3 그림은 우리나라 주변의 해류 A~D를 나타낸 것이다. 이에 대한 설명으로 옳은 것만을 〈보기〉에서 있는 대로 고른 것은?

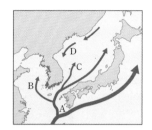

─ 보기 ─
ㄱ. 용존 산소량은 A가 D보다 낮다.
ㄴ. B와 C는 난류이다.
ㄷ. 표층 염분은 C가 D보다 높다.

① ㄱ   ② ㄴ   ③ ㄱ, ㄷ
④ ㄴ, ㄷ   ⑤ ㄱ, ㄴ, ㄷ

2021학년도 9월 모평 10번 변형

4 그림은 어느 해 태평양에서 유실된 컨테이너에 실려 있던 운동화가 발견된 지점과 표층 해류 A와 B의 일부를 나타낸 것이다.

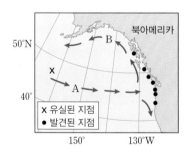

이에 대한 설명으로 옳은 것만을 〈보기〉에서 있는 대로 고른 것은?

─ 보기 ─
ㄱ. A는 무역풍에 의해 형성된 해류이다.
ㄴ. A와 B는 아열대 순환을 형성하는 해류이다.
ㄷ. 북아메리카 해안에서 발견된 운동화는 북태평양 해류의 영향을 받았다.

① ㄱ   ② ㄷ   ③ ㄱ, ㄴ
④ ㄴ, ㄷ   ⑤ ㄱ, ㄴ, ㄷ

5 그림은 대서양에서 해수의 연직 순환을 나타낸 것이다.

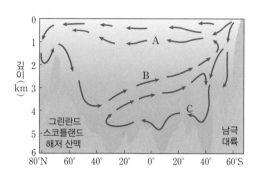

(1) A, B, C를 밀도가 큰 해수부터 차례대로 쓰시오.

(2) 연직 순환을 일으키는 주요 원인을 서술하시오.

2021학년도 6월 모평 10번 변형

6 그림 (가)는 대서양의 해수 순환 모식도이고 (나)는 ㉠과 ㉡에서 형성되는 각각의 수괴를 수온 염분도에 A와 B로 순서 없이 나타낸 것이다. ┌─ 수온과 염분이 거의 같은 해수 덩어리

 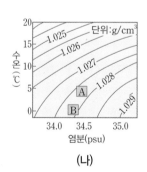

　　　(가)　　　　　　　　　(나)

이에 대한 설명으로 옳은 것만을 〈보기〉에서 있는 대로 고른 것은?

─ 보기 ─
ㄱ. ㉠에서 형성되는 수괴는 A이다.
ㄴ. B는 해저를 따라 대체로 남쪽으로 이동한다.
ㄷ. A와 B는 심층 해수에 산소를 공급한다.

① ㄱ   ② ㄴ   ③ ㄱ, ㄷ
④ ㄴ, ㄷ   ⑤ ㄱ, ㄴ, ㄷ

3^일 엘니뇨와 남방 진동

〈평상시〉
〈엘니뇨〉
〈라니냐〉

평상시에 동태평양에서는 용승이 일어나서 수온이 상대적으로 낮아.

심해의 찬물이 올라오는 현상이 용승이야.

무역풍이 약해지니 용승도 약해져.

무역풍이 세게 부니 찬 해수가 더 많이 올라오네.

표층 해수
용승

워커 순환
저기압
무역풍
오스트레일리아 대륙
온난 수역
수온 약층
한랭 수역
표층 해수의 흐름
용승
고기압
아메리카 대륙
0°

고기압
저기압
무역풍 약화
온난 수역
수온 약층
한랭 수역
표층 해수의 흐름
0°

저기압
고기압
무역풍 강화
온난 수역
수온 약층
한랭 수역
표층 해수의 흐름
용승
0°

✦📖 핵심 개념

1 열대 태평양의 대기 순환

● **평상시(❶ ▢)**: 열대 서태평양은 수온이 상대적으로 높아 상승 기류가 우세하고, 상대적으로 수온이 낮은 열대 동태평양은 하강 기류가 우세하다.
● **엘니뇨**: 열대 태평양 동쪽 해역의 표층 수온이 평상시보다 높은 상태로 5개월 이상 지속되는 현상
● **엘니뇨 시기의 대기 순환**: 워커 순환의 상승 기류가 동쪽으로 치우쳐 나타난다.
● **라니냐**: 열대 태평양 동쪽 해역의 표층 수온이 평상시보다 낮은 상태로 5개월 이상 지속되는 현상
● **라니냐 시기의 대기 순환**: 열대 서태평양에서 상승 기류가 평상시보다 강하게 나타난다.

2 엘니뇨 시기와 라니냐 시기의 수온 분포

● 열대 태평양 동쪽 해역의 표층 수온은 엘니뇨 시기에 높아지고, 라니냐 시기에 낮아진다.
● **엘니뇨 시기의 수온 분포**: ❷ ▢ 이 약해지면서 따뜻한 표층수가 열대 태평양의 중앙부와 동쪽으로 이동한다. 이로 인해 동태평양의 표층 수온이 높아지고, 수온 약층 경사가 평상시보다 완만해진다.── 동태평양의 용승이 약해진다.
● **라니냐 시기의 수온 분포**: 무역풍이 강해지면서 따뜻한 표층수가 열대 태평양의 서쪽으로 이동한다. 이로 인해 동태평양의 표층 수온이 낮아지고, 수온 약층의 경사가 평상시보다 커진다.
└── 동태평양의 용승이 활발해진다.

답 ❶ 워커 순환 ❷ 무역풍

1-1

그림 (가), (나)는 서로 다른 두 시기에 열대 태평양에서 나타나는 대기 순환을 나타낸 것이다. (가), (나)는 각각 엘니뇨 시기, 라니냐 시기 중 하나이다.

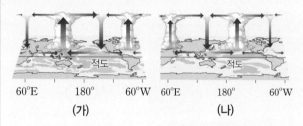

(1) (가), (나)는 각각 어느 시기에 해당하는지 쓰시오.

(가): ＿＿＿＿＿＿＿＿

(나): ＿＿＿＿＿＿＿＿

(2) (가), (나)시기에 무역풍의 평균 풍속을 비교하시오.

1-2

표는 엘니뇨 시기와 라니냐 시기의 특징을 평상시와 비교하여 나타낸 것이다.

구분	엘니뇨 시기	라니냐 시기
열대 태평양에서 무역풍의 세기	약하다	강하다
열대 태평양 (㉠)쪽 해역의 표층 수온	높다	낮다
열대 태평양 (㉡)쪽 해역의 강수량	적다	많다

(1) ㉠과 ㉡에 들어갈 말을 쓰시오.

(2) 페루 연안의 용승은 평소와 비교하여 엘니뇨와 라니냐 시기에 각각 어떻게 달라지는지 서술하시오.

3
주
3일

2-1

그림 (가), (나), (다)는 서로 다른 세 시기에 열대 태평양의 표층 수온 분포를 나타낸 것이다.

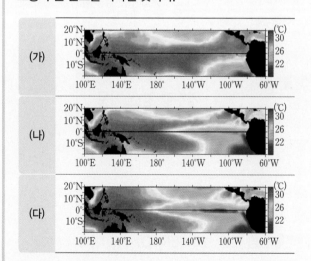

(가), (나), (다)는 각각 평상시, 엘니뇨 시기, 라니냐 시기 중 어디에 해당하는지 쓰시오.

(가) : ＿＿＿＿＿＿＿＿　　　(나) : ＿＿＿＿＿＿＿＿

(다) : ＿＿＿＿＿＿＿＿

2-2

그림은 1950년~2015년까지 동태평양 적도 부근 해역의 표층 수온 편차(측정 수온−평상시 수온)를 나타낸 것이다.

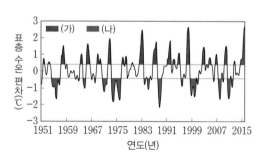

(1) (가)와 (나)는 각각 어느 시기에 해당하는지 쓰시오.

(2) (가)와 (나) 시기에 열대 태평양에서 동서 방향의 수온 약층의 경사 크기를 부등호로 비교하시오.

수온 약층의 경사 : (가) ☐ (나)

3일 엘니뇨와 남방 진동

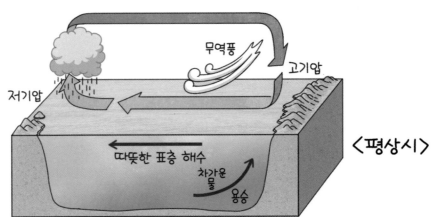

무역풍
고기압
저기압
〈평상시〉
따뜻한 표층 해수
차가운 물 용승

엘리뇨 시기

서태평양
🌡️ 표층 수온 하강
↓
〰️ 하강 기류, 고기압
↓
☀️ 강수량 감소, 가뭄

> 무역풍 약화 〰️
> → 따뜻한 표층 해수 동쪽으로 이동
> → 용승 약화 ↗
> → 동태평양 해수면 높이 상승

동태평양
🌡️ 표층 수온 상승
↓
〰️ 상승 기류, 저기압
↓
🌧️ 강수량 증가, 홍수

라니냐 시기

서태평양
🌡️ 표층 수온 상승
↓
〰️ 상승 기류, 저기압
↓
🌧️ 강수량 증가, 홍수

> 무역풍 강화 〰️
> → 따뜻한 표층 해수 서쪽으로 이동
> → 용승 강화 ↗
> → 동태평양 해수면 높이 하강

동태평양
🌡️ 표층 수온 하강
↓
〰️ 하강 기류, 고기압
↓
☀️ 강수량 감소, 가뭄

📖 **핵심 개념**

3 엘니뇨 시기와 라니냐 시기의 기후

● **엘니뇨 시기**: 인도네시아와 호주에서는 이상 고온과 건조 현상, 페루 연안에서는 이상 강우 현상이 나타난다. 우리나라에서는 겨울철 이상 고온 현상이 나타난다.

● **❶**: 인도네시아와 호주에서는 이상 강우 현상, 페루 연안에서는 이상 건조 현상이 나타난다. 우리나라에서는 겨울철 이상 저온 현상이 나타난다.

4 남방 진동(엔소: ENSO)

● **❷**: 열대 태평양에서 동·서 기압이 시소처럼 반대로 나타나는 현상

● 엘니뇨 시기에 열대 태평양의 중앙부(타히티)는 저기압이 발달하여 평상시보다 기압이 낮아지고, 열대 태평양의 서쪽 연안(다윈)은 하강 기류가 발달하여 평상시보다 기압이 높아진다.

답 ❶ 라니냐 시기 ❷ 남방 진동

3-1

그림 (가)와 (나)는 엘니뇨 시기와 라니냐 시기에 나타난 기후를 순서 없이 나타낸 것이다.

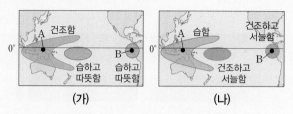

(1) (가)와 (나) 중 엘니뇨 시기의 기후를 쓰시오.

(2) (가)시기일 때 A 지역에서 나타날 수 있는 피해를 쓰시오.

(3) (나)시기일 때 A와 B 지역 중 평상시보다 하강 기류가 우세한 지역은 어디인가?

3-2

그림은 적도 부근 해역에서 서태평양과 동태평양의 수온차(서태평양 표층 수온−동태평양 표층 수온)이다. A와 B는 각각 엘니뇨 시기와 라니냐 시기 중 하나이다.

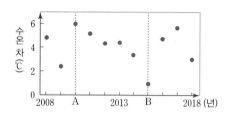

(1) A와 B 시기는 각각 어느 시기인지 쓰시오.

(2) A 시기에 서태평양 적도 부근 해역에서 강수량 변화를 평상시와 비교하시오.

(3) B 시기에 동태평양 적도 부근 해역에서 표층 수온을 평상시와 비교하시오.

4-1

그림은 태평양에 있는 다윈과 타히티 지역의 위치를 나타낸 것이다.

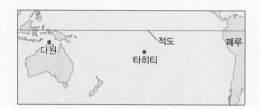

(1) 평상시에 평균 해면 기압은 다윈이 타히티보다 ☐다.

(2) 라니냐 시기에 다윈에서는 평상시보다 해면 기압이 ❶☐고, ❷☐ 기류가 우세하다.

(3) 엘니뇨 시기에 타히티에서는 평상시보다 해면 기압이 ❶☐고, ❷☐ 기류가 우세하다.

4-2

그림은 호주의 다윈과 남태평양의 타히티에서 관측한 해면 기압 편차(측정값−평균값)를 나타낸 것이다.

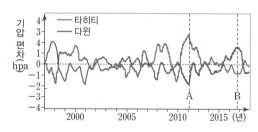

이에 대한 설명으로 옳은 것은 ○, 옳지 않은 것은 × 표 하시오.

(1) A 시기에 타히티는 평상시보다 해면 기압이 높다.

( )

(2) B 시기에 다윈은 평상시보다 상승 기류가 우세하다. ( )

> **Hint** 기압 편차가 ＋이면 평소보다 기압이 높고, 기압이 높아지면 하강 기류가 생긴다.

기초 유형 연습 | 엘니뇨와 남방 진동

그림은 태평양 적도 부근 해역에서의 대기 순환 모습을 나타낸 것이다. (가)와 (나)는 각각 엘니뇨와 라니냐 시기 중 하나이다.

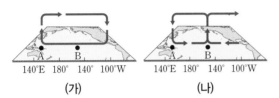

이에 대한 설명으로 옳은 것만을 〈보기〉에서 있는 대로 고른 것은?

> **보기**
> ㄱ. 서태평양 적도 부근 무역풍의 세기는 (가)가 (나)보다 강하다.
> ㄴ. 동태평양 적도 부근 해역의 용승은 (가)가 (나)보다 강하다.
> ㄷ. (B 지점 해면 기압 ― A 지점 해면 기압)의 값은 (가)가 (나)보다 크다.

① ㄱ   ② ㄷ   ③ ㄱ, ㄴ
④ ㄴ, ㄷ   ⑤ ㄱ, ㄴ, ㄷ

개념 point

워커 순환: 열대 태평양에서 나타나는 동서 방향의 거대한 순환
엘니뇨 시기: 워커 순환의 상승부가 열대 태평양의 동쪽으로 이동

|보기| 풀이

ㄱ. 무역풍의 세기는 라니냐 시기인 (가)가 엘니뇨 시기인 (나)보다 강하다.
ㄴ. 동태평양 적도 부근 해역의 용승은 라니냐 시기인 (가)일 때 강하다.
ㄷ. 바람은 '고기압 → 저기압'으로 분다. 따라서 해면 기압은 (가)에서는 A<B이고, (나)에서는 A>B이다.

함정 탈출

ㄷ. 라니냐 시기에는 A에서 저기압이, B에서 고기압이 평상시보다 강하게 나타난다.

답 ⑤

---

1 그림 (가)와 (나)는 엘니뇨 시기와 라니냐 시기에 태평양 적도 부근 해역에서의 연직 수온 분포를 순서 없이 나타낸 것이다.

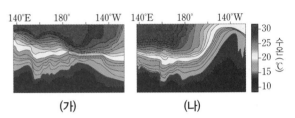

이에 대한 설명으로 옳은 것만을 〈보기〉에서 있는 대로 고른 것은?

> **보기**
> ㄱ. (가)는 엘니뇨 시기이다.
> ㄴ. 동태평양 해역의 표층 수온은 (가)보다 (나)일 때 높다.
> ㄷ. 동태평양 해역에서 일어나는 용승은 (가)보다 (나)일 때 더 강하다.

① ㄱ   ② ㄴ   ③ ㄱ, ㄷ
④ ㄴ, ㄷ   ⑤ ㄱ, ㄴ, ㄷ

2 그림은 어느 시기에 위성에서 관측한 태평양 해수면의 높이 편차(관측 높이―평년 높이)를 나타낸 것이다.

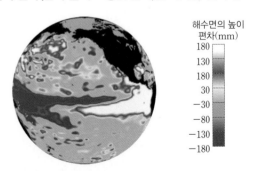

이 시기는 엘니뇨 시기와 라니냐 시기 중 어느 시기에 해당하는지 쓰고, 그 까닭을 서술하시오.

2020학년도 수능 9번 변형

3 그림은 적도 부근 해역에서 동태평양과 서태평양의 해수면 기압 차(동태평양 기압−서태평양 기압)를 나타낸 것이다. ㉠과 ㉡은 각각 엘니뇨와 라니냐 시기 중 하나이다.

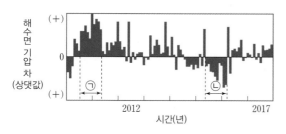

㉠과 ㉡ 시기는 각각 어느 시기인지 쓰시오.

4 그림은 태평양 적도 부근 해역에서 어느 시기에 관측한 따뜻한 해수층의 두께 편차(관측값−평년값)이다. 관측 시기 동안 엘니뇨 또는 라니냐가 발생하였다.

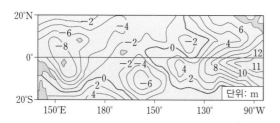

이 시기에 대한 설명으로 옳은 것만을 〈보기〉에서 있는 대로 고른 것은?

┌─ 보기 ─────────────────
ㄱ. 라니냐가 발생하였다.
ㄴ. 동태평양 적도 해역에서 용승이 강하게 나타났다.
ㄷ. 서태평양 적도 부근 해역에서 구름양은 평상시보다 적었다.
└──────────────────────

① ㄱ   ② ㄷ   ③ ㄱ, ㄴ
④ ㄴ, ㄷ   ⑤ ㄱ, ㄴ, ㄷ

2019학년도 9월 모평 13번 변형

5 그림 (가)는 북반구 여름철에 관측한 태평양 적도 부근 해역의 표층 수온 편차(관측값−평년값)를, (나)는 이 시기에 관측한 북서태평양 중위도 해역의 표층 수온 편차(관측값−평년값)를 나타낸 것이다. 이 시기는 엘니뇨 시기와 라니냐 시기 중 하나이다.

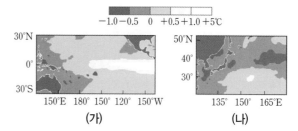

이 자료에 근거해서 평년과 비교할 때, 이 시기에 대한 설명으로 옳은 것만을 〈보기〉에서 있는 대로 고른 것은?

┌─ 보기 ─────────────────
ㄱ. 동태평양 적도 부근 연안에서는 가뭄이 심하다.
ㄴ. 서태평양 적도 해역에서는 상승 기류가 강하다.
ㄷ. 우리나라 주변 해역의 수온이 평상시보다 낮다.
└──────────────────────

① ㄱ   ② ㄷ   ③ ㄱ, ㄴ
④ ㄴ, ㄷ   ⑤ ㄱ, ㄴ, ㄷ

2020학년도 6월 학평 15번 변형

6 그림 (가)와 (나)는 평상시와 엘니뇨 발생 시에 태평양 적도 부근 해역의 대기 순환을 순서 없이 나타낸 것이다.

이에 대한 설명으로 옳지 않은 것은?

① (가)는 평상시의 대기 순환 모습이다.
② (나)는 엘니뇨 발생 시의 대기 순환 모습이다.
③ 무역풍의 세기는 (가) 시기가 (나) 시기보다 강하다.
④ A 해역과 B 해역의 표층 수온 차이는 (가) 시기가 (나) 시기보다 크다.
⑤ (나) 시기에 페루 연안의 용승이 강해진다.

기후 변화

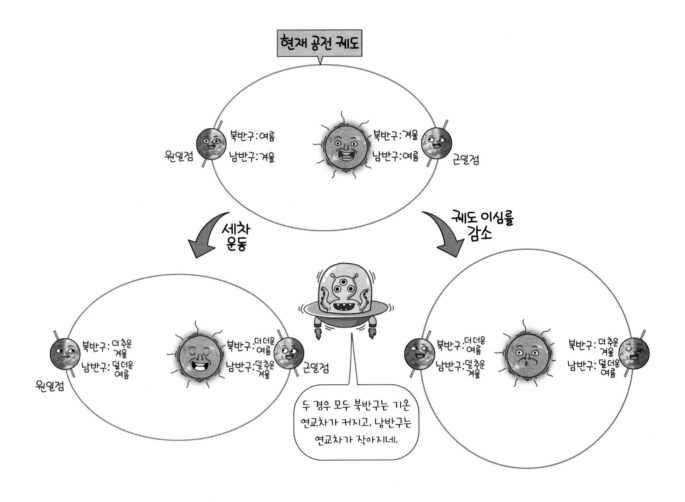

두 경우 모두 북반구는 기온 연교차가 커지고, 남반구는 연교차가 작아지네.

1 기후 변화의 외적 요인

- **지구 자전축의 기울기 변화:** 지구 자전축 경사각이 커지면 여름과 겨울 태양의 남중 고도 차이가 증가한다. ➡ 여름은 더 더워지고 겨울은 더 추워진다. ➡ 북반구와 남반구에서 모두 연교차가 커진다.

- **지구 자전축의 ❶ :** 현재 북반구는 원일점에 있을 때가 여름, 근일점에 있을 때가 겨울이다.

  ➡ 13000년 후 자전축의 경사 방향이 바뀌면 북반구는 원일점에서 겨울, 근일점에서 여름이다.

  ➡ 북반구는 기온의 연교차가 증가한다.(남반구는 감소)

- **궤도 이심률 변화:** 공전 궤도가 원에 가까워지면 북반구에서는 원일점(여름) 거리가 태양과 가까워지고, 근일점(겨울) 거리가 태양과 멀어져 기온의 연교차는 커진다.

  _{이심률 감소}

2 기후 변화의 내적 요인

- **수륙 분포의 변화:** 판의 운동에 의한 수륙 분포의 변화는 지구의 반사율과 해류를 변화시켜 지구의 기후를 변화시킬 수 있다. ➡ 판게아 형성 시 대륙성 기후 지역 증가, 대륙 분리 시 해양성 기후 지역 증가

- **❷ :** 화산 폭발로 분출된 화산재 등이 성층권에 퍼지면 지표에 도달하는 태양 복사 에너지양이 감소하여 지구의 평균 기온이 하강한다.

- **지표면 상태 변화:** 극지방의 빙하 면적 변화, 사막화 등은 지표면의 반사율을 변화시켜 지표에 흡수되는 태양 복사 에너지양을 달라지게 하므로 기후가 변한다. ➡ 빙하 감소 시 반사율이 감소하여 지구의 평균 기온 상승

1-1

그림 (가)는 지구 자전축의 경사각 변화를, (나)는 지구 공전 궤도 이심률 변화를 나타낸 것이다.

 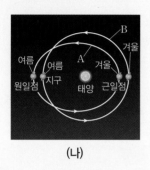

(가) (나)

(1) (가)와 (나)는 지구의 기후를 변화시키는 ☐ 요인에 해당한다.

(2) (가)에서 자전축의 기울기가 클수록 우리나라에서 기온의 연교차가 ☐ 다.

(3) (나)에서 지구 공전 궤도 이심률은 A보다 B일 때 ☐ 다.

1-2

그림 (가)와 (나)는 현재와 13000년 후에 지구 자전축의 경사 방향을 나타낸 것이다. 그림에 대한 설명으로 옳은 것은 ○, 옳지 않은 것은 × 표 하시오.

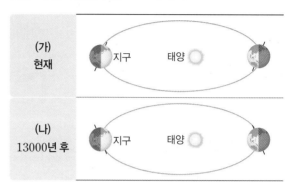

(1) (가)에서 지구가 근일점일 때 북반구는 여름이다.

( )

(2) (나)에서 지구가 원일점일 때 남반구는 겨울이다.

( )

(3) 북반구의 연교차는 (나)일 때 더 크다. ( )

2-1

그림은 1990년~1993년까지 지구의 평균 기온 편차와 대규모 화산 폭발 시점을 나타낸 것이다. 그림에 대한 설명으로 옳은 것은 ○, 옳지 않은 것은 × 표 하시오.

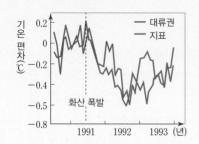

(1) 화산 폭발 후 지구의 평균 기온이 감소하였다.

( )

(2) 화산 폭발 후 지표에 도달하는 태양 복사 에너지양이 증가하였다. ( )

(3) 화산 폭발은 기후 변화의 외적 요인이다. ( )

2-2

그림은 1979년과 2015년에 관측한 북극해의 해빙(바다 얼음) 분포이다.

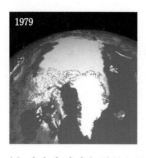 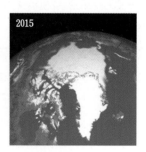

(1) 빈칸에 알맞은 부등호를 넣어 비교하시오.

극지방의 평균 반사율: 1979년 ❶ 2015년

해수면의 높이 : 1979년 ❷ 2015년

(2) 빙하 면적의 변화는 지구의 기후 변화를 일으키는 ☐ 요인이다.

4^일 기후 변화

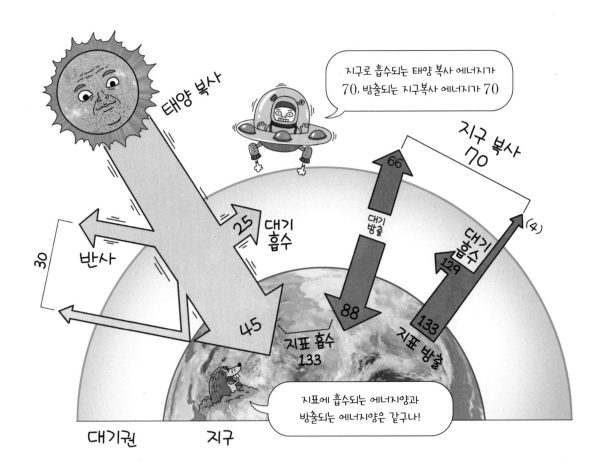

3 온실 효과와 지구의 열수지 평형

● **지구의 ❶ [____]**: 지구는 태양으로부터 태양 복사 에너 지를 흡수하고, 흡수한 만큼 지구 복사 에너지를 우주 공간으로 방출하여 복사 평형을 이룬다.

➡ 지구의 연평균 기온이 일정하게 유지된다.

➡ 각 영역(지구 전체, 대기, 지표)은 에너지 흡수량과 방출량이 같은 평형 상태이다.

● **온실 효과**: 지구 대기가 짧은 파장의 태양 복사 에너지는 거의 투과시키고, 긴 파장의 지구 복사 에너지는 대부분 흡수한 뒤 재복사하여 지표의 온도가 높아지는 현상

➡ 대기가 없을 때보다 더 높은 온도에서 복사 평형을 이룬다.

● **온실 기체**: 온실 효과를 일으키는 기체로, 적외선을 잘 흡수한다. 예 수증기, 이산화 탄소, 메테인, 오존 등

4 지구 온난화

● **지구 온난화**: 인간 활동으로 대기 중 이산화 탄소의 농도 가 계속 증가하고 있으며, 그에 따른 온실 효과 강화로 지 구의 ❷ [____]이 점점 상승하는 현상

● **지구 온난화의 영향**

① 북극 지방의 해빙 면적이 지속해서 감소하는 경향이 나타나고 있다.

② 지구 온난화의 영향으로 해수의 열팽창이 일어나고, 빙하가 녹아 바다로 들어가면서 해수면이 상승하고 있다.

③ 강수량과 증발량이 증가하고 지역 편중이 심해져 홍수, 물 부족 등의 피해가 생긴다.

④ 심층 순환이 약화되어 위도별 에너지 불균형이 심화된다.
└── 극지방 빙하가 녹으면 해수의 염분이 낮아져 해수 침강이 약화된다.

3-1

그림은 지난 40만 년 동안의 대기 중 이산화 탄소의 농도와 지구의 기온 편차를 나타낸 것이다.

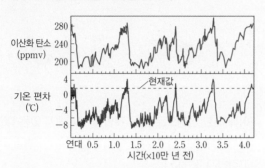

(1) 대기 중 이산화 탄소 농도가 높았던 시기에 기온은 대체로 ⬚⬚⬚.

> **Hint** 이산화 탄소는 지구 복사 에너지를 흡수한 후 재방출하여 온실 효과를 일으키는 기체이다.

(2) 이 기간 동안 지구의 평균 기온은 현재의 지구 평균 기온보다 ⬚⬚⬚.

3-2

그림은 지구의 열수지 평형을 나타낸 것이다.

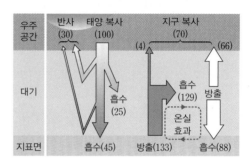

(1) 지구의 평균 반사율을 쓰시오.

(2) 다음 값의 크기를 등호 또는 부등호로 비교하시오.

지표면이 흡수하는 태양 복사 에너지	❶	지표면이 흡수하는 대기 복사 에너지
지표면에서 우주로 방출하는 에너지	❷	대기에서 우주로 방출하는 에너지
대기가 흡수하는 총 에너지	❸	대기가 방출하는 총 에너지

3
주
4일

4-1

그림은 미래 온실 기체 배출량이 차이 나는 두 가지 기후 모형 RCT 8.5와 RCT 2.6에서 시간에 따른 지구의 평균 기온 편차를 나타낸 것이다.

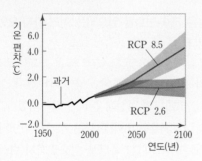

(1) 두 기후 모형 중에서 미래 온실 기체 배출량은 어느 모형에서 더 많은지 쓰시오.

(2) 두 기후 모형 중에서 미래 지구의 해수면 높이는 어느 모형에서 더 높은지 쓰시오.

4-2

그림 (가)는 최근 30년 동안 기온 변화율을, (나)는 30년 동안 강수량 변화율을 나타낸 것이다. 그림에 대한 설명으로 옳은 것은 ○, 옳지 <u>않은</u> 것은 × 표 하시오.

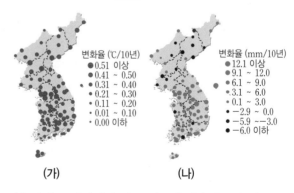

(가)   (나)

(1) 한반도 전역에서 평균 기온이 상승하는 추세이다.

(   )

(2) 한반도 전역에서 고온 다습해지는 경향이 나타난다.

(   )

대표 기출 유형

그림 (가)는 전 지구와 안면도의 대기 중 CO_2 농도를, (나)는 전 지구와 우리나라의 기온 편차(관측값－평년값)를 나타낸 것이다.

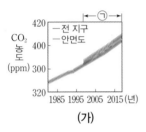

(가)

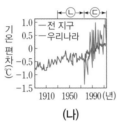

(나)

이 자료에 대한 설명으로 옳은 것만을 〈보기〉에서 있는 대로 고른 것은?

── 보기 ──

ㄱ. ㉠ 시기 동안 CO_2 평균 농도는 안면도가 전 지구보다 낮다.

ㄴ. ㉢ 시기 동안 기온 상승률은 전 지구가 우리나라보다 작다.

ㄷ. 전 지구 해수면의 평균 높이는 ㉡ 시기가 ㉢ 시기보다 낮다.

① ㄱ   ② ㄷ   ③ ㄱ, ㄴ

④ ㄴ, ㄷ   ⑤ ㄱ, ㄴ, ㄷ

개념 point

지구 온난화: 지구의 온실 효과가 강화되어 지구의 평균 기온이 점점 높아지는 현상

|보기| 풀이

ㄱ. ㉠ 시기 동안 CO_2 평균 농도는 전 지구보다 안면도가 높다.

ㄴ. ㉢ 시기 동안 기온 변화폭은 전 지구보다 우리나라가 더 크다.

ㄷ. 지구의 평균 기온이 높을수록 해수면 높이가 높다. 따라서 해수면 높이는 ㉢ 시기가 ㉡ 시기보다 높다.

함정 탈출

ㄷ. 최근 들어 온실 기체의 농도가 점점 상승하고 있으며, 지구의 해수면 높이도 계속 높아지고 있다.

답 ④

---

1 그림은 13000년 후 세차 운동으로 지구 자전축의 경사 방향이 변한 모습을 나타낸 것이다.

이에 대한 설명으로 옳은 것만을 보기에서 있는 대로 고른 것은? (단, 지구 자전축의 경사 방향 이외의 요인은 고려하지 않는다.)

── 보기 ──

ㄱ. A일 때 우리나라는 겨울철이다.

ㄴ. 지구 자전축의 경사 방향은 약 13000년을 주기로 회전한다.

ㄷ. 북반구에서 기온의 연교차는 현재보다 13000년 후에 더 크다.

① ㄱ   ② ㄴ   ③ ㄷ

④ ㄱ, ㄷ   ⑤ ㄴ, ㄷ

---

2 다음은 기후 변화를 일으키는 여러 가지 요인을 나타낸 것이다.

> (가) 지구 공전 궤도의 모양이 달라진다.
> (나) 초대륙의 형성과 분리가 반복되었다.
> (다) 태양 활동이 약 11년을 주기로 활발해진다.
> (라) 대규모 화산 폭발로 성층권까지 화산재가 확산된다.

(가)~(라)를 기후 변화를 일으키는 지구 외적 요인과 지구 내적 요인으로 분류하여 쓰시오.

(1) 지구 내적 요인 : ＿＿＿＿＿＿＿＿＿＿＿

(2) 지구 외적 요인 : ＿＿＿＿＿＿＿＿＿＿＿

2021학년도 6월 모평 13번 변형

3 그림은 시간에 따른 지구 자전축 경사각의 변화이다.

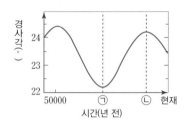

옳은 설명만을 〈보기〉에서 있는 대로 고른 것은? (단, 지구 자전축 경사각 이외의 요인은 변하지 않는다.)

보기
ㄱ. 우리나라에서 겨울철 평균 기온은 현재가 ㉠ 시기보다 낮다.
ㄴ. 남반구에서 기온의 연교차는 현재가 ㉡ 시기보다 크다.
ㄷ. 1년 동안 지구에 입사하는 태양 복사 에너지양은 ㉠ 시기가 ㉡ 시기보다 많다.

① ㄱ   ② ㄴ   ③ ㄷ
④ ㄱ, ㄷ   ⑤ ㄴ, ㄷ

4 그림은 전 지구에서 이산화 탄소, 메테인, 이산화 질소의 평균 농도 변화를 나타낸 것이다.

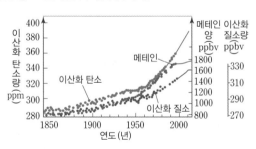

옳은 설명만을 〈보기〉에서 있는 대로 고른 것은?

보기
ㄱ. 세 기체는 모두 온실 기체에 해당한다.
ㄴ. 세 기체의 농도가 증가한 주요 원인은 인간 활동과 관계 있다.
ㄷ. 이 기간 동안 지구의 평균 기온은 대체로 증가하였다.

① ㄱ   ② ㄷ   ③ ㄱ, ㄴ
④ ㄴ, ㄷ   ⑤ ㄱ, ㄴ, ㄷ

5 그림은 지구 대기와 지표면에서 태양 복사 에너지와 지구 복사 에너지의 평형을 모식적으로 나타낸 것이다.

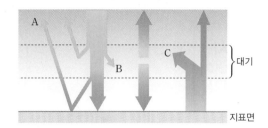

이에 대한 설명으로 옳은 것만을 〈보기〉에서 있는 대로 고른 것은?

보기
ㄱ. 빙하 면적이 넓어지면 A 값이 커진다.
ㄴ. B는 대부분 이산화 탄소에 의해 나타난다.
ㄷ. C가 증가하면 지표면 기온은 상승한다.

① ㄱ   ② ㄴ   ③ ㄷ
④ ㄱ, ㄷ   ⑤ ㄴ, ㄷ

6 그림은 지구 온난화의 원인과 그로 인한 지구 환경 변화 과정의 일부를 나타낸 것이다.

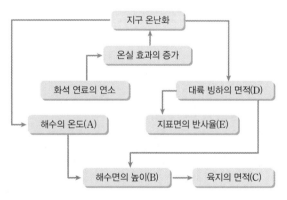

이 자료에 대한 설명으로 옳은 것만을 〈보기〉에서 있는 대로 고른 것은?

보기
ㄱ. A가 증가하면 C는 감소하게 된다.
ㄴ. D가 감소하면 B도 감소하게 된다.
ㄷ. 지구 온난화가 지속되면 E가 증가한다.

① ㄱ   ② ㄷ   ③ ㄱ, ㄴ
④ ㄴ, ㄷ   ⑤ ㄱ, ㄴ, ㄷ

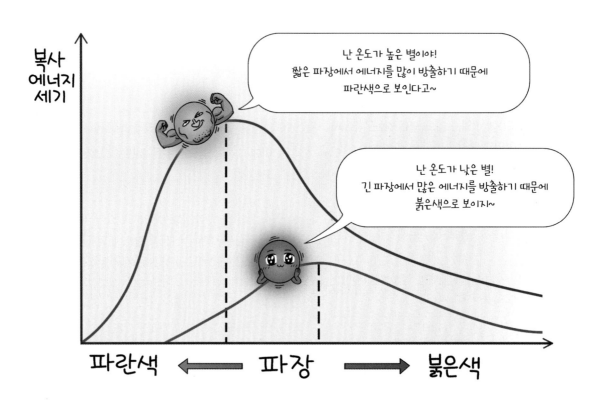

핵심 개념

1 플랑크 곡선과 빈의 변위 법칙

● **플랑크 곡선**: 입사한 에너지를 모두 흡수하고, 흡수한 에너지를 모두 방출하는 이상적인 물체를 흑체라고 하는데 별은 흑체에 가장 가까운 물체이다. 흑체가 방출하는 복사 에너지의 파장에 따른 분포 곡선을 플랑크 곡선이라고 한다.

● **빈의 ❶**: 흑체가 에너지를 최대 세기로 방출하는 파장(λ_{max})은 표면 온도(T)가 높을수록 짧아진다.

$$\lambda_{max} = \frac{a}{T} \ (a = 2.898 \times 10^3 \ \mu m \cdot K)$$

┌ 절대 온도로, 물질의
특성에 영향을 받지
않는 온도이다.

① **온도가 높은 별**: 짧은 파장에서 최대 에너지 방출
➡ 파란색으로 보인다.

② **온도가 낮은 별**: 긴 파장에서 최대 에너지 방출
➡ 붉은색으로 보인다.

2 별의 분광형과 표면 온도

● **연속 스펙트럼**: 넓은 파장 범위에 걸쳐 연속적으로 나타나는 색의 띠 ⑩ 백열등

● **흡수 스펙트럼**: 연속 스펙트럼 위에 검은색 흡수선이 나타난다. ⑩ 수소 흡수선

● **방출 스펙트럼**: 고온의 기체에서 특정 파장의 빛을 내보낼 때 형성되며, 밝은 방출선이 나타난다. ⑩ 수소 방출선

● **분광형과 표면 온도**: 별의 스펙트럼을 표면 온도에 따라 O, B, A, F, G, K, M형의 7개로 분류하며, 각각의 분광형은 0에서 9까지 10등급으로 세분한다.

➡ **❷** 의 분광형은 G2형이다.

● 표면 온도가 높은 O형은 파란색을 띠며, M형 별로 갈수록 표면 온도가 낮아지고 붉은색을 띤다.

1-1

그림은 두 별 A, B의 플랑크 곡선을 나타낸 것이다.

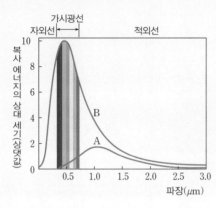

(1) A와 B의 표면 온도를 부등호로 비교하시오.

표면 온도: A ☐ B

(2) A와 B가 에너지를 최대로 방출하는 파장의 길이를 부등호로 비교하시오.

에너지를 최대로 방출하는 파장: A ☐ B

1-2

그림은 두 별 (가)와 (나)의 파장에 따른 복사 에너지의 상대 세기를 나타낸 것이다.

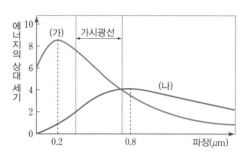

그림에 대한 설명으로 옳은 것은 ○, 옳지 않은 것은 × 표 하시오.

(1) (가)는 파란색으로 보인다. (　　　)

(2) (나)는 붉은색으로 보인다. (　　　)

(3) 표면 온도는 (나)가 (가)의 4배이다. (　　　)

2-1

표는 별의 분광형에 따른 표면 온도를 나타낸 것이다.

분광형	색깔	표면 온도(K)
O	파란색	28000 이상
㉠	청백색	10000~28000
㉡	흰색	7500~10000
F	황백색	6000~7500
G	노란색	5000~6000
K	주황색	3500~5000
㉢	붉은색	3500 이하

㉠, ㉡, ㉢에 들어갈 알맞은 분광형을 쓰시오.

2-2

그림은 세 별 (가), (나), (다)의 분광형과 스펙트럼의 모습을 나타낸 것이다.

별	분광형	스펙트럼
(가)	A	
(나)	B	
(다)	G	

(1) 별 (가), (나), (다)를 표면 온도가 높은 것부터 순서대로 쓰시오.

(2) 별 (가), (나), (다) 중에서 태양과 스펙트럼의 특징이 가장 비슷한 별을 쓰시오.

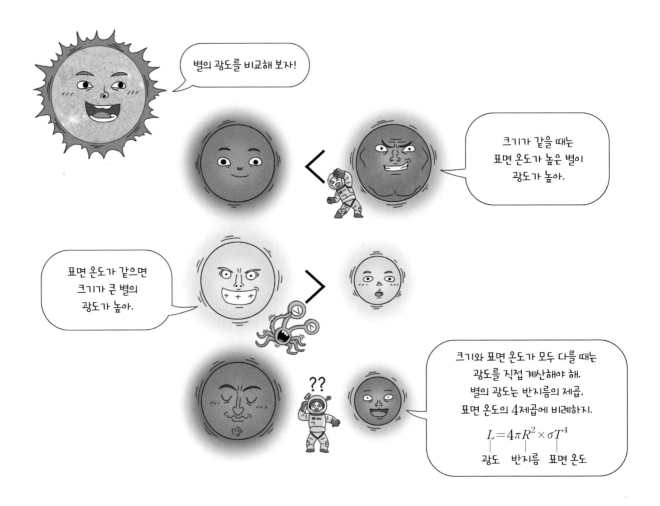

3 별의 등급과 광도

- **별의 광도(L):** 별이 단위 시간 동안 전체 표면에서 방출하는 에너지의 총량
  ➡ 별의 실제 밝기이며 ❶ [　　　]으로 나타낸다.
- **별의 등급과 밝기:** 1등급인 별은 6등급인 별보다 100배 밝다. ➡ 1등급 사이에는 2.5배의 밝기 차이가 난다.
- 겉보기 등급이 작을수록 우리 눈에 밝게 보이는 별이고, 절대 등급이 작을수록 실제 밝은 별이다. ➡ 절대 등급이 작을수록 광도가 큰 별
  └ 겉보기 등급: 눈에 보이는 밝기로 정한 등급
  　절대 등급: 별이 지구로부터 10 pc의 거리에 있다고 가정했을 때
  　별의 밝기로 정한 등급

4 별의 광도와 크기

- **슈테판·볼츠만 법칙:** 흑체가 단위 시간에 단위 면적당 방출하는 에너지양(E)은 표면 온도(T) 4제곱에 비례한다.
  $$E = \sigma T^4$$
  (볼츠만 상수 $\sigma = 5.670 \times 10^{-8} \ \mathrm{W \cdot m^{-2} \cdot K^{-4}}$, T는 절대 온도)
- **광도:** 반지름이 R인 별은 표면적이 $4\pi R^2$이므로 광도(L)는 슈테판·볼츠만 법칙을 이용하여 다음과 같이 구할 수 있다.
  $$L = 4\pi R^2 \times \sigma T^4$$
- 별의 광도는 반지름의 제곱과 표면 온도의 ❷ [　　　]에 비례
  ➡ 별의 광도와 표면 온도를 알면 별의 크기를 구할 수 있다.

답 ❶ 절대 등급 ❷ 4제곱

3-1

별의 밝기, 등급, 광도에 대한 설명으로 옳은 것은 ○, 옳지 않은 것은 × 표 하시오.

(1) 1등급인 별이 6등급인 별보다 100배 더 밝다.
( )

(2) 1등급 사이에는 약 2.5배의 밝기 차이가 있다.
( )

(3) 겉보기 등급이 작은 별일수록 실제로 밝은 별이다.
( )

(4) 광도는 별이 단위 시간 동안 전체 표면에서 방출하는 에너지의 양이다.
( )

(5) 별의 광도가 클수록 절대 등급이 크다. ( )

3-2

표는 별 (가), (나), (다)의 물리량을 나타낸 것이다.

별	절대 등급	분광형
(가)	−3.0	F3
(나)	+5.0	G2
(다)	+10.0	A0

이 자료에 대한 설명으로 옳은 것은 ○, 옳지 않은 것은 × 표 하시오.

(1) 별의 광도는 (다)＞(나)＞(가)이다. ( )

(2) 별의 표면 온도는 (다)＞(가)＞(나)이다. ( )

> **Hint** 별의 광도(밝기)는 별의 절대 등급이 작을수록 크고, 별의 표면 온도는 분광형을 이용해 비교한다.

(3) (다)별은 (나)별보다 100배 더 밝다. ( )

4-1

그림은 반지름이 R, 표면 온도가 T인 어떤 별의 단위 면적에서 방출되는 에너지양을 나타낸 것이다.

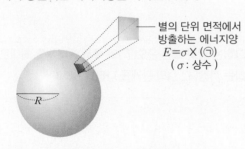

별의 단위 면적에서 방출하는 에너지양
$E = \sigma \times$ (㉠)
(σ : 상수)

(1) 빈 칸 ㉠에 들어갈 알맞은 값을 쓰시오.

(2) R과 T를 사용하여 이 별의 광도를 나타내시오.

(3) 광도와 절대 등급의 관계를 쓰시오.

4-2

표는 별 (가), (나), (다)의 물리량을 나타낸 것이다.

별	(가)	(나)	(다)
절대 등급	+2.0	+5.0	+5.0
표면 온도(K)	5000	10000	5000

(1) (가), (나), (다)의 광도를 등호 또는 부등호로 나타내어 비교하시오.

(2) 별의 단위 표면적에서 단위 시간 동안 방출하는 에너지양은 (가)가 (나)의 몇 배인지 쓰시오.

(3) 별의 반지름은 (나)가 (다)의 몇 배인지 쓰시오.

> **Hint** $L = 4\pi R^2 \times \sigma T^4$에서 별의 반지름을 구하려면 식을 $R^2 = \dfrac{L}{4\pi \cdot \sigma T^4}$로 변형하여 이용한다.

그림은 별 A, B, C의 반지름과 절대 등급을 나타낸 것이다. (단, 별의 반지름은 A의 반지름을 1로 했을 때의 상댓값이다.)

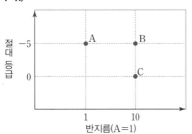

A, B, C에 대한 설명으로 옳은 것만을 〈보기〉에서 있는 대로 고른 것은?

보기
ㄱ. 표면 온도는 A가 B보다 높다.
ㄴ. 별의 광도는 B가 C의 100배이다.
ㄷ. 복사 에너지를 최대로 방출하는 파장은 B가 C보다 길다.

① ㄱ   ② ㄷ   ③ ㄱ, ㄴ
④ ㄴ, ㄷ   ⑤ ㄱ, ㄴ, ㄷ

개념 point

빈의 변위 법칙: 흑체가 에너지를 최대 세기로 방출하는 파장은 표면 온도에 반비례한다.
슈테판–볼츠만 법칙: 흑체가 단위 시간에 단위 면적당 방출하는 에너지양은 표면 온도(T)의 4제곱에 비례한다.

보기 풀이

ㄱ. A와 B는 광도가 같고, 반지름은 A가 B의 $\frac{1}{10}$배이다. 따라서 표면 온도는 A가 B보다 높다.
ㄴ. B의 절대 등급은 -5이고 C는 0이다. 두 별은 5등급 차이가 나므로 광도는 100배 차이가 난다.
ㄷ. B가 C보다 표면 온도가 높으므로 복사 에너지를 최대로 방출하는 파장은 B가 C보다 짧다.

함정 탈출

ㄱ, ㄴ. 별의 표면 온도(T)와 반지름(R)으로부터 광도(L)를 구할 수 있다. ➡ $L = 4\pi R^2 \times \sigma T^4$

답 ③

---

1 그림은 두 별 A와 B가 단위 시간 동안 단위 면적에서 방출하는 복사 에너지 세기를 파장에 따라 나타낸 것이고, 표는 두 별의 겉보기 등급을 나타낸 것이다.

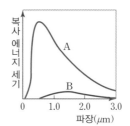

별	겉보기 등급
A	$+5.0$
B	$+2.0$

이에 대한 설명으로 옳은 것만을 보기에서 있는 대로 고른 것은? (단, A와 B는 지구로부터의 거리가 같다.)

보기
ㄱ. 최대 에너지 세기를 갖는 파장은 A가 B보다 짧다.
ㄴ. 별의 표면 온도는 A가 B보다 높다.
ㄷ. 별의 광도는 A가 B보다 크다.

① ㄱ   ② ㄷ   ③ ㄱ, ㄴ
④ ㄴ, ㄷ   ⑤ ㄱ, ㄴ, ㄷ

2 그림은 별의 표면 온도(T)와 복사 에너지를 최대로 방출하는 파장(λ_{max})의 관계를 나타낸 것이다.

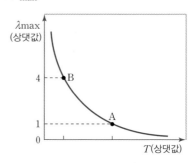

(1) 별 A의 표면 온도는 B의 몇 배인지 쓰시오.

(2) 별 A의 반지름이 B의 $\frac{1}{4}$배라면, A의 광도는 B의 몇 배인지 쓰시오.

3 표는 주계열성 (가)~(다)의 절대 등급과 분광형을 나타낸 것이다.

별	절대 등급	분광형
(가)	−5.0	B
(나)	+0.6	A
(다)	+4.5	F

이에 대한 설명으로 옳은 것만을 〈보기〉에서 있는 대로 고른 것은?

┌─ 보기 ─────────────────────┐
ㄱ. 별의 광도는 (가)가 가장 크다.
ㄴ. (나)는 태양보다 표면 온도가 높다.
ㄷ. (다)의 표면 온도가 가장 낮다.
└────────────────────────┘

① ㄱ　　　　② ㄴ　　　　③ ㄱ, ㄷ
④ ㄴ, ㄷ　　⑤ ㄱ, ㄴ, ㄷ

4 표는 별 (가)~(다)의 분광형과 스펙트럼을 나타낸 것이다.

별	분광형	스펙트럼
(가)	B	
(나)	M	
(다)	G	

이에 대한 설명으로 옳은 것만을 〈보기〉에서 있는 대로 고른 것은?

┌─ 보기 ─────────────────────┐
ㄱ. (가)는 청백색 별이다.
ㄴ. 별의 표면 온도는 (나)가 가장 낮다.
ㄷ. 태양의 스펙트럼과 가장 비슷한 스펙트럼을 가진 별은 (다)이다.
└────────────────────────┘

① ㄱ　　　　② ㄷ　　　　③ ㄱ, ㄴ
④ ㄴ, ㄷ　　⑤ ㄱ, ㄴ, ㄷ

5 표는 두 별 (가), (나)의 물리량을 나타낸 것이다.

별	단위 시간 동안 단위 면적에서 방출하는 에너지양(상댓값)	절대 등급
(가)	1	+10.0
(나)	4	0.0

(1) 별의 표면 온도는 (나)가 (가)의 몇 배인지 풀이 과정과 함께 서술하시오.

(2) 별의 반지름은 (나)가 (가)의 몇 배인지 풀이 과정과 함께 서술하시오.

6 그림은 여러 스펙트럼의 모습을 나타낸 것이다.

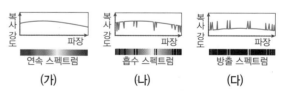

연속 스펙트럼　　흡수 스펙트럼　　방출 스펙트럼
(가)　　　　　(나)　　　　　(다)

이에 대한 설명으로 옳은 것만을 〈보기〉에서 있는 대로 고른 것은?

┌─ 보기 ─────────────────────┐
ㄱ. 백열등 빛을 파장에 따라 분해하면 (가)와 같은 스펙트럼이 나타난다.
ㄴ. 흑체의 스펙트럼에서는 (나)와 같은 스펙트럼이 관측된다.
ㄷ. 형광등 빛을 간이 분광기로 관찰하면 (다)와 같은 스펙트럼이 관측된다.
└────────────────────────┘

① ㄱ　　　　② ㄷ　　　　③ ㄱ, ㄷ
④ ㄴ, ㄷ　　⑤ ㄱ, ㄴ, ㄷ

1 표는 세 해수 A, B, C의 수온과 염분을 나타낸 것이다.

구분	A	B	C
수온(℃)	20	20	30
염분(psu)	35	34	34

해수 A, B, C를 밀도가 큰 순으로 옳게 나열한 것은?

① A>B>C
② A>C>B
③ B>A>C
④ B>C>A
⑤ C>A>B

2 표층 순환에 대한 설명으로 옳지 <u>않은</u> 것은?

① 표층 순환을 일으키는 주요 원인은 대기 대순환의 바람이다.
② 저위도에서 고위도로 흐르는 해류는 난류라고 한다.
③ 북태평양 해류는 편동풍의 영향으로 형성된 해류이다.
④ 북태평양에서 아열대 순환과 아한대 순환은 반대 방향으로 순환한다.
⑤ 아열대 순환은 북반구에서 시계 방향, 남반구에서 시계 반대 방향으로 순환한다.

3 심층 순환의 특징과 역할에 대한 설명으로 옳은 것만을 〈보기〉에서 있는 대로 고른 것은?

> ── 보기 ──
> ㄱ. 심층 순환을 일으키는 주요 원인은 바람이다.
> ㄴ. 심층 순환은 표층 순환에 비해 해수의 이동이 빠르다.
> ㄷ. 열에너지를 저위도에서 고위도로 운반하는 역할을 한다.

① ㄱ
② ㄷ
③ ㄱ, ㄴ
④ ㄴ, ㄷ
⑤ ㄱ, ㄴ, ㄷ

4 그림 (가)와 (나)는 엘니뇨 또는 라니냐 시기에 태평양 적도 부근 해역에서 따뜻한 해수와 찬 해수의 분포를 순서 없이 나타낸 것이다. 점선은 평상시 해수의 경계를 나타낸다.

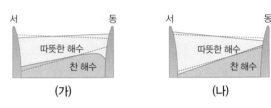

(가)와 (나)에 대한 설명으로 옳은 것은?

① (가)는 라니냐 시기에 해당한다.
② (나)일 때 동태평양 연안에서 용승이 약해진다.
③ (가)일 때 서태평양 연안에서 홍수가 자주 발생한다.
④ 동서 방향의 해수면 경사는 (가)가 (나)보다 작다.
⑤ 무역풍의 세기는 (가)가 (나)보다 강하다.

┌─────────────────────┐
│ 2020학년도 4월 학평 12번 변형 │
└─────────────────────┘

5 그림은 2004년 1월부터 2016년 1월까지 서로 다른 관측소 A와 B에서 측정한 대기 중 이산화 탄소와 메테인의 농도 변화를 나타낸 것이다. A와 B는 각각 30°N과 30°S에 위치한 관측소 중 하나이다.

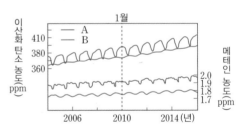

이에 대한 설명으로 옳은 것만을 〈보기〉에서 있는 대로 고른 것은?

> ── 보기 ──
> ㄱ. A는 30°N에 위치한 관측소이다.
> ㄴ. 2010년 1월에 이산화 탄소의 평균 농도는 A보다 B가 높다.
> ㄷ. 이 기간 동안 기체 농도의 평균 증가율은 이산화 탄소보다 메테인이 크다.

① ㄱ
② ㄴ
③ ㄱ, ㄷ
④ ㄴ, ㄷ
⑤ ㄱ, ㄴ, ㄷ

2020학년도 7월 학평 8번 변형

6 다음은 동한 난류, 북한 한류, 쓰시마 난류의 특징을 순서 없이 정리한 것이다.

해류	특징
(가)	북한의 동쪽 연안을 따라 남쪽으로 흐르는 해류이며, 폭이 좁다.
(나)	한국의 동해안을 따라서 북쪽으로 흐르는 해류이다.
(다)	대한 해협을 통해서 동해로 들어오는 해류로 쿠로시오 해류로부터 유래한다.

이에 대한 설명으로 옳지 <u>않은</u> 것은?

① (가)는 한류이다.
② (다)는 쓰시마 난류이다.
③ (나)는 겨울철보다 여름철에 강하게 나타난다.
④ (가)와 (나)가 만나는 해역에는 조경 수역이 나타난다.
⑤ 동일 위도에서 용존 산소량은 (가)가 (다)보다 적다.

7 그림은 동태평양 적도 부근 해역의 관측 수온과 평년 수온을 나타낸 것이다.

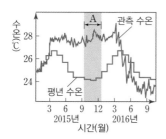

평상시와 비교했을 때, A 시기의 동태평양 적도 부근 해역에 대한 설명으로 옳은 것만을 〈보기〉에서 있는 대로 고른 것은?

보기
ㄱ. 이 지역 대기는 상승 기류가 우세하다.
ㄴ. 동풍 계열의 바람이 강하다.
ㄷ. 표층에서 영양 염류의 양이 많다.

① ㄱ   ② ㄴ   ③ ㄱ, ㄷ
④ ㄴ, ㄷ   ⑤ ㄱ, ㄴ, ㄷ

2020학년도 3월 학평 1번 변형

[8~9] 그림은 지구 공전 궤도 이심률의 변화와 자전축 기울기의 변화를 A와 B로 순서 없이 나타낸 것이다.

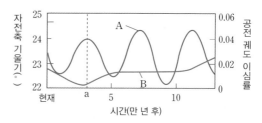

8 A와 B는 각각 무엇인지 쓰시오.

9 현재와 a 시기에 우리나라에서 기온의 연교차를 비교하시오.(단, 지구 공전 궤도 이심률과 자전축의 기울기 외의 요인은 고려하지 않는다.)

10 표는 별 A, B, C의 물리적 특성을 나타낸 것이다.

별	겉보기 등급	절대 등급	분광형
A	−1.5	1.4	A0
B	1.3	−7.2	F5
C	1.0	1.0	B1

이에 대한 설명으로 옳지 <u>않은</u> 것은?

① 광도가 가장 큰 별은 B이다.
② 가장 밝게 보이는 별은 A이다.
③ 표면 온도가 가장 낮은 별은 B이다.
④ 지구로부터의 거리는 C가 B보다 가깝다.
⑤ 별 A, B, C 중에서 반지름은 C가 가장 크다.

다음은 표층 순환이 일어나는 원리를 나타낸 것이다.

그림은 태평양에서의 바람의 분포와 표층 순환을 모식적으로 나타낸 것이다. 이 자료에 대한 설명으로 옳은 것만을 <보기> 에서 있는 대로 고른 것은?

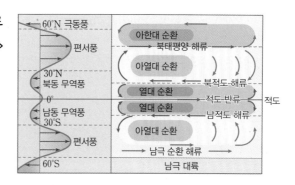

보기

ㄱ. 해양의 표층 순환은 대기 대순환의 영향을 받는다.

ㄴ. 아열대 순환은 한류와 난류로 이루어져 있다.

ㄷ. 아한대 순환은 한류로 이루어져 있다.

① ㄱ   ② ㄷ   ③ ㄱ, ㄴ   ④ ㄴ, ㄷ   ⑤ ㄱ, ㄴ, ㄷ

3주 특강

특강 ▶ 해양의 표층 순환

● **표층 순환(풍성 순환):** 대기 대순환 바람과 마찰력으로 형성되는 표층 해수의 수평 방향 순환

지상 바람의 영향−동서 방향 해류 형성	수륙 분포의 영향−남북 방향 해류 형성
• 무역풍 지대: 동에서 서로 흐르는 해류 형성 • 편서풍 지대: 서에서 동으로 흐르는 해류 형성	• 난류: 저위도에서 고위도로 흐르는 해류 • 한류: 고위도에서 저위도로 흐르는 해류

● **전 세계 표층 해류 분포:** 대체로 적도를 경계로 북반구와 남반구가 대칭을 이룬다.

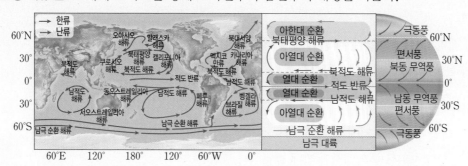

열대 순환	• 무역풍의 영향으로 형성된 북적도 해류와 남적도 해류가 두 해류 사이에서 흐르는 적도 반류와 이어져 형성된 순환(북반구: 시계 반대 방향 순환, 남반구: 시계 방향 순환)
아열대 순환	• 무역풍 지대에서 서쪽으로 흐르는 해류와 편서풍 지대에서 동쪽으로 흐르는 해류가 이어져 형성된 순환 (북반구: 시계 방향 순환, 남반구: 시계 반대 방향 순환)
아한대 순환	• 편서풍 지대에서 동쪽으로 흐르는 해류와 극동풍 지대에서 서쪽으로 흐르는 해류가 이어져 형성된 순환 • 남반구는 남극 순환 해류를 막는 대륙이 없기 때문에 아한대 순환이 나타나지 않는다.

1 2020년 3월 학평 17번 변형

해수의 층상 구조

그림은 해수의 위도별 층상 구조를 나타낸 것이다. A, B, C는 각각 혼합층, 수온 약층, 심해층 중 하나이다.

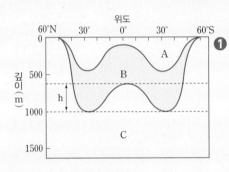

이에 대한 옳은 설명만을 〈보기〉에서 있는 대로 고른 것은?

보기

ㄱ. 혼합층의 두께는 30°N 지역이 적도 지역보다 두껍다. **②**
ㄴ. A, B, C 중에서 연직 혼합이 가장 활발한 층은 B이다.
ㄷ. 구간 h에서 깊이에 따른 수온 변화율은 30°N 지역이 60°N 지역보다 크다. **③**

① ㄱ   ② ㄴ   ③ ㄱ, ㄷ   ④ ㄴ, ㄷ   ⑤ ㄱ, ㄴ, ㄷ

---

❶ 위도별 해수의 층상 구조

- 저위도 해역: 바람이 약하여 혼합층의 두께가 중위도보다 얇다. 표층과 심층의 수온 차가 커서 수온 약층이 매우 강하게 발달한다.
- 중위도 해역: 바람이 강해 혼합층의 두께가 가장 두껍다.

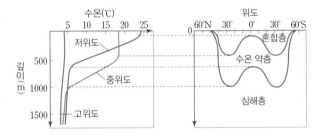

- 고위도 해역: 고위도 지역은 태양 복사 에너지양이 매우 적기 때문에 표층과 심층의 수온 차이가 거의 없고, 수온 약층이 발달하지 못한다.

❷ 혼합층의 두께

혼합층은 태양 복사 에너지에 의한 가열과 바람의 혼합 작용으로 수온이 일정한 층이다.

➡ 바람이 강한 중위도 해역에서 두껍게 발달한다.

❸ h의 층상 구조

h는 위도 30°N에서는 수온 약층에 해당하고, 60°N에서는 표층과 심층의 수온차가 거의 없는 층이다.
수온 약층에서는 수심이 깊어질수록 수온이 급격히 낮아진다.

답 ③

2

2020학년도 수능 7번 변형

대기 대순환과 표층 순환

그림은 1월과 7월의 지표 부근의 평년 풍향 분포 중 하나를 나타낸 것이다.

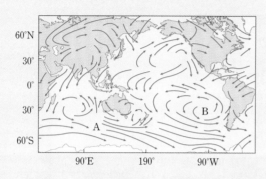

이 자료에 대한 설명으로 옳은 것만을 〈보기〉에서 있는 대로 고른 것은?

보기
ㄱ. 1월의 평년 풍향 분포에 해당한다.
ㄴ. A 해역의 해류는 편서풍의 영향을 받아 흐른다.
ㄷ. B에는 아열대 고기압이 발달해 있다.

① ㄱ   ② ㄴ   ③ ㄱ, ㄷ   ④ ㄴ, ㄷ   ⑤ ㄱ, ㄴ, ㄷ

≫ 자료 분석 Tip

(1) 시베리아 고기압이 발달해 있고, 우리나라에 북서 계절풍이 분다.
(2) A에서는 서에서 동으로 해류가 흐른다.
(3) B가 위치한 위도 30˚S 부근에는 아열대 고기압이 발달한다.

≫ 문제 해결 Tip

이 자료를 보고 우리나라는 어떤 계절풍에 영향을 받는지 알 수 있어야 한다. 그리고 위도 30˚~60˚ 사이에 부는 바람과 기압대가 무엇인지 파악하는 것이 중요하다.

3
주
특강

3

표층 수온과 기압 변화

그림은 표층 수온 변화와 기압 변화의 관계를 나타낸 것이다.

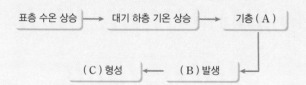

A~C에 들어갈 말을 옳게 짝지은 것은?

	A	B	C
①	안정화	상승 기류	고기압
②	안정화	하강 기류	저기압
③	불안정화	상승 기류	고기압
④	불안정화	상승 기류	저기압
⑤	불안정화	하강 기류	고기압

≫ 자료 분석 Tip

A, B: 대기 하층의 기온이 상승하면 기층이 불안정해져서 상승 기류가 발생한다.
C: 저기압은 기층이 불안정하여 생기는 상승 기류 때문에 형성된다.

≫ 문제 해결 Tip

이 문제는 표층 수온과 기압 변화의 관계를 묻는 문제이다. 표층 수온이 상승할 때 대기의 상태는 어떻게 변하는지 파악하는 것이 중요하다.

4 2017학년도 수능 10번 변형

기후 변화의 요인

다음은 지구 기후 변화의 요인과 영향에 대하여 학생 A, B, C가 나눈 대화를 나타낸 것이다.

제시한 내용이 옳은 학생만을 있는 대로 고른 것은?

① A　　　② C　　　③ A, B　　　④ B, C　　　⑤ A, B, C

❶ 지구 자전축의 경사각 변화

지구 자전축의 경사각은 21.5°~24.5°로 변한다. 지구 자전축의 경사각이 커지면 여름과 겨울에 태양의 남중 고도 차이가 커지기 때문에 여름에는 남중 고도가 더 높아져 지금보다 더 더워지고, 겨울에는 남중 고도가 더 낮아져 지금보다 더 추워진다.

➡ 경사각이 커지면 남, 북반구 모두 기온의 연교차가 커진다.

❷ 화산 활동에 의한 변화

상층 대기로 분출된 화산재가 햇빛을 반사, 산란시키면 지구의 평균 기온이 낮아진다. 실제 대규모 화산이 분출하면 지구의 평균 기온이 0.5~1 ℃ 가량 낮아지기도 한다.

❸ 지표면 상태 변화

빙하 면적 변화, 사막화 현상 등은 지표면의 반사율과 대기 순환에 영향을 미쳐 지구의 기후를 변화시킨다. 빙하 면적이 늘어나면 지구로 입사하는 태양 복사 에너지양이 줄어들어 지구의 평균 기온이 내려간다. 경작지가 증가하면 반사율이 감소하여 지구의 평균 기온이 올라간다.

답 ⑤

5

지구 온난화

그림은 화석 연료의 사용량 증가에 따른 지구 환경 변화를 나타낸 것이다.

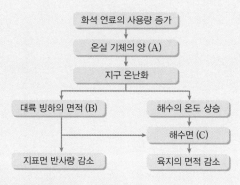

A, B, C에 들어갈 내용을 옳은 것은?

	A	B	C		A	B	C
①	증가	증가	상승	②	증가	감소	하강
③	증가	감소	상승	④	감소	증가	상승
⑤	감소	감소	하강				

>> **자료 분석 Tip**

A: 화석 연료의 사용 증가 ➡ 온실 기체의 양 증가
B: 지구 온난화 ➡ 빙하 면적 감소
C: 해수의 온도 상승 ➡ 해수면 상승

>> **문제 해결 Tip**

이 문제는 지구 기후 변화의 내적 요인을 묻는 문제이다. 따라서 화석 연료 사용에 따른 온실 기체 양의 변화와 해수면의 변화 등을 파악하는 것이 중요하다.

6

2020학년도 3월 학평 11번 변형

별의 물리량

그림은 태양과 별 (가), (나)의 파장에 따른 복사 에너지 분포를, 표는 세 별의 절대 등급을 나타낸 것이다.

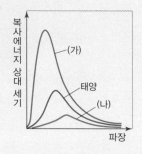

별	절대 등급
태양	+5.0
(가)	+6.0
(나)	+4.0

이에 대한 설명으로 옳은 것만을 〈보기〉에서 있는 대로 고른 것은?

─ 보기 ─

ㄱ. 별의 표면 온도는 (가)가 태양보다 낮다.

ㄴ. 별이 방출하는 에너지양은 (나)가 태양의 약 2.5배이다.

ㄷ. 별의 반지름은 (나)가 (가)보다 작다.

① ㄱ　　② ㄴ　　③ ㄱ, ㄷ　　④ ㄴ, ㄷ　　⑤ ㄱ, ㄴ, ㄷ

>> **자료 분석 Tip**

ㄱ: 표면 온도와 최대 에너지 세기를 방출하는 파장은 반비례한다.
ㄴ: 1등급 차이에 해당하는 밝기 비는 약 2.5배이다.
ㄷ: 반지름은 광도가 클수록, 표면 온도가 낮을수록 크다.

>> **문제 해결 Tip**

이 문제는 별의 물리적 성질을 묻는 문제이다. 별의 밝기와 등급 관계를 이해하고, 별의 반지름과 표면 온도에 따라 광도가 어떻게 변하는지 파악하는 것이 중요하다.

V. 별과 외계 행성계 ~ VI. 외부 은하와 우주 팽창

광활한 우주에서는 어떤 일이 일어나고 있을까요?

중학 기초 개념

1 태양계의 특징

태양계 행성들은 거의 동일한 궤도면에서 모두 같은 방향으로 공전한다. 지구는 다른 행성과 달리 표면에 액체 상태의 물이 풍부하다.

Quiz 지구는 태양에서 [❶   ] AU만큼 떨어져 있고, 표면 온도가 적당하여 물이 [❷   ] 상태로 존재한다.

2 행성의 분류

태양계 행성 중 수성, 금성, 지구, 화성은 지구형 행성에 속하고, 목성, 토성, 천왕성, 해왕성은 목성형 행성에 속한다.

Quiz 지구형 행성은 목성형 행성보다 크기와 질량이 [❸   ]고, 평균 밀도가 [❹   ]다.

3 우리은하

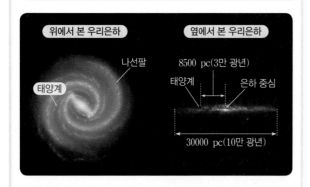

태양계가 속해 있는 우리은하를 위에서 보면 나선팔과 막대 구조가 보이고, 옆에서 보면 중심부가 부풀어 있는 납작한 원반 모양으로 보인다.

Quiz 우리은하의 지름은 약 [❺   ]만 광년이고, 태양계는 우리은하의 [❻   ]에 위치한다.

4 외부 은하

우리은하 밖에 있는 은하를 외부 은하라고 한다. 허블은 안드로메다은하가 외부 은하라는 것을 최초로 밝혀냈다.

Quiz 허블은 [❼   ] 은하까지의 거리를 측정하여 최초로 외부 은하의 존재를 알아냈다.

답 ❶ 1 ❷ 액체 ❸ 작 ❹ 크 ❺ 10 ❻ 나선팔 ❼ 안드로메다

5 외부 은하의 분류

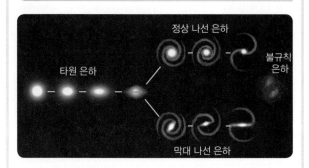

허블은 외부 은하들을 모양에 따라 타원 은하, 정상 나선 은하, 막대 나선 은하, 불규칙 은하로 분류하였다.

Quiz 우리은하는 은하 중심에서 나선팔이 휘어져 나가고 은하의 중심부에 막대 모양의 구조가 나타나므로 ❶⬚ 은하에 속한다.

6 우주 팽창

우주가 팽창함에 따라 은하들은 서로 멀어지고 있다. 이때 우주의 어느 지점에서 보더라도 은하들이 관측자로부터 멀어지는 현상이 나타나며, 멀리 있는 은하일수록 더 빠르게 멀어진다.

Quiz 우주는 특별한 중심 없이 모든 방향으로 균일하게 팽창하고 있으며, 은하들 사이의 거리는 점점 ❷⬚진다.

7 대폭발 우주론

대폭발 우주론(빅뱅 우주론)은 먼 과거에 모든 물질과 에너지가 모인 한 점에서 대폭발로 시작된 우주가 점점 팽창하여 현재의 우주가 되었다는 이론이다.

Quiz 대폭발 우주론에 따르면 과거의 우주는 현재 우주보다 크기가 ❸⬚고 온도가 ❹⬚았다.

8 우주 탐사

우주 탐사는 우주에 대한 호기심을 충족시켜 주고 지구 환경과 생물, 우주를 폭넓게 이해할 수 있도록 해 준다. 또한 탐사 준비 과정에서 얻은 첨단 기술을 실생활에 응용할 수 있다.

Quiz 1969년 ❺⬚는 최초로 달 착륙에 성공했다.

답 ❶ 막대 나선 ❷ 멀어 ❸ 작 ❹ 높 ❺ 아폴로 11호

1^일 H-R도와 별의 진화

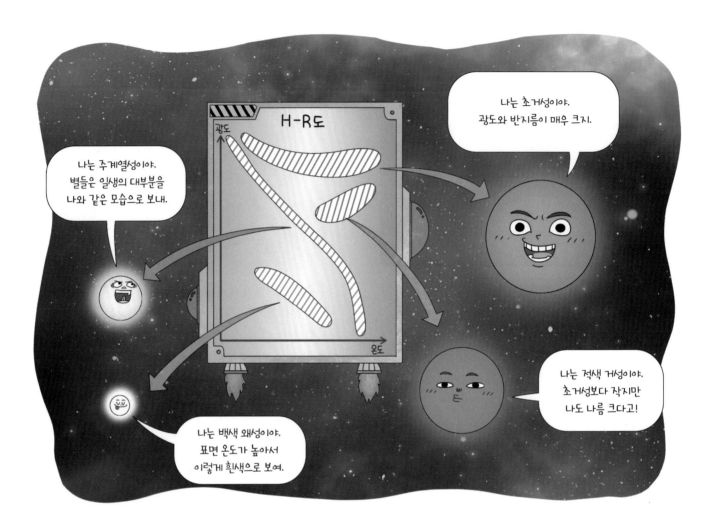

📖 핵심 개념

❶ H-R도와 별의 종류

- **❶ [   ]** 는 가로축에 별의 분광형, 세로축에 별의 절대 등급을 나타낸 도표이다.
  └ 흡수선의 종류와 세기에 따라 별을 O, B, A, F, G, K, M형의 7가지로 분류한 것

- H-R도에 나타난 별들은 크게 4개의 집단(초거성, 적색 거성, 주계열성, 백색 왜성)으로 구분할 수 있다.

주계열성	• 왼쪽 위에서 오른쪽 아래로 이어지는 대각선 영역에 분포하며 왼쪽 위로 갈수록 반지름이 커짐 • 전체 별의 약 90 %가 이 집단에 속한다.
적색 거성	• H-R도에서 주계열성의 오른쪽에 분포하는 별로, 반지름이 비교적 큼 • 표면 온도가 낮아 붉게 보이고 광도는 비교적 큼
초거성	• H-R도에서 적색 거성 위쪽에 분포하는 별 • 광도와 반지름이 매우 크다.
백색 왜성	• H-R도에서 주계열성의 왼쪽에 분포하는 별 • 표면 온도는 높지만 크기와 광도는 매우 작다.

❷ 별의 진화(원시별에서 주계열성으로의 진화)

① **원시별의 탄생**: 성운 내부의 온도가 낮고 밀도가 높은 영역에서 성간 물질이 중력 수축하여 탄생한다.

② **원시별의 진화**: 중력 수축이 일어나면서 크기는 작아지고 중심부 온도는 상승한다. 질량이 클수록 주계열의 왼쪽 상단으로 진화하며, 주계열성이 되는 데 걸리는 시간이 짧다.

③ **주계열성의 탄생**: 원시별이 주계열에 도달하면 중심부에서 수소 핵융합 반응이 일어나고, 별의 크기가 일정하게 유지된다. 별들은 일생의 대부분을 **❷ [   ]** 단계에서 머문다.

④ **주계열성의 진화**: 별의 질량이 클수록 표면 온도가 높고 광도가 크며, 중심부에서 수소의 소비가 빠르게 일어나기 때문에 수명이 짧다.

답 ❶ H-R도 ❷ 주계열

1-1

표는 H-R도에서 별의 종류별 특징을 나타낸 것이다.

종류	특징
초거성	광도와 반지름이 가장 큰 별들이다.
(가)	표면 온도가 높고, 반지름이 매우 작다.
(나)	H-R도에서 대부분의 별들이 속해 있다.
적색 거성	표면 온도가 낮고, 반지름이 비교적 크다.

(1) (가)와 (나)에 해당하는 별의 종류를 쓰시오.

(2) (가)와 (나) 중 태양이 속한 별의 종류를 쓰시오.

1-2

그림은 별의 집단 (가)~(라)를 H-R도에 나타낸 것이다.

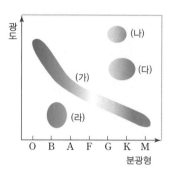

(1) (가)~(라) 중 광도와 반지름이 가장 큰 별의 집단을 쓰시오.

(2) (가)~(라) 중 표면 온도가 높을수록 질량이 큰 별의 집단을 쓰시오.

2-1

그림은 질량이 다른 원시별의 진화 경로와 진화 시간을 나타낸 것이다.

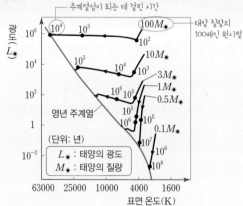

(1) 원시별이 주계열성이 되는 데 걸리는 시간은 질량이 클수록 [　　] 다.

(2) 원시별의 질량이 [　　] 수록 표면 온도가 높은 주계열성으로 진화한다.

(3) 원시별이 주계열성으로 진화하는 동안 별의 반지름은 [　　] 진다.

2-2

표는 질량이 다른 원시별 (가), (나), (다)의 질량과 주계열성이 되는 데 걸리는 시간을 나타낸 것이다.

별	원시별의 질량(태양=1)	주계열성이 되는 데 걸리는 시간(백만 년)
(가)	1.0	50
(나)	0.1	500
(다)	30	0.02

이에 대한 설명으로 옳은 것은 ○, 옳지 않은 것은 ×표 하시오.

(1) 주계열성이 되는 데 걸리는 시간은 원시별의 질량에 비례한다. (　　)

(2) (가), (나), (다)는 모두 진화하는 동안 중심부 온도가 상승한다. (　　)

(3) (가), (나), (다) 중에서 주계열 단계에 머무는 시간은 (나)가 가장 길다. (　　)

Hint 별이 주계열 단계에 머무는 시간은 별의 질량과 관련이 있다.

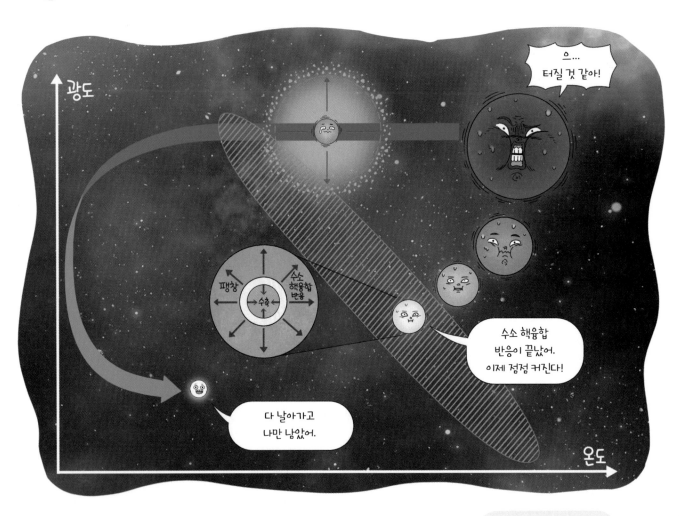

3 별의 진화(주계열성에서 거성으로의 진화)

● **거성 단계:** 주계열성 중심부의 수소가 모두 소비되면 중심부에서 수소 핵융합 반응이 멈추고 중력으로 인해 헬륨핵이 수축한다. 이때 발생한 열에너지가 헬륨핵을 둘러싼 영역에 전달되어 수소 핵융합 반응이 일어난다. 이로 인해 별 외각 부분이 팽창하면서 별의 크기가 커지고 표면 온도가 낮아진다. 중심의 헬륨핵은 수축하여 헬륨 핵융합 반응을 시작하는데, 이 단계를 ❶[⎯⎯] 단계라고 한다.

태양과 질량이 비슷한 경우	태양보다 질량이 훨씬 큰 경우
• 별 외각부가 팽창하면서 광도가 커지고 표면 온도가 낮아져 붉은색을 띤다. • H-R도 오른쪽 상단의 적색 거성이 된다.	• 중심부의 온도가 훨씬 높기 때문에 적색 거성보다 반지름과 광도가 훨씬 커진다. • H-R도 오른쪽 맨 위의 초거성이 된다.

4 별의 진화(진화의 최종 단계)

● 거성 단계가 끝날 때 쯤 별은 매우 불안정한 상태가 된다.

태양과 질량이 비슷한 경우	태양보다 질량이 훨씬 큰 경우
• 적색 거성이 팽창과 수축을 반복하면서 별의 외곽 물질이 우주 공간으로 방출되어 ❷[⎯⎯] 성운이 만들어진다. • 별의 중심부는 수축하여 백색 왜성이 된다.	• 초거성 단계에서 더 이상 핵융합 반응을 일으키지 못해서 초신성 폭발을 일으키고, 외곽부가 흩어져 초신성 잔해를 남긴다. • 초신성 폭발 후 별의 중심부는 수축하여 중성자별이나 ❸[⎯⎯]이 된다.

● **별의 진화 과정**

① 태양과 질량이 비슷한 별: 주계열성 ➡ 적색 거성 ➡ 행성상 성운 ➡ 백색 왜성

② 태양보다 질량이 훨씬 큰 별: 주계열성 ➡ 초거성 ➡ 초신성 ➡ 중성자별 또는 블랙홀

답 ❶ 거성 ❷ 행성상 ❸ 블랙홀

3-1

그림은 주계열성에서 거성으로 진화 중인 어떤 별의 내부 구조를 나타낸 것이다.

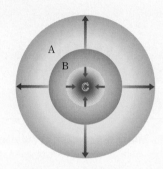

(1) 주계열성이 진화하는 동안 별의 반지름과 표면 온도는 어떻게 변하는지 쓰시오.

(2) A~C 중 수소 핵융합 반응이 일어나는 층을 쓰시오.

3-2

그림은 어느 별이 진화하는 경로를 H−R도에 나타낸 것이다.

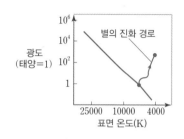

이 별의 진화 과정에 대한 설명으로 옳은 것은 O, 옳지 않은 것은 ×표 하시오.

(1) 이 별은 적색 거성으로 진화하고 있다. (   )

(2) 진화하는 동안 반지름이 증가한다. (   )

(3) 진화하는 동안 중심부에서 수소 핵융합 반응이 일어난다. (   )

> **Hint** 주계열성 단계에서는 별의 중심부에서 수소 핵융합 반응이 일어나고, 중심부의 수소가 모두 소비되면 수소 핵융합 반응을 멈추고 거성으로 진화를 시작한다.

4-1

그림은 질량이 다른 두 별 (가)와 (나)의 진화 경로를 나타낸 것이다.

(가) 주계열성 → 적색 거성 → 행성상 성운 → ㉠

(나) 주계열성 → 초거성 → 초신성 → ㉡ / 블랙홀

(1) 빈칸 ㉠, ㉡에 들어갈 알맞은 말을 쓰시오.

(2) 별 (가)와 (나) 중 질량이 더 큰 것을 쓰시오.

(3) 별 (가)와 (나) 중 진화 속도가 더 빠른 것을 쓰시오.

4-2

그림은 어떤 별이 폭발하는 과정을 나타낸 것이다.

이에 대한 설명으로 옳은 것은 O, 옳지 않은 것은 ×표 하시오.

(1) 이 별의 질량은 태양보다 크다. (   )

(2) 초신성 폭발이 일어난 것이다. (   )

(3) 이 과정에서 백색 왜성이 형성되었을 것이다.
(   )

대표 기출 유형

그림은 주계열성 A와 B가 각각 A′와 B′로 진화하는 경로를 H-R도에 나타낸 것이다. B는 태양이다.

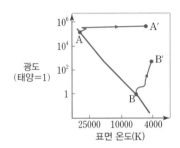

이에 대한 설명으로 옳은 것을 〈보기〉에서 있는 대로 고른 것은?

보기
ㄱ. A가 A′로 진화하는 데 걸리는 시간은 B가 B′로 진화하는 데 걸리는 시간보다 짧다.
ㄴ. B′의 중심부에서는 수소 핵융합 반응이 일어난다.
ㄷ. A는 B보다 최종 진화 단계에서의 밀도가 크다.

① ㄱ ② ㄷ ③ ㄱ, ㄴ ④ ㄱ, ㄷ ⑤ ㄱ, ㄴ, ㄷ

개념 point

주계열성: 중심부에서 수소 핵융합 반응이 일어나고 크기가 거의 일정하게 유지되는 별

보기 풀이

ㄱ. 주계열성의 질량은 A가 B보다 크기 때문에, 거성으로 진화하는 데 걸리는 시간은 A가 B보다 짧다.
ㄴ. B′는 태양이 진화한 적색 거성으로, 적색 거성은 중심부의 수소가 모두 소진되어 수소 핵융합 반응이 끝난 상태이다.
ㄷ. A는 최종 진화 단계에서 중성자별 또는 블랙홀이 되며, B는 최종 진화 단계에서 백색 왜성이 된다. 따라서 최종 진화 단계에서의 밀도는 A가 B보다 크다.

함정 탈출

ㄴ. 거성 단계에서는 중심부의 수소가 모두 소진되어 중심부에서 수소 핵융합 반응이 일어나지 않는다.

답 ④

1 표는 별 (가), (나)와 태양의 분광형과 절대 등급을 나타낸 것이다.

별	분광형	절대 등급
(가)	K5	+0.5
(나)	A0	+11.0
태양	G2	+5.0

이에 대한 설명으로 옳은 것만을 〈보기〉에서 있는 대로 고른 것은?

보기
ㄱ. (가)는 적색 거성이다.
ㄴ. (나)는 H-R도에서 가장 오른쪽에 위치한다.
ㄷ. 별의 반지름은 태양이 가장 작다.

① ㄱ   ② ㄷ   ③ ㄱ, ㄴ
④ ㄴ, ㄷ   ⑤ ㄱ, ㄴ, ㄷ

2 그림은 질량에 따른 두 원시별 A와 B의 진화 경로를 나타낸 것이다.

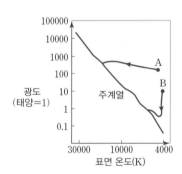

(1) 원시별 A와 B의 질량을 부등호로 비교하여 나타내시오.

(2) 진화하는 동안 별 A와 B에서 공통으로 감소하는 물리량을 쓰시오.

2021학년도 6월 모평 12번 변형

3 그림은 별 A와 D를 H−R도에 나타낸 것이고, 표는 별 B와 C의 물리적 성질을 나타낸 것이다. (태양 광도는 1이다.)

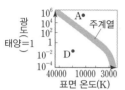

별	표면 온도(K)	광도
B	3500	100000
C	20000	10000

별 A~D에 대한 설명으로 옳은 것만을 〈보기〉에서 있는 대로 고른 것은?

보기
ㄱ. A와 B는 모두 거성이다.
ㄴ. C는 주계열성이다.
ㄷ. 별의 반지름은 D가 가장 작다.

① ㄱ   ② ㄴ   ③ ㄱ, ㄷ
④ ㄴ, ㄷ   ⑤ ㄱ, ㄴ, ㄷ

4 그림은 어느 별의 진화 단계를 나타낸 것이다.

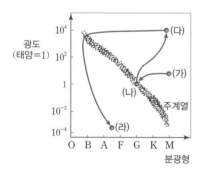

이 별에 대한 설명으로 옳은 것만을 〈보기〉에서 있는 대로 고른 것은?

보기
ㄱ. (가) → (나) 과정에서 표면 온도가 낮아진다.
ㄴ. (나) → (다) 과정에서 별의 밀도가 감소한다.
ㄷ. (다) → (라) 과정에서 행성상 성운이 형성된다.

① ㄱ   ② ㄷ   ③ ㄱ, ㄴ
④ ㄴ, ㄷ   ⑤ ㄱ, ㄴ, ㄷ

5 그림은 별 a~d와 태양을 H−R도에 나타낸 것이다.

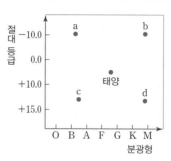

(1) 별 a~d와 태양을 별의 종류에 따라 분류하여 서술하시오.

(2) 별 a~d와 태양을 반지름이 큰 순서대로 나열하여 쓰시오.

2021학년도 9월 모평 3번 변형

6 그림은 분광형과 광도를 기준으로 한 H−R도이고, 표의 (가), (나), (다)는 각각 H−R도에 분류된 별의 집단 ㉠, ㉡, ㉢ 중 하나이다.

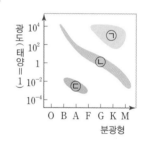

구분	특징
(가)	별이 일생의 대부분을 보내는 단계이다.
(나)	주계열을 벗어난 단계로, 별의 반지름이 매우 커진다.
(다)	태양과 질량이 비슷한 별의 최종 진화 단계이다.

이에 대한 설명으로 옳은 것만을 〈보기〉에서 있는 대로 고른 것은?

보기
ㄱ. (가)는 ㉡에 해당한다.
ㄴ. 별의 평균 연령은 ㉠이 ㉢보다 적다.
ㄷ. (다)의 별들은 초신성 폭발을 거쳐 형성된다.

① ㄱ   ② ㄷ   ③ ㄱ, ㄴ
④ ㄴ, ㄷ   ⑤ ㄱ, ㄴ, ㄷ

2일 별의 에너지원과 내부 구조

> 내 중심부에서는 P-P 반응이 더 많이 일어나.

> 들어가 볼까?

> 수소 핵융합 반응기

> 빨리 와!

> 수소 핵융합 반응기

> 휴... 끝났다.

> 내 중심부에서는 CNO 순환 반응이 더 우세하지.

📖 **핵심 개념**

1 별의 에너지원

중력과 압력이 완전 평형을 이루는 상태

- **원시별**: 별의 중력이 기체 압력 차에 의한 힘보다 크므로 정역학 평형 상태를 이루지 못하고 중력 수축이 일어나 크기가 작아진다. 따라서 원시별의 에너지원은 별의 구성 물질이 중력에 의해 수축할 때 위치 에너지의 감소로 생성되는 중력 수축 에너지이다.
- **주계열성**: 중심부 온도가 1000만 K 이상이므로 중심부에서 수소 핵융합 반응으로 에너지를 생성한다.
- **수소 핵융합 반응**: 4개의 [❶   ] 원자핵이 융합하여 헬륨 원자핵 1개를 생성하는데, 이 과정에서 감소한 질량만큼 에너지가 발생한다.

H H H H → (융합) → He

2 양성자·양성자(P-P) 반응과 탄소·질소·산소(CNO) 순환 반응

- 주계열성의 중심부에서 일어나는 수소 핵융합 반응에는 P-P 반응과 CNO 순환 반응이 있다. 주계열성의 중심핵에서는 이 두 반응이 모두 일어나지만, 질량이 큰 주계열성일수록 [❷   ] 반응이 더 우세하게 일어난다.

P-P 반응	CNO 순환 반응
• 수소 원자핵(양성자) 6개가 결합하여 헬륨 원자핵 1개와 수소 원자핵 2개를 생성하면서 에너지를 발생시킨다.	• 수소 원자핵 4개가 1개의 헬륨 원자핵으로 바뀌면서 에너지를 발생시킨다. 이때 탄소, 질소, 산소가 촉매 역할을 한다.
• 중심부 온도 1800만 K 이하인 주계열성에서 우세하게 발생한다.	• 중심부 온도 1800만 K 이상인 주계열성에서 우세하게 발생한다.

  ❶ 수소 ❷ CNO 순환

1-1

그림은 수소 원자핵 4개가 헬륨 원자핵 1개로 융합하는 모습을 나타낸 것이다.

 융합

이에 대한 설명으로 옳은 것은 ○, 옳지 않은 것은 ×표 하시오.

(1) 이 반응을 헬륨 핵융합 반응이라고 한다. ( )

(2) 수소 원자핵 4개 질량의 합은 헬륨 원자핵 1개의 질량보다 크다. ( )

(3) 주계열성에서는 이 반응으로 에너지가 생성된다.
( )

Hint 수소 핵융합 반응에서는 감소한 질량만큼 에너지가 생성된다.

1-2

표는 두 별의 특징을 나타낸 것이다.

별	종류	크기
A	원시별	계속 작아진다.
B	주계열성	일정하게 유지된다.

(1) 별 A와 B의 에너지원을 각각 쓰시오.

(2) 별 A의 표면에서 중력과 기체 압력 차에 의한 힘 중 어떤 힘이 더 큰지 쓰시오.

(3) 별 B의 중심부에서 나타나는 반응으로 어떤 원자핵이 생성되는지 쓰시오.

2-1

그림은 수소 핵융합 반응의 한 종류를 나타낸 것이다.

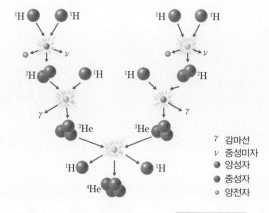

γ 감마선
ν 중성미자
● 양성자
● 중성자
○ 양전자

(1) 이 반응은 수소 핵융합 반응 중 [ ] 반응이다.

(2) 이 반응은 온도가 약 [ ]만 K 이상인 주계열성 중심부에서 일어난다.

(3) 반응 후 감소한 [ ]이 에너지로 전환된다.

2-2

그림은 수소 핵융합 반응의 한 종류를 나타낸 것이다.

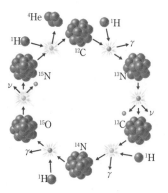

γ 감마선
ν 중성미자
● 양성자
● 중성자
○ 양전자

(1) 이 반응의 종류는 무엇인지 쓰시오.

(2) 이 반응에서 촉매 역할을 하는 원자핵의 종류를 모두 쓰시오.

별의 에너지원과 내부 구조

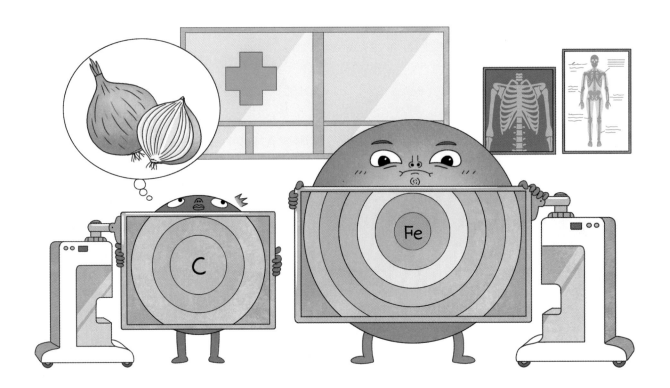

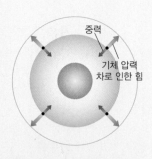

🔖 핵심 개념

③ 주계열성의 내부 구조

- 주계열성은 중심부의 수소 핵융합 반응으로 생기는 힘(바깥으로 팽창)과 중력(안으로 수축)이 평형을 이뤄 크기가 일정하게 유지된다.
- 중심핵에서 생성된 에너지는 복사와 **❶** 를 통해 별의 표면(광구)으로 전달된다.
- **태양 질량의 2배 이하**: 중심핵, 복사층, 대류층으로 이루어져 있고, 중심핵에서 복사에 의해, 표면에서는 대류에 의해 에너지가 전달된다.
- **태양 질량의 2배 이상**: 중심핵(대류핵), 복사층으로 이루어져 있고, 중심핵에서 대류에 의해, 표면에서는 복사에 의해 에너지가 전달된다.

④ 거성의 내부 구조

- 주계열성이 거성으로 진화하면 기체 압력 차로 인한 힘이 중력보다 커져 별이 팽창한다.

질량이 태양 정도인 거성	질량이 태양보다 훨씬 큰 초거성
• 중심부 온도가 계속 상승하여 1억 K에 도달하면 헬륨 핵융합 반응이 일어나 최종적으로 탄소핵까지 형성된다. • 중심부의 탄소핵과 헬륨 껍질 연소층, 수소 껍질 연소층으로 이루어져 있다.	• 중심부의 온도가 매우 높아서 연속적인 핵융합 반응이 일어나고, 최종적으로 **❷** 로 이루어진 중심핵이 형성된다. • 중심으로 갈수록 더 무거운 원소로 구성된 양파 껍질 같은 구조로 이루어져 있다.

📋 답 **❶** 대류 **❷** 철

3-1

그림은 어느 주계열성의 내부 구조를 나타낸 것이다.

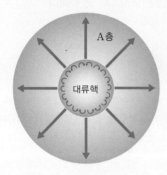

(1) A층에서는 에너지가 주로 어떤 방식으로 전달되는 지 쓰시오.

(2) 이 별의 질량을 태양과 비교하여 쓰시오.

3-2

표는 주계열성 (가)와 (나)의 내부 구조를 나타낸 것이다.

별	내부 구조
(가)	중심핵 → 복사층 → 대류층 → 표면
(나)	중심핵 → 복사층 → 표면

이에 대한 설명으로 옳은 것은 ○, 옳지 않은 것은 ×표 하시오.

(1) 별의 질량은 (가)보다 (나)가 크다. (　　　)

(2) 태양의 내부 구조는 (가)보다 (나)에 가깝다. (　　　)

(3) 중심핵의 온도는 (가)보다 (나)가 높다. (　　　)

> Hint 온도가 높은 주계열성일수록 H-R도의 왼쪽 상단에 존재하며, 별의 크기도 크다.

4-1

그림은 태양과 질량이 비슷한 거성의 내부 구조를 나타낸 것이다.

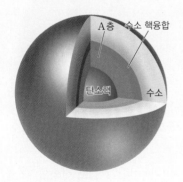

(1) 이 별은 태양보다 반지름이 [　　　]다.

(2) A층에서는 [　　　] 핵융합 반응이 일어난다.

(3) 이 별은 최종 진화 단계에서 [　　　]이 될 것이다.

4-2

그림은 진화의 최종 단계 직전에 있는 두 별 (가), (나)의 내부 구조를 나타낸 것이다.

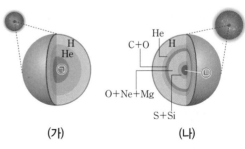

(가)　　　　　　(나)

이에 대한 설명으로 옳은 것은 ○, 옳지 않은 것은 ×표 하시오.

(1) 별의 질량은 (가)가 (나)보다 크다. (　　　)

(2) ㉠은 주로 탄소, ㉡은 주로 철로 이루어져 있다.

(　　　)

(3) (가)와 (나)는 모두 초신성 폭발을 일으킨다.

(　　　)

2 ^일 기초 유형 연습 | 별의 에너지원과 내부 구조

다음은 별 (가), (나), (다)의 분광형과 절대 등급을 나타낸 표와 H-R도를 나타낸 것이다.

별	분광형	절대 등급
(가)	G	−5.0
(나)	A	6.0
(다)	K	8.0

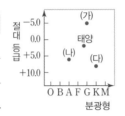

(가), (나), (다)에 대한 설명으로 옳은 것만을 〈보기〉에서 있는 대로 고른 것은?

─ 보기 ─
ㄱ. (가)의 중심핵에서는 주로 양성자·양성자 반응(P-P 반응)이 일어난다.
ㄴ. 단위 면적당 단위 시간에 방출하는 에너지양은 (나)가 가장 많다.
ㄷ. (다)의 중심핵 내부에서는 주로 대류에 의해 에너지가 전달된다.

① ㄱ   ② ㄴ   ③ ㄱ, ㄷ
④ ㄴ, ㄷ   ⑤ ㄱ, ㄴ, ㄷ

개념 point

P-P 반응: 질량이 태양의 약 2배 이하인 주계열성에서 우세하게 일어나는 수소 핵융합 반응

보기 풀이

ㄱ. (가)는 태양보다 광도가 훨씬 큰 거성이므로 중심핵에서 수소 핵융합 반응이 일어나지 않는다.
ㄴ. 단위 면적당 단위 시간에 방출하는 에너지양이 가장 많은 별은 표면 온도가 가장 높은 (나)이다.
ㄷ. (다)는 질량이 태양보다 작은 주계열성이므로 중심핵 내부에서 주로 복사에 의해 에너지가 전달된다.

함정 탈출

ㄷ. 중심핵 내부에서 대류에 의해 에너지가 전달되는 별은 질량이 태양의 2배 이상인 주계열성이다.

답 ②

---

1 그림은 질량이 태양과 같은 별 X의 중심부에서 일어나는 핵융합 반응을 나타낸 것이다.

이에 대한 설명으로 옳은 것만을 〈보기〉에서 있는 대로 고른 것은?

─ 보기 ─
ㄱ. 별 X의 분광형은 G형이다.
ㄴ. 이 반응은 수소 핵융합 반응이다.
ㄷ. 감소한 질량만큼 에너지가 발생한다.

① ㄱ   ② ㄷ   ③ ㄱ, ㄴ
④ ㄱ, ㄷ   ⑤ ㄱ, ㄴ, ㄷ

2 그림은 별의 표면에 작용하는 두 힘 A와 B를 나타낸 것이다. A와 B는 각각 중력과 기체 압력 차에 의한 힘 중 하나이다.

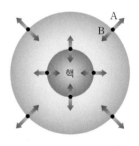

(1) 힘 A와 B는 각각 무엇인지 쓰시오.

(2) 별이 (가), (나), (다)로 진화할 때 별의 표면에서 힘 A와 B의 크기를 부등호로 비교하시오.
    (가) 원시별에서 주계열성으로 진화할 때:
       A ☐ B
    (나) 주계열성에 머무를 때: A ☐ B
    (다) 주계열성에서 거성으로 진화할 때:
       A ☐ B

2021학년도 6월 모평 19번 변형

3 그림 (가)와 (나)는 차례로 주계열에 속한 별 A와 B에서 우세하게 일어나는 핵융합 반응을 나타낸 것이다.

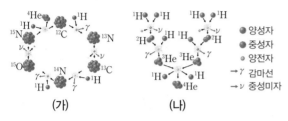

(가)   (나)

● 양성자
● 중성자
● 양전자
→ γ 감마선
→ ν 중성미자

이에 대한 설명으로 옳은 것만을 〈보기〉에서 있는 대로 고른 것은?

┌─ 보기 ─────────────────────┐
ㄱ. (가)에서 ^{12}C는 촉매이다.
ㄴ. 별의 표면 온도는 A가 B보다 높다.
ㄷ. 주계열 단계에서 머무는 시간은 A가 B보다 길다.
└──────────────────────────┘

① ㄱ   ② ㄷ   ③ ㄱ, ㄴ
④ ㄴ, ㄷ   ⑤ ㄱ, ㄴ, ㄷ

4 그림은 진화의 최종 단계에 도달하기 직전에 있는 두 별 (가)와 (나)의 내부 구조를 나타낸 것이다.

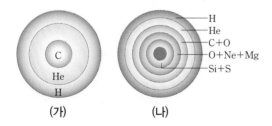

(가)   (나)

H
He
C+O
O+Ne+Mg
Si+S

이에 대한 설명으로 옳은 것만을 〈보기〉에서 있는 대로 고른 것은?

┌─ 보기 ─────────────────────┐
ㄱ. (가)는 태양보다 광도가 크다.
ㄴ. (나)의 중심부에는 철보다 무거운 원소가 풍부하다.
ㄷ. 별의 중심부 온도는 (가)가 (나)보다 높다.
└──────────────────────────┘

① ㄱ   ② ㄷ   ③ ㄱ, ㄴ
④ ㄴ, ㄷ   ⑤ ㄱ, ㄴ, ㄷ

5 그림은 태양과 질량이 비슷한 주계열성의 내부 구조를 나타낸 것이다.

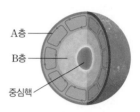

A층
B층
중심핵

(1) A층과 B층에서 에너지가 전달되는 주요 방식을 쓰시오.

(2) 중심핵에서 일어나는 수소 핵융합 반응의 특징에 대해 서술하시오.

2021학년도 9월 모평 11번 변형

6 그림은 분광형이 G형인 어떤 주계열성의 중심에서 표면까지 수소 함량 비율과 온도를 나타낸 것이고, ㉠과 ㉡은 에너지 전달 방식이 다른 구간을 표시한 것이다.

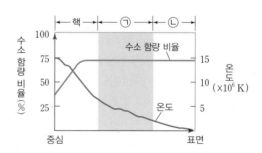

이에 대한 설명으로 옳은 것만을 〈보기〉에서 있는 대로 고른 것은?

┌─ 보기 ─────────────────────┐
ㄱ. ㉠은 대류층, ㉡은 복사층이다.
ㄴ. 헬륨 함량 비율은 핵에서 가장 작을 것이다.
ㄷ. 핵에서는 P-P 반응이 우세하게 일어난다.
└──────────────────────────┘

① ㄱ   ② ㄷ   ③ ㄱ, ㄴ
④ ㄴ, ㄷ   ⑤ ㄱ, ㄴ, ㄷ

4
주

2일

3^일 외계 행성계 탐사

핵심 개념

① 중심별의 시선 속도 변화를 이용하는 방법

- 중심별과 행성이 공통 질량 중심을 같은 주기로 공전하고, 중심별이 회전함에 따라 시선 속도가 변하면 도플러 효과에 의한 별빛의 파장 변화가 생긴다.

  ① **중심별이 지구로 접근할 때**: [①　　　] 편이가 나타난다. ➡ 행성은 지구와 멀어지는 방향으로 공전한다.

  ② **중심별이 지구로부터 멀어질 때**: 적색 편이가 나타난다. ➡ 행성은 지구와 가까워지는 방향으로 공전한다.

- 중심별의 스펙트럼 파장 변화가 일어나는 주기는 중심별 및 행성의 공전 주기와 같다.
- 행성의 질량이 클수록 중심별의 시선 속도 변화가 크므로 행성의 존재를 확인하기 쉽다.

② 식 현상을 이용하는 방법

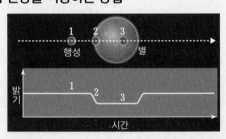

- 행성의 공전 궤도면이 관측자의 시선 방향에 거의 나란한 경우, 행성에 의한 식 현상이 일어난다. 이때 중심별의 밝기가 [②　　　]하는데, 이를 이용하여 행성의 존재를 확인할 수 있다.
- 행성의 반지름이 클수록 중심별의 밝기 변화가 크므로 행성의 존재를 확인하기 쉽다. 또한 식 현상이 일어나는 주기는 행성의 공전 주기와 같다.

답 ❶ 청색 ❷ 감소

1-1

그림은 공통 질량 중심 주위를 돌고 있는 외계 행성계의 모습을 나타낸 것이다.

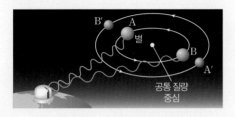

이에 대한 설명으로 옳은 것은 ○, 옳지 <u>않은</u> 것은 ×표 하시오.

(1) 별이 A 부근을 지날 때 행성은 지구로부터 멀어진다. (   )

(2) 행성이 B′ 부근을 지날 때 별은 지구쪽으로 가까워진다. (   )

(3) 공통 질량 중심을 회전하는 주기는 별이 행성보다 짧다. (   )

1-2

그림 (가), (나), (다)는 공통 질량 중심 주위를 돌고 있는 어떤 외계 행성계의 모습을 나타낸 것이다.

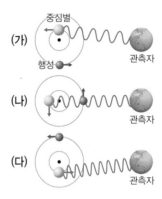

(1) (가), (나), (다) 중 중심별의 스펙트럼에서 청색 편이가 나타나는 시기는 **❶**[   ], 적색 편이가 나타나는 시기는 **❷**[   ]이다.

(2) 중심별의 스펙트럼에서 파장 변화가 나타나는 주기는 행성의 [   ]와 같다.

2-1

그림은 외계 행성계에서 행성의 식 현상에 의한 중심별의 밝기 변화를 나타낸 것이다.

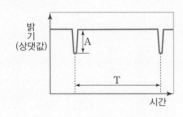

이에 대한 설명으로 옳은 것은 ○, 옳지 <u>않은</u> 것은 ×표 하시오.

(1) 행성의 공전 주기는 T이다. (   )

(2) 행성의 반지름이 작을수록 A는 커진다. (   )

(3) 행성의 공전 궤도면은 관측자의 시선 방향에 수직이다. (   )

2-2

표는 외계 행성계 (가), (나), (다)의 특징을 나타낸 것이다. (가), (나), (다)에서 중심별은 모두 주계열성이고, 행성의 공전 궤도면은 모두 관측자의 시선 방향과 나란하다.

외계 행성계	중심별의 크기(태양=1)	행성의 크기(지구=1)	행성의 공전 주기(일)
(가)	1	1	30
(나)	1	2	50
(다)	2	2	40

(1) (가), (나), (다) 중에서 중심별의 밝기 감소 비율이 가장 큰 것을 쓰시오.

> **Hint** 중심별의 밝기 감소 비율은 $\dfrac{\text{행성의 단면적}}{\text{중심별의 단면적}}$에 비례한다.

(2) (가), (나), (다) 중에서 중심별의 밝기 감소 현상이 나타나는 주기가 짧은 것부터 순서대로 쓰시오.

4
주

3일

3일 외계 행성계 탐사

중심별이 행성을 가지고 있다면 저렇게 좌우 대칭 그래프에 행성으로 인한 밝기 변화가 추가로 나타납니다.

행성아, 너의 존재를 지구에 알릴 때야.

지구로 별빛을 보내 볼까?

알았어! 내 중력에 의해서도 별빛의 밝기가 조금은 변한다고.

지구

3 미세 중력 렌즈 현상을 이용하는 방법

- 멀리 있는 별빛이 관측자와 가까운 별 또는 행성에 의해 휘어지는 현상을 ❶ [   ] 현상이라고 한다. ➡ 외계 행성의 공전 궤도면과 관측자의 시선 방향이 수직인 경우에도 이용 가능한 방법이다.
- **앞쪽 별 주변에 행성이 없는 경우:** 배경별의 밝기 변화가 좌우 대칭으로 나타난다.
- **앞쪽 별 주변에 행성이 있는 경우:** 행성에 의한 배경별의 밝기 변화가 추가로 나타나므로 행성의 존재를 확인할 수 있다.

4 외계 행성계 탐사 결과

- 시선 속도 변화와 식 현상을 이용하여 발견된 행성의 수가 가장 많다.
- 외계 행성계 탐사 초기에는 질량과 반지름이 ❷ [   ] 행성이 주로 발견되었으나 우주 망원경을 이용한 정밀한 관측이 가능해지면서 지구 규모의 작은 행성들도 발견되고 있다.
- 최근 외계 행성 탐사에서는 생명체가 존재할 수 있는 지구와 비슷한 환경의 행성(생명 가능 지대에 있으며, 크기가 지구와 비슷한 암석형 행성)을 찾고 있다.

행성이 중심별로부터 적당히 떨어져 있어 액체 상태의 물이 존재할 수 있는 범위

답 ❶ 미세 중력 렌즈 ❷ 큰

3-1

그림은 어떤 외계 행성계의 미세 중력 렌즈 현상에 의해 나타난 배경별의 밝기 변화를 나타낸 것이다.

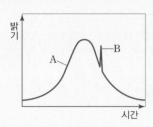

(1) A와 B는 각각 어떤 천체에 의해 나타난 밝기 변화인지 쓰시오.

(2) 이 외계 행성계에 행성이 존재하지 않았다면 밝기 변화는 어떻게 달라졌을지 서술하시오.

3-2

그림은 미세 중력 렌즈를 이용한 외계 행성의 탐사 방법을 나타낸 것이다.

이 탐사 방법에 대한 설명으로 옳은 것은 O, 옳지 않은 것은 ×표 하시오.

(1) 별 X의 밝기 변화를 관측하여 행성의 존재 여부를 알아내는 방법이다. (　　)

(2) 별 Y의 질량이 클수록 외계 행성의 존재를 확인하기 쉽다. (　　)

4-1

그림은 1992년부터 2016년까지 발견된 외계 행성의 질량 분포를 나타낸 것이다.

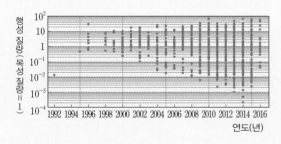

(1) 탐사 초기에는 주로 질량이 [ ] 행성들이 발견되었다.

(2) 발견된 행성들은 대부분 [ ] 속도 변화와 식 현상을 이용하여 발견되었다.

(3) 최근 탐사 기술의 발달로 질량이 [ ] 지구 규모의 행성들도 발견되고 있다.

4-2

그림은 중심별의 질량에 따른 외계 행성의 수를 나타낸 것이다.

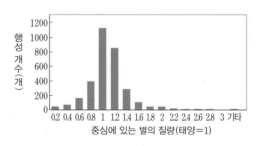

이에 대한 설명으로 옳은 것은 O, 옳지 않은 것은 ×표 하시오.

(1) 외계 행성들은 태양과 비슷한 크기의 별 주변에서 많이 발견되었다. (　　)

(2) 질량이 큰 별 주변에는 행성이 존재하지 않는다.
(　　)

(3) 발견된 외계 행성들은 대부분 지구보다 크기가 작을 것이다. (　　)

> **Hint** 행성의 질량이 클수록 발견하기 쉽다.

다음은 별 A와 B 중 한 별의 밝기 변화를 나타낸 것이다. (이 기간 동안 B는 A보다 지구로부터 멀리 있고, 별과 행성에 의한 미세 중력 렌즈 현상이 관측되었다.)

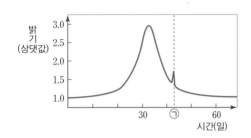

이에 대한 설명으로 옳은 것만을 〈보기〉에서 있는 대로 고른 것은?

보기
ㄱ. ㉠은 별 A에 의해서 나타난 별 B의 밝기 변화이다.
ㄴ. 그래프에서 별의 겉보기 등급 최대 변화량은 1등급보다 작다.
ㄷ. 그래프를 통해 별 A가 행성을 가지고 있다는 것을 알 수 있다.

① ㄱ ② ㄷ ③ ㄱ, ㄴ ④ ㄴ, ㄷ ⑤ ㄱ, ㄴ, ㄷ

개념 point

미세 중력 렌즈 현상: 별 또는 행성에 의해 빛이 휘어지는 현상

보기 풀이

ㄱ. ㉠은 별 A 주변에 있는 행성에 의해 미세 중력 렌즈 현상이 일어난 것이다.
ㄴ. 별의 겉보기 밝기 최대 변화량이 2.5배보다 크므로 별의 겉보기 등급 최대 변화량은 1등급보다 크다.
ㄷ. 그래프에 행성에 의한 밝기 변화가 나타났기 때문에 별 A 주변에 행성이 있다는 것을 알 수 있다.

함정 탈출

ㄱ, ㄷ. 별이 행성을 가지고 있으면 좌우 대칭 그래프에 행성에 의한 변화가 추가로 나타난다.

답 ②

---

1 그림은 중심별과 행성이 공통 질량 중심 주위를 회전할 때 나타나는 별빛의 파장 변화를 나타낸 것이다.

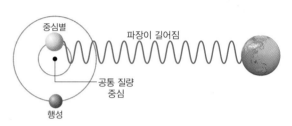

이에 대한 설명으로 옳은 것만을 〈보기〉에서 있는 대로 고른 것은?

보기
ㄱ. 현재 행성은 지구 쪽으로 접근하고 있다.
ㄴ. 중심별과 행성은 공통 질량 중심을 서로 반대 방향으로 회전한다.
ㄷ. 행성의 공전 궤도면이 시선 방향에 수직할 경우에도 이용할 수 있는 방법이다.

① ㄱ ② ㄷ ③ ㄱ, ㄴ
④ ㄴ, ㄷ ⑤ ㄱ, ㄴ, ㄷ

---

2 그림은 외계 행성 A, B의 식 현상에 의해 나타난 중심별의 밝기 변화를 나타낸 것이다.

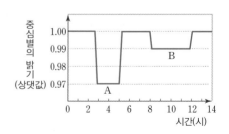

(1) 행성 A와 B에 의해 식 현상이 지속되는 시간을 부등호로 비교하여 나타내시오.

(2) 행성 A와 B 중 반지름이 더 큰 행성은 무엇인지 쓰시오.

3 다음은 외계 행성을 탐사하는 서로 다른 방법이다.

> (가) 행성이 중심별의 앞면을 지날 때 나타나는 중심별의 밝기 (㉠)를 관측한다.
> (나) 배경별의 밝기가 앞쪽 별과 행성의 (㉡)에 의해 증가하는 현상을 이용한다.
> (다) 중심별과 행성이 공통 질량 중심 주위를 공전할 경우, 중심별의 (㉢) 변화를 측정한다.

빈칸 ㉠~㉢에 들어갈 말을 옳게 나열한 것은?

	㉠	㉡	㉢
①	증가	중력	시선 속도
②	증가	복사	밝기
③	감소	중력	시선 속도
④	감소	복사	시선 속도
⑤	감소	중력	밝기

[2021학년도 6월 모평 8번 변형]

4 그림은 어느 외계 행성과 중심별이 공통 질량 중심을 중심으로 공전하는 모습을 나타낸 것이다. (공전 궤도면은 관측자의 시선 방향과 나란하다.)

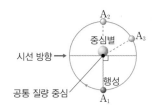

이에 대한 설명으로 옳은 것만을 〈보기〉에서 있는 대로 고른 것은?

> ─ 보기 ─
> ㄱ. 식 현상을 이용하여 행성의 존재를 알 수 있다.
> ㄴ. 행성이 A_1을 지날 때 중심별의 청색 편이가 나타난다.
> ㄷ. 별빛의 파장은 행성이 A_3를 지날 때보다 A_2을 지날 때 더 길다.

① ㄱ   ② ㄷ   ③ ㄱ, ㄴ
④ ㄴ, ㄷ   ⑤ ㄱ, ㄴ, ㄷ

5 그림은 외계 행성이 별 주위를 공전하는 모습을 나타낸 것이다.

(1) 식 현상을 이용하여 행성을 탐사할 때의 조건이 무엇인지 행성의 공전 궤도면과 관측자의 시선 방향에 관련지어 서술하시오.

(2) 행성의 공전 궤도면과 관측자의 시선 방향이 이루는 각이 약 $90°$일 때, 행성의 존재를 확인할 수 있는 외계 행성 탐사 방법을 쓰시오.

[2021학년도 9월 모평 13번 변형]

6 그림은 어느 외계 행성계에서 식 현상을 일으키는 행성 A, B, C에 의한 시간에 따른 중심별의 겉보기 밝기 변화를 나타낸 것이다.

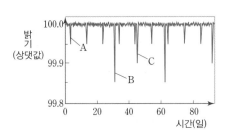

이에 대한 설명으로 옳은 것만을 〈보기〉에서 있는 대로 고른 것은?

> ─ 보기 ─
> ㄱ. 행성의 반지름은 $A < C < B$이다.
> ㄴ. 행성의 공전 주기는 $A < B < C$이다.
> ㄷ. 세 행성의 공전 궤도면은 모두 관측자의 시선 방향과 거의 나란하다.

① ㄱ   ② ㄷ   ③ ㄱ, ㄴ
④ ㄴ, ㄷ   ⑤ ㄱ, ㄴ, ㄷ

4일 외부 은하의 종류와 특징

나는 외부 은하들을 모양에 따라 나누었지. 자, 얘들아 순서대로 줄을 서 보자.

나는 중심에 막대 구조가 있는 막대 나선 은하야.

나는 정상 나선 은하야.

타원 은하 　 나선형 은하 　 불규칙 은하

Sa　Sb　Sc

SBa　SBb　SBc

나선팔이 감긴 정도와 은하핵의 크기에 따라 다시 a, b, c를 붙여 세분합니다.

📖 **핵심 개념**

1 허블의 은하 분류

- 허블은 외부 은하를 가시광선에서 관측되는 형태에 따라 ① 타원 은하, ② 정상 나선 은하, ③ [❶], ④ 불규칙 은하로 분류하였다.
- 타원 은하는 편평도를 기준으로 원에 가까운 은하를 E0, 가장 납작한 은하를 E7로 세분하였다.
- 나선 은하는 은하핵을 가로지르는 막대 구조의 유무에 따라 정상 나선 은하(S)와 막대 나선 은하(SB)로 구분하고, 나선팔이 감긴 정도와 은하핵의 상대적인 크기에 따라 Sa, Sb, Sc 또는 SBa, SBb, SBc로 세분한다.(a → b → c로 갈수록 중심핵의 크기가 작고 나선팔이 느슨하게 감겨 있다.)

2 외부 은하의 특징

- 타원 은하: 성간 물질이 상대적으로 적고, 나이가 많은 붉은색 별들로 구성되어 있다. ┄┄ 별과 별 사이에 존재하는 물질
- [❷] 은하: 막대 구조의 유무에 따라 정상 나선 은하와 막대 나선 은하로 구분한다. 나선팔에는 젊은 파란색 별과 성간 물질이 많고 은하 중심부와 헤일로에는 늙은 붉은색 별이 분포한다. 예 우리은하, 안드로메다은하
- 불규칙 은하: 일정한 모양을 갖추지 않거나 비대칭적인 모양을 갖고 있다. 성간 물질이 풍부하여 새로운 별들이 활발하게 생성되기 때문에 나이가 적은 파란색 별의 비율이 높다.

1-1

그림은 허블의 은하 분류 체계를 나타낸 것이다.

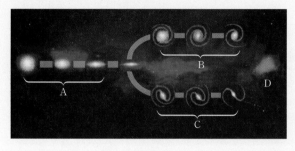

각 은하 집단의 이름을 쓰시오.

(1) A: (   )

(2) B: (   )

(3) C: (   )

(4) D: (   )

1-2

그림은 형태에 따라 은하들을 여러 집단으로 분류하여 나타낸 것이다.

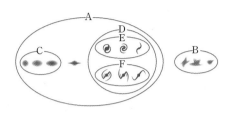

은하들을 집단 A~F로 분류하는 기준에 대한 설명으로 옳은 것은 ○, 옳지 <u>않은</u> 것은 ×표 하시오.

(1) A 집단과 B 집단의 구분 기준은 모양의 규칙성 여부이다. (   )

(2) C 집단과 D 집단의 구분 기준은 은하의 크기이다. (   )

(3) E 집단과 F 집단의 구분 기준은 막대 구조의 유무이다. (   )

2-1

그림은 외부 은하 A~D의 모습을 나타낸 것이다.

　A　　　　B　　　　C　　　　D

은하 A~D에 대한 설명으로 옳은 것은 ○, 옳지 <u>않은</u> 것은 ×표 하시오.

(1) A는 성간 물질이 상대적으로 풍부하다. (   )

(2) B는 나선팔 구조를 갖고 있다. (   )

(3) C는 은하 중심부를 가로지르는 막대 구조가 있다. (   )

(4) D는 우리은하의 구조와 가장 유사하다. (   )

Hint 우리은하는 중심부에 막대 모양의 구조가 있다.

2-2

표는 은하 집단 (가), (나), (다)의 특징을 나타낸 것이다. (가), (나), (다)는 각각 타원 은하, 나선 은하, 불규칙 은하 중 하나이다.

구분	(가)	(나)	(다)
성간 물질의 비율	높음	(㉠)	비교적 높음
은하 원반 구조	(㉡)	없음	있음
구성 별의 나이	젊은 별의 비율이 높음	주로 늙은 별	젊은 별과 늙은 별

(1) (가), (나), (다)에 해당하는 은하 집단의 이름을 쓰시오.

(2) 빈칸 ㉠, ㉡에 들어갈 말을 쓰시오.

외부 은하의 종류와 특징

특이 은하
전파 은하   퀘이사   세이퍼트은하

로브
핵
제트

안녕. 나는 강한 전파를 방출하는 전파 은하야. 중심에 핵이 있고 양쪽에는 로브라는 부분이 있지. 로브와 핵은 제트로 연결되어 있어.

이 은하들은 너희와는 다른 특이 은하란다. 내가 분류한 기준으로는 분류할 수 없는 은하들이지.

우와! 신기해요.

🌟📖 **핵심 개념**

3 특이 은하

● 허블의 은하 분류 체계로 분류하기 어려운 ① 전파 은하, ② $\boxed{①}$, ③ 세이퍼트은하 등을 특이 은하라고 한다. 이 은하들은 일반적인 은하에 비해 매우 강한 전파와 X선을 방출하며, 중심부에 블랙홀이 있을 것으로 추정한다.

● **전파 은하**: 보통의 은하보다 수백 배 이상 강한 전파를 방출하는 은하이다. 전파 영역에서 관측하면 관측 방향에 따라 제트로 연결된 로브가 핵의 양쪽에 대칭으로 나타나는 것을 볼 수 있다.

● **퀘이사**: 너무 멀리 있어 적색 편이가 매우 크게 나타나며 하나의 별처럼 보이는 은하이다. 보통 은하의 수백 배에 달하는 에너지를 방출한다.

● **세이퍼트은하**: 일반적인 은하에 비해 핵이 매우 밝고 스펙트럼에서 넓은 방출선이 관측되는 은하로, 대부분 나선 은하의 형태로 관측된다.

4 충돌 은하

● 거리가 가까운 두 은하는 중력에 의해 서로 충돌할 수 있는데, 이를 $\boxed{②}$ 은하라고 한다.

● 두 은하가 충돌할 때는 거대한 분자운들이 충돌하면서 새로운 별들이 탄생할 수 있다.

● 현재 약 250만 광년 떨어져 있는 안드로메다은하는 우리 은하와 점점 가까워지고 있으며, 약 40억 년 후에 충돌할 것으로 추정하고 있다.

답 ❶ 퀘이사 ❷ 충돌

3-1

표는 특이 은하 (가), (나), (다)의 관측 모습과 특징을 나타낸 것이다. (가), (나), (다)는 각각 퀘이사, 전파 은하, 세이퍼트은하 중 하나이다.

구분	(가)	(나)	(다)
모습			
특징	하나의 별처럼 보임	나선팔 구조가 보임	핵, 제트, 로브가 보임

(1) (가), (나), (다)에 해당하는 특이 은하를 쓰시오.

(2) (가), (나), (다) 중에서 적색 편이가 가장 큰 은하를 쓰시오.

> **Hint** 퀘이사는 매우 멀리 떨어져 있어 적색 편이가 크게 나타난다.

3-2

그림 (가)와 (나)는 가시광선과 전파 영역에서 관측한 어떤 특이 은하의 모습을 순서 없이 나타낸 것이다.

   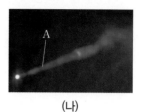

(가)   (나)

(1) (가)와 (나)를 관측한 파장 영역을 쓰시오.

(2) 이 은하의 종류를 쓰시오.

(3) (나)에서 A에 해당하는 구조를 쓰시오.

4-1

그림은 다양한 천체의 모습을 나타낸 것이다.

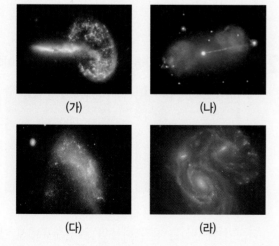

(가)   (나)

(다)   (라)

(가)~(라) 중에서 충돌 은하에 해당하는 것을 모두 골라 쓰시오.

4-2

그림은 충돌 은하의 모습을 나타낸 것이다.

이에 대한 설명으로 옳은 것은 ○, 옳지 <u>않은</u> 것은 ×표 하시오.

(1) A와 B는 우주 팽창에 의해 서로 멀어지고 있다.

(   )

(2) A와 B는 중력에 의해 서로 충돌하고 있다. (   )

(3) 두 은하가 충돌하면 성간 물질이 모여 있는 곳에서 새로운 별들이 탄생할 수 있다. (   )

대표 기출 유형

표는 허블의 은하 분류 기준과 이에 따라 분류한 은하의 종류를 나타낸 것이고, 그림은 은하 A의 가시광선 영상이다. 단, A는 (가)~(라) 중 하나에 해당한다.

분류 기준	(가)	(나)	(다)	(라)
규칙적인 구조가 있는가?	○	○	×	○
나선팔이 있는가?	○	○	×	×
중심부에 막대 구조가 있는가?	○	×	×	×

▲ 은하 A

이에 대한 설명으로 옳은 것만을 〈보기〉에서 있는 대로 고른 것은?

보기

ㄱ. 은하의 질량에 대한 성간 물질의 질량비는 (가)가 (다)보다 작다.
ㄴ. 은하를 구성하는 별의 평균 표면 온도는 (나)가 (라)보다 높다.
ㄷ. A는 (라)에 해당한다.

① ㄱ ② ㄷ ③ ㄱ, ㄴ ④ ㄴ, ㄷ ⑤ ㄱ, ㄴ, ㄷ

개념 point

허블의 은하 분류: 허블은 외부 은하를 가시광선 영역에서 관측되는 형태에 따라 타원 은하, 나선 은하, 불규칙 은하로 분류했다.

보기 풀이

ㄱ. (가)는 막대 나선 은하, (나)는 정상 나선 은하, (다)는 불규칙 은하, (라)는 타원 은하이다. 불규칙 은하는 막대 나선 은하에 비해 상대적으로 성간 물질이 많다.
ㄴ. 타원 은하는 주로 붉은색 별들로 이루어져 있어 나선 은하에 비해 별들의 평균 표면 온도가 낮다.
ㄷ. A는 나선팔이 없는 타원 은하이므로 (라)에 해당한다.

함정 탈출

ㄱ. 은하 질량에 대한 성간 물질의 질량비는 '불규칙 은하>나선 은하>타원 은하' 순이다.

답 ⑤

---

1 그림은 허블의 은하 분류 체계 일부를 나타낸 것이다.

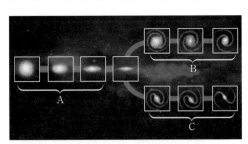

이에 대한 설명으로 옳은 것만을 보기에서 있는 대로 고른 것은?

보기

ㄱ. A 집단은 납작한 정도에 따라 세분할 수 있다.
ㄴ. B와 C를 구분하는 기준은 나선팔 구조의 유무이다.
ㄷ. 퀘이사는 A에 속한다.

① ㄱ ② ㄷ ③ ㄱ, ㄴ
④ ㄴ, ㄷ ⑤ ㄱ, ㄴ, ㄷ

2 그림 (가)와 (나)는 두 외부 은하의 모습을 나타낸 것이다.

(가) (나)

(1) (가)와 (나)는 각각 허블의 은하 분류에서 어떤 은하에 해당하는지 쓰시오.

(2) (가)와 (나)에 포함된 별들의 평균 나이를 은하에 포함된 성간 물질의 양과 관련지어 서술하시오.

3 그림은 어느 특이 은하의 합성 영상(가시광선 영상＋전파 영상)을 나타낸 것이다.

이 은하에 대한 설명으로 옳은 것만을 〈보기〉에서 있는 대로 고른 것은?

─ 보기 ─
ㄱ. 이 은하는 전파 은하이다.
ㄴ. B는 강한 전파를 방출하는 로브이다.
ㄷ. A는 전파 은하의 핵에 해당하는 부분이다.

① ㄱ   ② ㄷ   ③ ㄱ, ㄴ
④ ㄴ, ㄷ   ⑤ ㄱ, ㄴ, ㄷ

2020학년도 수능 8번 변형

4 그림 (가)는 가시광선 영역에서 관측된 어느 특이 은하를, (나)는 이 은하에서 관측된 스펙트럼을 나타낸 것이다.

(가)   (나)

이 은하에 대한 설명으로 옳은 것만을 〈보기〉에서 있는 대로 고른 것은?

─ 보기 ─
ㄱ. 세이퍼트은하이다.
ㄴ. (나)에서 폭이 넓은 방출선이 나타난다.
ㄷ. 이 은하는 대체로 나선 은하로 관측된다.

① ㄱ   ② ㄷ   ③ ㄱ, ㄴ
④ ㄴ, ㄷ   ⑤ ㄱ, ㄴ, ㄷ

5 그림은 은하 (가), (나)에서 관측된 스펙트럼을 나타낸 것이다. (가)와 (나) 중 하나는 퀘이사이고 다른 하나는 세이퍼트은하이다.

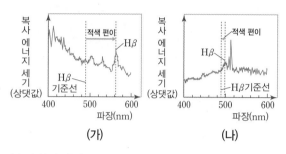

(가)   (나)

(1) (가)와 (나) 중에서 퀘이사는 어느 것인지 쓰시오.

(2) 가시광선 영역에서 관측했을 때, (가)와 (나)의 특징은 무엇인지 서술하시오.

2021학년도 6월 모평 9번 변형

6 그림 (가), (나), (다)는 각각 세이퍼트은하, 퀘이사, 전파 은하의 모습을 나타낸 것이다. (가)와 (나)는 가시광선 영상이고, (다)는 가시광선과 전파로 관측하여 합성한 영상이다.

(가)   (나)   (다)

이 은하들에 대한 설명으로 옳은 것만을 〈보기〉에서 있는 대로 고른 것은?

─ 보기 ─
ㄱ. (가)의 중심부에 블랙홀이 존재한다.
ㄴ. 은하의 적색 편이는 (나)가 가장 작다.
ㄷ. (다)는 전파 영역에서 방출하는 에너지양이 우리은하보다 훨씬 많다.

① ㄱ   ② ㄴ   ③ ㄷ
④ ㄱ, ㄷ   ⑤ ㄴ, ㄷ

4
주

4일

5 일 빅뱅 우주론과 암흑 에너지

후읍

깜짝이야!

펑

우주는 대폭발로 시작되었어요. 그 이후 이렇게 풍선처럼 점점 팽창하면서 커졌답니다. 우주의 크기가 커지면 우주의 온도와 밀도는 점점 낮아지게 되죠.

핵심 개념

1 허블 법칙과 우주 팽창

- 외부 은하의 스펙트럼에서는 적색 편이가 나타나는데, 관측된 흡수선의 파장(λ)과 고유 파장(λ_0)을 비교하여 은하의 후퇴 속도(v)를 알 수 있다.

$$\text{후퇴 속도}(v) = c \times \frac{\triangle\lambda}{\lambda_0}$$

(c: 빛의 속도, $\triangle\lambda = \lambda - \lambda_0$)

- 허블 법칙: 외부 은하의 거리와 후퇴 속도가 비례한다는 법칙이다. 그래프에서 기울기는 **①**⬚ $H(\fallingdotseq 68$ km/s/Mpc)에 해당한다.

$$v = H \times r \, (H: \text{허블 상수}, \, r: \text{외부 은하의 거리})$$

- 우주는 특별한 팽창의 중심이 없으며 모든 방향에 대해 균일하게 팽창한다. 따라서 우리은하가 아닌 다른 은하에서도 허블 법칙이 성립한다.
- 멀리 있는 은하일수록 적색 편이가 크다. ➡ 후퇴 속도가 빠르다.

2 빅뱅 우주론

정상 우주론	빅뱅 우주론
• 우주는 시작과 끝이 없으며 영원하다. • 우주가 팽창할 때 새로운 물질이 생성되어 우주의 온도와 밀도는 일정하고, 총 질량은 증가한다. • 우주 배경 복사를 설명할 수 없다.	• 우주의 크기와 나이는 유한하다. 우주가 팽창함에 따라 우주의 온도와 밀도가 계속 감소하고, 총 질량은 일정하다. • 증거: 우주 배경 복사와 우주에서 관측되는 수소와 헬륨의 질량비(3:1)

- **②**⬚ : 빅뱅 이후 우주의 나이가 약 38만 년일 때 우주가 투명해지면서 우주 전체에 퍼진 복사이다. 우주의 온도가 약 3000 K일 때 생성된 복사 에너지가 우주의 팽창으로 현재는 2.7 K 복사 에너지로 관측된다.
- 우주 배경 복사는 전체적으로 거의 균일하지만, 방향에 따라 미세한 차이가 있다.

답 ❶ 허블 상수 ❷ 우주 배경 복사

1-1

그림은 외부 은하의 거리와 후퇴 속도를 나타낸 것이다.

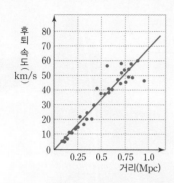

이에 대한 설명으로 옳은 것은 ○, 옳지 않은 것은 ×표 하시오.

(1) 멀리 있는 은하일수록 스펙트럼에서 적색 편이가 크게 나타난다. (　　)

(2) 거리가 먼 은하일수록 더 빨리 멀어진다. (　　)

(3) 그래프의 기울기는 허블 상수에 해당한다. (　　)

> **Hint** 허블 상수는 $\dfrac{\text{후퇴 속도}}{\text{외부 은하의 거리}}$ 이다.

1-2

다음은 우주 팽창을 알아보기 위해 풍선 위에 스티커를 붙이고 풍선을 불면서 스티커 사이의 간격 변화를 관찰한 실험이다.

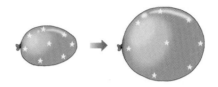

(1) 풍선 모형실험에서 스티커는 무엇에 해당하는지 쓰시오.

(2) 풍선이 부풀어 오를 때 스티커 사이의 간격은 어떻게 변하는지 쓰시오.

(3) 풍선이 부풀어 오를 때 풍선 표면에서 팽창의 중심점은 존재하는지 쓰시오.

2-1

그림은 허블의 법칙에 따라 팽창하고 있는 우주의 모습을 나타낸 모식도이다.

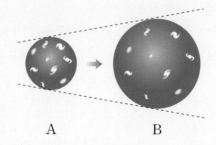

이 우주 모형에 대한 설명으로 옳은 것은 ○, 옳지 않은 것은 ×표 하시오.

(1) 정상 우주론 모형에 해당한다. (　　)

(2) 우주의 밀도는 A와 B에서 같다. (　　)

(3) 우주의 온도는 A가 B보다 높다. (　　)

2-2

그림은 우주 배경 복사의 온도 분포를 나타낸 것이다.

←저온　　　고온→

(1) 우주 배경 복사의 평균 온도는 약 ☐ K이다.

(2) 우주 배경 복사는 관측 방향에 따른 온도 차이가 매우 ☐ 다.

(3) 우주 배경 복사는 ☐ 우주론의 증거이다.

> **Hint** 우주 배경 복사는 빅뱅이 일어난 뒤 38만 년 후 우주가 투명해지면서 우주에 퍼진 복사이다.

5일 빅뱅 우주론과 암흑 에너지

우주가
급팽창하고 있어!

현재 우주는 팽창 속도가 점점
커지는 가속 팽창을 하고 있어.
과학자들은 가속 팽창을 일으키는
우주 성분을 암흑 에너지라고 하지.

콰
앙

📖 핵심 개념

3 급팽창 이론

● **❶ [　　　] 이론**: 빅뱅 직후 극히 짧은 시간 동안 우주가 급격히 팽창했다는 이론

● 기존의 빅뱅 우주론으로 설명하기 어려운 문제들을 급팽창 이론을 이용하여 설명할 수 있다.

지평선 문제	급팽창이 일어나기 전에는 우주의 크기가 작아 전체적으로 상호 작용을 통해 균일해질 수 있었고, 따라서 우주 전체의 우주 배경 복사가 균일해질 수 있었다.
편평성 문제	급팽창으로 우주의 크기가 매우 커졌기 때문에 우주 전체는 휘어져 있더라도 현재 관측 가능한 우주는 매우 편평하다.
자기 홀극 문제	우주가 급격히 팽창하여 자기 홀극의 밀도가 크게 감소했기 때문에 현재 발견하기 어렵다.

└ N극 또는 S극만 가지는 자성 물질로,
우주 초기에 많이 생성되었을 것으로
추측한다.

4 우주의 구성 요소

● 현재 우주의 구성 요소 비율은 보통 물질 4.9 %, 암흑 물질 26.8 %, **❷ [　　　]** 68.3 %라고 추정하고 있다. 우주가 팽창함에 따라 보통 물질과 암흑 물질의 밀도는 점점 감소하지만 암흑 에너지 밀도는 일정하다.

보통 물질	성간 물질과 별, 행성 등을 이루고 있는 물질로, 전자기파를 흡수하거나 방출한다.
암흑 물질	빛을 흡수하거나 방출하지 않기 때문에 직접 관측할 수 없다. 질량을 갖고 있으므로 중력적인 방법으로만 존재를 추정할 수 있다. 예 중력 렌즈 현상
암흑 에너지	우주를 가속 팽창시키는 원인을 암흑 에너지라고 한다. 암흑 에너지는 중력과 반대로 작용하며, 단위 부피당 일정한 양이 존재하는 것으로 추정한다.

🔑 ❶ 급팽창 ❷ 암흑 에너지

3-1

그림은 기존의 빅뱅 우주론과 급팽창 이론에서 시간에 따른 우주의 크기를 비교하여 나타낸 것이다.

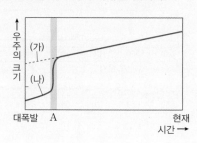

(1) (가)와 (나)는 기존의 빅뱅 우주론과 급팽창 이론 중 어느 것에 해당하는지 쓰시오.

(2) (가)와 (나) 중에서 우주의 지평선 문제를 설명할 수 있는 이론은 무엇인지 쓰시오.

3-2

그림은 우주의 팽창 속도 변화를 나타낸 것이다.

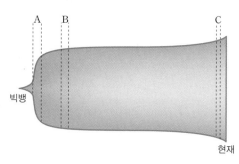

A, B, C 시기 중에서 우주의 급팽창이 나타난 시기는 언제인지 쓰시오.

Hint 급팽창으로 우주의 크기가 극히 짧은 시간에 급격히 팽창하였다.

4-1

그림은 현재 우주를 구성하고 있는 요소들의 비율을 나타낸 것이다.

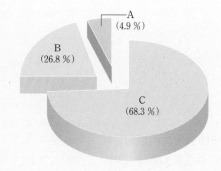

(1) A, B, C는 각각 무엇인지 쓰시오.

(2) 은하를 구성하는 별들은 A, B, C 중 어디에 속하는지 쓰시오.

(3) A, B, C 중 전자기파와 상호 작용하지 않지만 중력과 상호 작용하는 물질은 무엇인지 쓰시오.

4-2

표는 과거와 현재 우주를 구성하는 요소의 비율을 나타낸 것이다.

구성 요소	과거	현재
보통 물질	15 %	5 %
(가)	1 %	68 %
(나)	84 %	27 %

(1) (가)와 (나)는 각각 무엇인지 쓰시오.

(2) 미래 우주에서 우주가 팽창함에 따라 (가)와 (나)의 비율은 각각 어떻게 달라질지 예상하여 쓰시오.

Hint 암흑 에너지는 척력으로 작용하여 우주의 팽창을 가속시키는 주요 원인이다.

5일 기초 유형 연습 | 빅뱅 우주론과 암흑 에너지

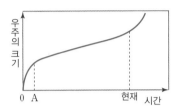
대표 기출 유형

그림은 어느 팽창 우주 모형에서 시간에 따른 우주의 크기 변화를 나타낸 것이다.

이에 대한 설명으로 옳은 것만을 〈보기〉에서 있는 대로 고른 것은?

보기

ㄱ. A 시기에 우주는 감속 팽창하기 시작했다.

ㄴ. 현재 우주에서 물질이 차지하는 비율은 암흑 에너지가 차지하는 비율보다 크다.

ㄷ. 우주 배경 복사의 파장은 A 시기가 현재보다 길다.

---

① ㄱ　　② ㄷ　　③ ㄱ, ㄴ

④ ㄴ, ㄷ　　⑤ ㄱ, ㄴ, ㄷ

개념 point

암흑 에너지: 중력과 반대로 작용하며, 우주를 가속 팽창시키는 원인

보기 풀이

ㄱ. 그래프에서 기울기는 시간에 따른 우주의 크기 변화를 나타내므로 우주 팽창 속도에 해당한다. 따라서 A 시기에 우주는 감속 팽창하기 시작했다.

ㄴ. 현재 우주는 우주 팽창 속도를 감소시키는 역할을 하는 물질의 비율보다 우주 팽창 속도를 증가시키는 역할을 하는 암흑 에너지의 비율이 크다.

ㄷ. 우주가 팽창할수록 우주 배경 복사의 파장이 길어지므로 우주 배경 복사의 파장은 A 시기가 현재보다 짧다.

함정 탈출

ㄴ. 물질은 중력에 의해 우주 팽창을 감소시키는 역할을 하고, 암흑 에너지는 척력으로 작용하여 우주 팽창 속도를 증가시키는 역할을 한다.

답 ①

---

1 그림은 외부 은하 (가), (나), (다)의 스펙트럼에서 관측된 수소 방출선(↓)을 나타낸 것이다.

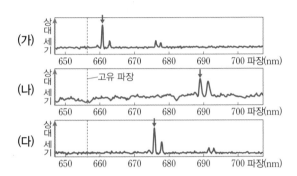

이에 대한 설명으로 옳은 것만을 보기에서 있는 대로 고른 것은?

보기

ㄱ. 적색 편이는 (가)가 (나)보다 작다.

ㄴ. 멀어지는 속도는 (나)가 (다)보다 빠르다.

ㄷ. 우리은하로부터의 거리는 (나)가 가장 멀다.

---

① ㄱ　　② ㄷ　　③ ㄱ, ㄴ

④ ㄴ, ㄷ　　⑤ ㄱ, ㄴ, ㄷ

---

2 그림은 동일한 시선 방향에 위치한 은하 A, B의 거리와 후퇴 속도를 나타낸 것이다. (은하 A와 B는 허블 법칙을 만족한다.)

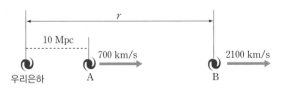

(1) 이 자료를 이용하여 허블 상수를 구하시오.

(2) 거리 r의 값을 구하시오.

3 그림은 시간에 따른 우주의 온도, 밀도, 크기의 변화를 나타낸 것이다.

(가)

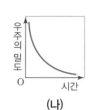
(나)

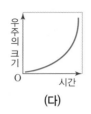
(다)

(가), (나), (다) 중에서 정상 우주론과 빅뱅 우주론에 부합하는 것만을 옳게 나타낸 것은?

	정상 우주론	빅뱅 우주론
①	(가)	(나), (다)
②	(나)	(가), (다)
③	(다)	(가), (나)
④	(가), (다)	(나), (다)
⑤	(나), (다)	(가), (다)

2021학년도 6월 모평 17번 변형

4 그림 (가)는 우주론 A에 의한 우주의 크기를, (나)는 우주론 B에 의한 우주의 온도를 나타낸 것이다. (우주론 A와 B는 우주 팽창을 설명한다.)

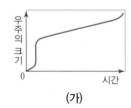
(가)

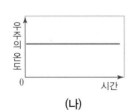
(나)

이에 대한 설명으로 옳은 것만을 〈보기〉에서 있는 대로 고른 것은?

보기
ㄱ. A는 우주 배경 복사가 전 우주에서 거의 균질한 이유를 설명할 수 있다.
ㄴ. B는 우주 배경 복사의 존재를 설명할 수 없다.
ㄷ. 우주의 밀도 변화는 B가 A보다 크다.

① ㄱ   ② ㄷ   ③ ㄱ, ㄴ
④ ㄴ, ㄷ   ⑤ ㄱ, ㄴ, ㄷ

5 그림은 하늘의 모든 방향에서 거의 균일하게 관측되는 어떤 복사 에너지를 나타낸 것이다.

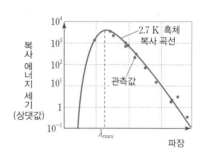

(1) 이 복사 에너지를 무엇이라고 하는지 쓰시오.

(2) 우주가 팽창함에 따라 λ_{max}은 어떻게 달라지는지 서술하시오.

2021학년도 9월 모평 17번 변형

6 그림 (가)는 표준 우주 모형에서 시간에 따른 우주의 크기 변화를, (나)는 플랑크 망원경의 우주 배경 복사 관측 결과로부터 추론한 현재 우주를 구성하는 요소의 비율을 나타낸 것이다.

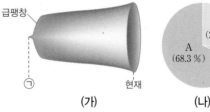
(가)

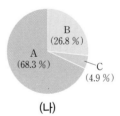
(나)

이에 대한 설명으로 옳은 것만을 〈보기〉에서 있는 대로 고른 것은?

보기
ㄱ. 우주 배경 복사는 ㉠ 시기에 방출된 빛이다.
ㄴ. 현재 우주를 가속 팽창시키는 역할을 하는 것은 A이다.
ㄷ. 우리은하에 존재하는 양은 B가 C보다 많다.

① ㄱ   ② ㄷ   ③ ㄱ, ㄴ
④ ㄴ, ㄷ   ⑤ ㄱ, ㄴ, ㄷ

1 주계열성에 대한 설명으로 옳지 <u>않은</u> 것은?

① 질량이 클수록 광도가 크다.

② 질량이 클수록 반지름이 크다.

③ 별의 크기가 거의 일정하게 유지된다.

④ 표면 온도가 높을수록 별의 수명이 길다.

⑤ H-R도에서 가장 많은 별들이 주계열성에 속해 있다.

2 그림 (가), (나), (다)는 형태가 다른 세 은하의 모습이다.

(가)   (나)   (다)

(가)~(다)를 허블의 은하 분류 기준에 따라 옳게 구분한 것은?

	(가)	(나)	(다)
①	나선 은하	타원 은하	불규칙 은하
②	나선 은하	불규칙 은하	타원 은하
③	불규칙 은하	타원 은하	나선 은하
④	불규칙 은하	나선 은하	타원 은하
⑤	타원 은하	나선 은하	불규칙 은하

3 그림은 도플러 효과를 이용한 외계 행성 탐사 방법을 모식적으로 나타낸 것이다. 이에 대한 설명으로 옳은 것은?

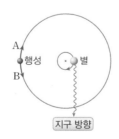

① 행성이 공전하는 방향은 B이다.

② 공전 주기는 행성이 별보다 길다.

③ 현재 위치에서 별빛의 청색 편이가 나타난다.

④ 별의 질량이 클수록 외계 행성의 존재를 확인하기 쉽다.

⑤ 행성의 공전 궤도면이 시선 방향에 거의 수직일 때 이용한다.

2019학년도 9월 모평 12번 변형

4 그림은 질량이 다른 두 주계열성 (가)와 (나)의 내부 구조를 나타낸 것이다.

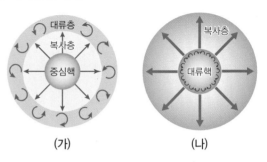

(가)   (나)

이에 대한 설명으로 옳은 것은?

① (나)의 광도는 태양보다 작다.

② (가)는 태양 질량의 2배 이상이다.

③ 별의 중심부 온도는 (가)가 (나)보다 높다.

④ CNO 순환 반응은 (나)가 (가)보다 우세하다.

⑤ (나)의 대류핵에서 헬륨 핵융합 반응이 일어난다.

5 그림은 외부 은하의 거리와 시선 속도의 관계를 나타낸 것이다.

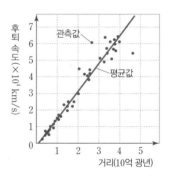

이에 대한 설명으로 옳은 것만을 〈보기〉에서 있는 대로 고른 것은?

보기

ㄱ. 거리가 먼 은하일수록 대체로 후퇴 속도가 빠르다.

ㄴ. 그래프의 기울기는 허블 상수에 해당한다.

ㄷ. 거리가 60억 광년인 은하의 후퇴 속도는 약 90000 km/s이다.

① ㄱ   ② ㄴ   ③ ㄱ, ㄷ

④ ㄴ, ㄷ   ⑤ ㄱ, ㄴ, ㄷ

2019학년도 수능 13번 변형

6 그림은 별 a~d를 H-R도에 나타낸 것이다.

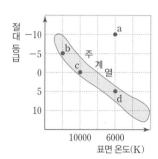

a~d에 대한 설명으로 옳은 것만을 〈보기〉에서 있는 대로 고른 것은?

> ── 보기 ──
> ㄱ. 밀도는 a가 b보다 크다.
> ㄴ. 반지름은 c가 d보다 작다.
> ㄷ. b는 d보다 수명이 짧다.

① ㄱ ② ㄷ ③ ㄱ, ㄴ
④ ㄴ, ㄷ ⑤ ㄱ, ㄴ, ㄷ

2020학년도 수능 15번 변형

7 그림 (가)와 (나)는 허블의 법칙에 따라 팽창하는 어느 대폭발 우주를 풍선 모형으로 나타낸 것이다. 풍선 표면에 고정시킨 단추 A, B, C는 은하에, 물결 무늬(~)는 우주 배경 복사에 해당한다.

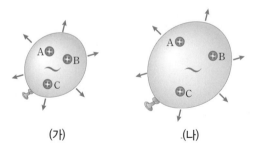

(가)   (나)

이에 대한 설명으로 옳은 것만을 〈보기〉에서 있는 대로 고른 것은?

> ── 보기 ──
> ㄱ. A로부터 멀어지는 속도는 B가 C보다 작다.
> ㄴ. 우주의 밀도는 (가)와 (나)에서 같다.
> ㄷ. 우주 배경 복사의 온도는 (가)가 (나)보다 낮다.

① ㄱ ② ㄴ ③ ㄱ, ㄷ
④ ㄴ, ㄷ ⑤ ㄱ, ㄴ, ㄷ

[8~9] 그림은 질량이 다른 주계열성 A, B의 진화 과정을 나타낸 것이다.

8 주계열성 A와 B의 질량을 비교하여 부등호로 나타내시오.

9 진화의 최종 단계 직전에 A와 B의 중심부에 생성되는 원자핵의 종류는 무엇인지 쓰시오.

10 그림은 현재 우주를 구성하는 성분을 나타낸 것이다. A, B, C는 각각 보통 물질, 암흑 물질, 암흑 에너지 중 하나이다.

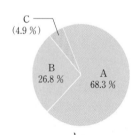

A, B, C에 대한 설명으로 옳은 것만을 〈보기〉에서 모두 고른 것은?

> ── 보기 ──
> ㄱ. A는 우주를 가속 팽창시키는 역할을 한다.
> ㄴ. B는 전자기파를 방출하거나 흡수할 수 있는 물질이다.
> ㄷ. C는 암흑 에너지이다.

① ㄱ ② ㄴ ③ ㄱ, ㄷ
④ ㄴ, ㄷ ⑤ ㄱ, ㄴ, ㄷ

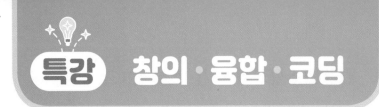
다음은 허블 법칙의 발견 과정을 만화로 나타낸 것이다.

| 2019학년도 9월 모평 17번 변형 |

그림은 은하 A와 B의 관측 스펙트럼에서 방출선 (가)와 (나)가 각각 적색 편이된 것을 비교 스펙트럼과 함께 나타낸 것이다. (은하 A와 B는 동일한 시선 방향에 위치하고, 허블 법칙을 만족한다.)

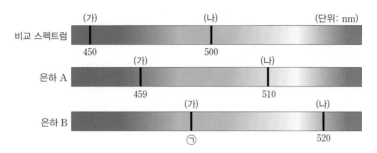

이에 대한 설명으로 옳은 것만을 <보기>에서 있는 대로 고른 것은?

보기
ㄱ. 지구에서 은하까지의 거리는 B가 A의 2배이다.
ㄴ. ㉠은 468 nm이다.
ㄷ. 은하 B에서 A를 관측한다면, 방출선 (나)의 파장은 510 nm로 관측된다.

① ㄱ   ② ㄴ   ③ ㄱ, ㄷ   ④ ㄴ, ㄷ   ⑤ ㄱ, ㄴ, ㄷ

4
주

특강

특강 · **허블 법칙과 우주 팽창**

● **외부 은하의 적색 편이와 후퇴 속도**

외부 은하의 스펙트럼에 나타난 적색 편이$\left(=\dfrac{\lambda-\lambda_0}{\lambda_0}\right)$

로부터 후퇴 속도(v)를 구할 수 있다.

후퇴 속도(v)$=c \times \dfrac{\triangle\lambda}{\lambda_0}$, ($c$: 빛의 속도, $\triangle\lambda=\lambda-\lambda_0$)

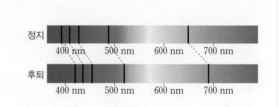

● **허블 법칙**

외부 은하들의 거리와 후퇴 속도가 비례한다. ➡ 멀리 있는 은하가 더 빨리 멀어진다.

$v = H \times r$ (H: 허블 상수, r: 외부 은하의 거리)

● **우주 팽창**

① 허블 법칙에 따르면 우주는 팽창의 중심 없이 모든 방향에 대하여 균일하게 팽창한다.

② 우주의 팽창 속도가 일정하다고 가정하면 허블 상수의 역수는 우주의 나이(t)에 해당한다.

$$t = \frac{r}{v} = \frac{r}{H \cdot r} = \frac{1}{H}$$

1

2018학년도 9월 모평 10번 변형

외계 행성계 탐사

그림 (가)와 (나)는 외계 행성을 탐사하는 두 가지 방법이다.

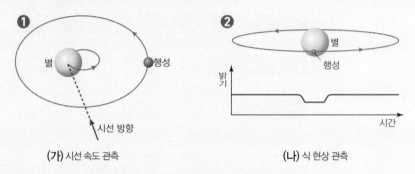

(가) 시선 속도 관측　　　　　　(나) 식 현상 관측

이에 대한 설명으로 옳은 것만을 〈보기〉에서 있는 대로 고른 것은?

보기

ㄱ. (가)의 탐사 방법에서 행성의 공전 주기를 구할 수 있다.
ㄴ. (나)는 도플러 효과를 이용하는 탐사 방법이다.
ㄷ. (가)와 (나) 모두 행성의 공전 궤도면이 시선 방향과 수직일 때 이용할 수 있다.

① ㄱ　　　　② ㄷ　　　　③ ㄱ, ㄴ　　　　④ ㄴ, ㄷ　　　　⑤ ㄱ, ㄴ, ㄷ

❶ 시선 속도 변화를 이용하는 방법

별과 행성이 공통 질량 중심을 회전할 때, 별의 시선 속도가 변하면서 도플러 효과에 의한 별빛의 파장 변화가 생긴다. ➡ 스펙트럼의 파장 변화를 측정하여 행성의 존재를 확인할 수 있다.

중심별과 행성의 공전에 따른 중심별의 파장 변화	지구와의 거리 변화		중심별의 시선 속도 변화	중심별의 스펙트럼 변화
	중심별	행성		
관측자	감소	증가	(−)	청색 편이
관측자	증가	감소	(+)	적색 편이

❷ 식 현상을 이용하는 방법

행성이 별 앞을 지날 때, 별의 일부가 가려져 밝기가 감소한다.
➡ 별의 밝기 감소를 관측하여 행성의 존재를 확인한다.

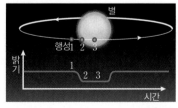

답 ①

2

2019학년도 수능 8번 변형   별의 진화

표는 질량이 서로 다른 별 (가)와 (나)의 진화 과정을 나타낸 것이다.

별	진화 과정			
(가)	주계열성 →	적색 초거성 →	초신성 폭발 →	중성자별
(나)	주계열성 →	적색 거성 →	행성상 성운 →	백색 왜성

이에 대한 설명으로 옳은 것만을 〈보기〉에서 있는 대로 고른 것은?

┌─ 보기 ──────────────────────────────┐
ㄱ. 주계열 단계에 머무르는 기간은 (가)가 (나)보다 짧다.

ㄴ. 거성 단계에서 평균 절대 등급은 (가)가 (나)보다 작다.

ㄷ. (가)와 (나)의 진화 과정에서 모두 철보다 무거운 원소가 생성된다.
└────────────────────────────────┘

① ㄱ   ② ㄷ   ③ ㄱ, ㄴ   ④ ㄴ, ㄷ   ⑤ ㄱ, ㄴ, ㄷ

>> 자료 분석 Tip

(가)는 초신성 폭발 단계를 거치므로 태양보다 질량이 훨씬 큰 별이다.
(나)는 행성상 성운 단계를 거치므로 태양과 질량이 비슷한 별이다.

>> 문제 해결 Tip

이 문제는 질량이 서로 다른 주계열성의 진화 과정과 특징을 묻는 문제이다. 따라서 질량이 큰 주계열성과 질량이 작은 주계열성의 진화 과정을 암기해 두는 것이 중요하다. 또한 두 별의 수명, 절대 등급, 반지름, 내부 구조 등도 연결하여 함께 파악해 두어야 한다.

3

2020학년도 9월 모평 14번 변형   별의 내부 구조

그림 (가)는 별 ㉠~㉣의 분광형과 절대 등급을 H-R도에 나타낸 것이고, (나)는 중심핵에서 수소 핵융합 반응을 하는 어느 별의 내부 구조이다.

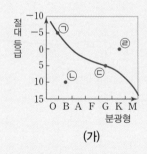

(가)   (나)

별 ㉠~㉣에 대한 설명으로 옳은 것만을 〈보기〉에서 있는 대로 고른 것은?

┌─ 보기 ──────────────────────────────┐
ㄱ. 질량이 가장 큰 별은 ㉠이다.

ㄴ. (나)와 같은 내부 구조를 갖는 별은 ㉢이다.

ㄷ. 별 ㉠~㉣은 모두 핵융합 반응이 일어나고 있다.
└────────────────────────────────┘

① ㄱ   ② ㄴ   ③ ㄱ, ㄷ   ④ ㄴ, ㄷ   ⑤ ㄱ, ㄴ, ㄷ

>> 자료 분석 Tip

(가)
㉠ : 질량이 큰 주계열성
㉡ : 백색 왜성
㉢ : 질량이 작은 주계열성
㉣ : 적색 거성
(나)
질량이 태양의 2배 이상인 주계열성의 내부 구조

>> 문제 해결 Tip

이 문제에서는 H-R도에서의 별의 종류와 주계열성의 내부 구조 자료를 함께 파악해야 한다. 따라서 종류에 따른 별의 특징과 질량에 따른 주계열성의 내부 구조를 잘 이해하고 있는 것이 중요하다.

4 2020학년도 4월 학평 20번 변형

우주 구성 요소

그림 (가)는 우주에 대한 두 과학자의 설명을, (나)는 현재 우주를 구성하는 요소의 비율을 나타낸 것이다. ㉠, ㉡, ㉢은 각각 보통 물질, 암흑 물질, 암흑 에너지 중 하나이다.

❶ 나선 은하의 실제 회전 속도는 광학적으로 관측 가능한 물질을 통해 예상한 회전 속도와는 달랐습니다. 이는 (A)에 의한 중력이 영향을 미치기 때문입니다.

❷ 먼 거리에 위치한 Ia형 초신성의 겉보기 밝기가 예상보다 어둡게 관측되었습니다. 이는 (B)에 의해 우주가 가속 팽창하기 때문입니다.

❸
㉠ 68.3 %
㉡ 26.8 %
㉢ 4.9 %

(가) (나)

이에 대한 설명으로 옳은 것만을 〈보기〉에서 있는 대로 고른 것은?

보기
ㄱ. A는 ㉡에 해당한다.
ㄴ. B는 우주 팽창이 일어날 때 척력으로 작용한다.
ㄷ. 우리은하에서 차지하는 비율은 ㉡보다 ㉢이 많다.

① ㄱ   ② ㄴ   ③ ㄷ   ④ ㄱ, ㄴ   ⑤ ㄴ, ㄷ

❶ 암흑 물질의 발견

별은 은하 중심에서 멀수록 줄어든다. 따라서 은하 중심을 도는 별의 회전 속도가 중심에서 멀수록 느릴 것이라고 예상했지만, 관측 결과 은하 중심에서 멀어지더라도 회전 속도가 거의 일정했다.

➡ 우리은하에는 전자기파로 직접 관측되지 않지만, 질량을 가진 암흑 물질이 존재한다.

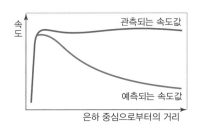

❷ 가속 팽창과 암흑 에너지

과학자들은 Ia형 초신성의 적색 편이와 겉보기 등급을 관측한 결과 현재 우주가 가속 팽창하고 있다는 사실을 확인하였고, 이는 중력과 반대 방향으로 작용하는 암흑 에너지 때문이라고 생각했다. 우주가 팽창할수록 암흑 에너지가 차지하는 비율이 증가하여 팽창 속도는 점점 증가할 것으로 추정하고 있다.

❸ 우주의 구성 요소

우주는 약 4.9 %의 보통 물질과 26.8 %의 암흑 물질, 68.3 %의 암흑 에너지로 이루어져 있다. 보통 물질은 전자기파와 상호 작용할 수 있는 성간 물질과 별, 행성 등을 포함한다.

답 ④

5

2021학년도 9월 모평 12번 변형

외부 은하의 종류와 특징

그림은 은하를 형태에 따라 분류하는 과정을 나타낸 것이다.

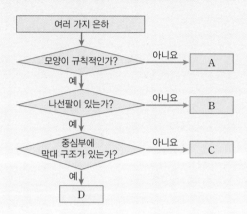

이에 대한 설명으로 옳은 것만을 〈보기〉에서 있는 대로 고른 것은?

─ 보기 ─
ㄱ. B는 나선 은하이다.
ㄴ. D는 편평도에 따라 세분된다.
ㄷ. 은하에서 성간 물질이 차지하는 질량비는 C가 A보다 작다.

① ㄱ   ② ㄷ   ③ ㄱ, ㄴ   ④ ㄴ, ㄷ   ⑤ ㄱ, ㄴ, ㄷ

>> **자료 분석 Tip**

A: 불규칙 은하
B: 타원 은하
C: 정상 나선 은하
D: 막대 나선 은하

>> **문제 해결 Tip**

이 문제는 허블이 분류한 외부 은하의 종류별 특징을 묻는 문제이다. 따라서 타원 은하, 나선 은하, 불규칙 은하의 특징을 암기하고 있는 것이 중요하다. 특히 은하가 포함하는 성간 물질의 양과 표면 온도, 별들의 나이를 연관지어서 이해할 수 있도록 한다.

6

2015학년도 9월 모평 1번 변형

빅뱅 우주론

다음은 어느 우주론에 대한 설명이다.

우주는 처음에 아주 작고 뜨거운 점에서 대폭발이 일어나 급팽창한 후 정상적인 팽창을 거치면서 냉각되어 현재의 형태로 진화하였다고 한다.

이 우주론으로 설명할 수 있는 현상으로 옳은 것만을 〈보기〉에서 있는 대로 고른 것은?

─ 보기 ─
ㄱ. 먼 은하의 스펙트럼선에서 적색 편이가 나타난다.
ㄴ. 우주에서 관측되는 수소와 헬륨의 질량비가 약 3:1이다.
ㄷ. 하늘의 모든 방향에서 거의 동일한 세기의 복사 에너지가 관측된다.

① ㄱ   ② ㄴ   ③ ㄱ, ㄷ   ④ ㄴ, ㄷ   ⑤ ㄱ, ㄴ, ㄷ

>> **자료 분석 Tip**

빅뱅 우주론: 우주가 빅뱅으로 시작되었다는 우주론
정상 우주론: 우주는 시작과 끝이 없고 항상 일정한 상태라는 우주론

>> **문제 해결 Tip**

빅뱅 우주론과 정상 우주론의 차이를 알고, 빅뱅 우주론으로 설명할 수 있는 현상(우주 배경 복사, 수소와 헬륨의 질량비, 허블 법칙)들을 꼭 기억해 두어야 한다.

4주   특강

Memo

시작해 봐, 하루 시리즈로!

#천재와_수능 기초력_쌓고
#공부 습관_만들고!

시작은 하루 수능 국어

- 국어 기초
- 문학 기초
- 독서 기초

이 교재도 추천해요!

- 개념에서 기출까지! 국어 영역별 기본서 **100인의 지혜**
- 고등 문학, 단 하나의 해법! **해법문학 + 해법문학Q**

시작은 하루 수능 수학

- 수학 기초
- 수학 I
- 수학 II

이 교재도 추천해요!

- 내신 완성 해결책 **해결의 법칙 시리즈**

정답과 해설

과 탐 영 역

지구과학 I
기초

천재교육

정답과 해설
포인트 ❸가지

▶ 혼자서도 이해할 수 있는 친절한 문제 풀이

▶ 정답과 오답에 대한 상세한 설명 제시

▶ 자료에 대한 분석 방법을 알고 싶을 때는 자료 해설!

정답과 해설

1일 개념 확인 11쪽

1-1 ❶ 해안선 ❷ 화석 ❸ 원동력
1-2 대륙 이동설
2-1 (1) 깊다 (2) 해령 (3) 대칭
2-2 3000 m

1-1 1912년 베게너는 여러 증거를 제시하며 대륙 이동설을 발표하였지만, 대륙 이동의 원동력을 설명하지 못하여 당시에는 받아들여지지 않았다.

1-2 빙하의 이동 흔적이 증거로 제시된 학설은 대륙 이동설이다.

2-1 (1) 음향 측심법에서 음파가 반사되어 되돌아오는 데 걸리는 시간이 길수록 수심은 깊다.
(2) 해령에서 양쪽으로 멀어질수록 해양 지각의 나이가 많아진다.
(3) 해양저(해저) 확장설에서 고지자기 줄무늬는 해령과 거의 나란하며, 해령을 축으로 대칭을 이룬다.

2-2 음파의 속력(v)이 1500 m/s이고, 음파가 반사되어 되돌아오는 데 걸리는 시간(t)이 4초이므로, 수심(d)$=\dfrac{1}{2}\times 1500$ m/s$\times 4$ s$=3000$ m이다.

1일 개념 확인 13쪽

3-1 A: 대륙 지각, B: 대륙판, C: 해양판 (2) ❶ 대륙 지각
❷ 해양 지각 ❸ 두껍다 ❹ 얇다
3-2 (1) ㉠ (2) ㉡
4-1 (1) 보존형 경계 (2) ❶ 발산형 ❷ 천발 (3) ❶ 수렴형 ❷ 화산
4-2 1

3-1 (1) A는 대륙에 분포하는 대륙 지각이다. B는 대륙 지각과 상부 맨틀의 단단한 부분이 포함된 대륙판이다. C는 해양 지각과 상부 맨틀의 단단한 부분이 포함된 해양판이다.
(2) 대륙판은 해양판보다 두께가 두껍다.

3-2 (1) ㉠은 지각과 상부 맨틀의 단단한 부분이 포함된 암석권(판)이다.
(2) 맨틀 대류가 활발하게 나타나는 곳은 약 100~400 km 깊이까지로, 이곳은 부분 용융 상태이므로 유동성이 있는 연약권(㉡)이다.

4-1 (1) A는 판이 수평으로 미끄러지면서 어긋나는 경계인 보존형 경계이다.
(2) 새로운 해양 지각이 생성되면서 양쪽 방향으로 확장되는 경계인 발산형 경계에서는 천발 지진이 자주 발생하며, 해령이 대표적인 예이다.
(3) 해양 지각이 섭입한 경계는 수렴형 경계로 천발~심발 지진과 화산 활동이 발생하며, 해구가 대표적인 예이다.

4-2 400만 년 동안 이동한 거리가 40 km이므로,
평균 이동 속력$=\dfrac{40\times 10^5 \text{ cm}}{400\times 10^4 \text{ 년}}=1$ cm/년이다.

1일 기초 유형 연습 14~15쪽

1 ⑤ **2** ② **3** ① **4** (1) B (2) A, A는 C보다 해령에서 더 멀리 떨어져 있기 때문이다. **5** ② **6** ③

1 ㄱ. 판 구조론이 정립되는 과정에서 이론이 제시된 순서는 ㉠ 대륙 이동설(베게너) → ㉢ 맨틀 대류설(홈스) → ㉡ 해양저 확장설(헤스와 디츠 등)이다.
ㄴ. 여러 대륙에 남아 있는 고생물 화석의 분포는 대륙 이동설의 증거이다.
ㄷ. 해령을 축으로 해령 양쪽의 고지자기 분포가 대칭을 이루는 것은 해양저 확장설의 증거이다.

2 ② 음향 측심법이나 지구의 고지자기 분석 등과 같은 해저 탐사 기술의 발전은 해양저(해저) 확장설이 등장하고 지지되는 데 중요한 역할을 하였다.

> **오답 풀이**

① (가)는 해양저 확장설, (나)는 맨틀 대류설, (다)는 대륙 이동설이다.
③ 당시의 탐사 기술로는 맨틀 대류설에 대한 증거를 제시하지 못하였다. 고지자기 연구를 증거로 제시한 것은 (가) 해양저 확장설이다.
④ 지구 겉 부분이 여러 판으로 이루어져 있다고 주장한 이론은 판 구조론이다.
⑤ 주어진 학설들이 등장한 순서는 (다) → (나) → (가)이다.

3 ㄱ. 해수면상에서 음파를 발사하여 해저면에 반사되어 되돌아오는 데 걸리는 시간은 수심이 깊을수록 길어진다. 따라서 수심은 왕복 시간이 7.70초인 P_1 지점이 왕복 시간이 3.95초인 P_4 지점보다 깊다.

> **오답 풀이**

ㄴ. P_3에서 P_5 구간에서는 음파가 해저면에 반사되어 되돌아오는 데 걸리는 시간이 6.14초(P_3) → 3.95초(P_4) → 6.55초(P_5)로 변하므로 P_3에서 P_5 구간 사이에는 발산형 경계가 있다.
ㄷ. 해양 지각의 나이는 해령에서 멀어질수록 대체로 많아진다. 따라서 해령 부근에 위치하는 P_4 지점이 P_6 지점보다 해양 지각의 나이가 적다.

지점	P₁로부터의 거리(km)	시간(초)
P₁	0	7.70
P₂	420	7.36
P₃	840	6.14
P₄	1260	3.95
P₅	1680	6.55
P₆	2100	6.97

↑ 암석의 나이 많아짐

P₄: 음파의 왕복 시간이 가장 짧음 → 해령 부근에 위치

↓ 암석의 나이 많아짐

4 (1) 해령을 중심으로 고지자기 줄무늬가 대칭적으로 나타나며, 해령의 중심부에서는 새로운 해양 지각이 생성된다.
(2) 해령에서 멀어질수록 해양 지각의 연령이 많아진다. C가 A보다 해령에 더 가깝기 때문에 해양 지각의 연령은 A가 C보다 많다.

5 ㄴ. (나)는 판과 판이 충돌하거나 판이 다른 판 아래로 섭입하는 수렴형 경계이다.

오답 풀이

ㄱ. (가)는 판이 서로 양쪽 방향으로 확장되어 새로운 해양 지각이 생성되는 발산형 경계이다.
ㄷ. 발산형 경계에서는 천발 지진이 발생하고, 수렴형 경계에서는 천발~심발 지진이 발생한다.

6 ㄱ. A는 해령으로, 맨틀 대류의 상승부에 위치한다.
ㄷ. 해양 지각은 해령에서 생성되어 해구 쪽으로 이동하므로 해양 지각의 나이는 해령으로부터 떨어져 있는 B가 해령인 A보다 많다.

오답 풀이

ㄴ. B는 두 판이 서로 어긋나는 경계인 보존형 경계이다. 따라서 B에서는 화산 활동이 일어나지 않고, 천발 지진이 발생한다.

2일 개념 확인 17쪽

1-1 (1) 북극 (2) 자북극 (3) 진북 (4) 고에너지
1-2 (1) (가) 자남극, (나) 자북극 (2) 일치하지 않는다
2-1 (1) ❶ 진북 ❷ 자북 (2) 복각 (3) 복각 (4) 커
2-2 +30°

1-1 (1) 지구의 자전축과 북반구의 지표면이 만나는 지점은 지리상 북극이다.
(2) 지구 자기장의 북극을 자북극이라고 한다.
(3) 현재 지리상 북극과 자북극은 일치하지 않는다.
(4) 지구 자기장은 지구 자기력이 미치는 공간으로 지구 밖에서 들어오는 고에너지 입자를 막아 주는 역할을 한다.

1-2 (1), (2) 지구 중심에 거대한 막대자석이 놓여 있다고 가정하면 막대자석의 N극은 자남극에, 막대자석의 S극은 자북극에 해당하며, 지구 자기장 축은 지구 자전축과 일치하지 않는다.

2-1 (1) 지구 자기의 요소 중에서 지구 표면의 한 지점에서 진북과 자북이 이루는 각을 편각이라고 한다.
(2) 복각은 나침반의 자침이 수평면과 이루는 각이다.
(3) 암석에 기록된 고지자기의 복각을 측정하면 암석이 생성될 당시 지리상 북극과 얼마나 떨어져 있는지를 알 수 있다.
(4) 복각의 크기는 자기 적도에서 자북극으로 갈수록 커진다.

2-2 어느 지역에서 자기력선과 수평면(지표면)이 이루는 각은 복각에 해당한다. 따라서 이 지역에서의 복각은 +30°이다.

2일 개념 확인 19쪽

3-1 (1) 고지자기 (2) 지구 자기장 (3) 잔류 자기
3-2 (1) × (2) ○
4-1 (1) (나) → (가) → (다) (2) 신생대
4-2 (가), (다), (나)

3-1 (1) 암석이 생성될 때 기록된 과거의 지구 자기장을 고지자기라고 한다.
(2), (3) 암석 내의 자성을 띠는 광물들은 암석이 굳기 전에 당시의 지구 자기장 방향으로 배열된다. 그 후 지구 자기장이 변해도 당시의 자성 광물의 방향(잔류 자기 방향)은 그대로 보존된다.

3-2 (1) 현재 지자기 북극은 한 개이고, 과거 지질 시대 동안에도 지자기 북극은 한 개였다. 같은 시대에 지자기 북극이 두 개 있을 수는 없다.
(2) 대륙이 이동하였기 때문에 두 대륙에서 측정한 지자기 북극의 겉보기 이동 경로가 다르게 나타나는 것이다.

4-1 (1) (가)는 고생대 말~중생대 초에 존재하였던 초대륙 판게아이고, (나)는 약 12억 년 전에 형성된 초대륙 로디니아이며, (다)는 현재의 수륙 분포이다. 따라서 시간 순서대로 나열하면 (나) → (가) → (다)이다.
(2) 현재와 같은 수륙 분포는 신생대에 형성되었다.

4-2 판게아는 고생대 말에 형성되었고, 히말라야산맥은 신생대에 형성되었으며, 대서양은 중생대에 확장되었다. 따라서 대륙 분포의 변화를 오래된 것부터 순서대로 나열하면 (가) → (다) → (나)이다.

2일 기초 유형 연습 20~21쪽

1 ⑤　**2** ③　**3** (1) A (2) C>A>B　**4** ④　**5** ③
6 ②

1 ㄱ. 지구 표면의 한 지점에서 진북과 자북이 이루는 각이 편각이다. 그림에서 살펴보면 편각은 A보다 B에서 크다.

ㄴ. 복각은 지구 자기장의 방향이나 나침반의 자침이 수평면과 이루는 각으로, 자북극에 가까울수록 커진다. 따라서 복각은 C보다 B에서 크다.

ㄷ. 그림에서 살펴보면 B와 C 지점은 같은 경도상에 위치하고 있다.

2 ㄱ, ㄷ. A 지역에서 자기력선과 지표면이 이루는 각도가 50°이므로 A 지역의 복각은 +50°이고, 복각은 자기 적도에 가까울수록 감소한다.

오답 풀이

ㄴ. B 지역은 자기력선이 지표면에 대해 나란하므로 자기 적도에 해당한다.

3 (1) A의 고지자기 복각은 −36°, B의 고지자기 복각은 +18°, C의 고지자기 복각은 +38°이다. 따라서 A는 생성될 당시 남반구에 위치하였고, B와 C는 북반구에 위치할 때 생성되었다.

(2) 고지자기 복각의 크기는 C＞A＞B이다.

4 ㄱ. A 지점은 1920년보다 2010년에 자북극에 가까이 있었으므로 복각은 2010년이 1920년보다 크다.

ㄷ. 자북극의 위치는 지구 내부의 변화로 인한 지구 자기장의 변화로 조금씩 이동한다.

오답 풀이

ㄴ. 그림에서 살펴보면 1900년 이후부터 20년 간격으로 측정한 자북극의 이동 거리가 일정하지 않으므로 자북극의 이동 속력도 일정하지 않았다.

5 ㄱ. 정자극기에 고지자기 방향이 왼쪽이므로, 그림의 왼쪽이 북쪽이고 오른쪽이 남쪽이다. 따라서 A의 해양 지각은 생성된 후 북쪽으로 이동하였다.

ㄷ. 자극에 가까울수록 복각의 크기는 커진다. 남반구에서 생성된 A의 복각은 −65°이고, C의 복각은 −69°이므로 복각의 크기는 C가 A보다 더 크다. 따라서 A가 C보다 저위도에서 생성되었다.

오답 풀이

ㄴ. 해저 퇴적물의 두께는 해령에서 멀어질수록 대체로 두껍다. 따라서 해령 부근에 위치하는 A가 해령에서 멀리 떨어진 B보다 해저 퇴적물의 두께는 더 얇다.

자료 해설 ➕ 해령 주변의 고지자기 분포

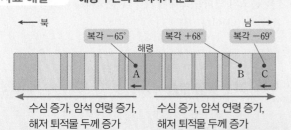

- **정자극기**: 생성 당시 지구 자기장의 방향이 현재와 같은 시기로, 정자극기일 때 고지자기 방향은 현재와 같이 북쪽을 향한다.
- **역자극기**: 생성 당시 지구 자기장의 방향이 현재와 반대인 시기로, 역자극기일 때 고지자기 방향은 현재와 반대인 남쪽을 향한다.

---

6 ㄴ. 해안선의 길이는 대륙이 모여 있을 때보다 흩어졌을 때 더 길다. 따라서 초대륙 판게아가 형성된 (가)보다 현재인 (나) 시기에 해안선의 길이는 더 길다.

오답 풀이

ㄱ. (가)는 고생대 말, (나)는 현재, (다)는 중생대 말의 대륙 분포이다. 따라서 시간 순서는 (가) → (다) → (나)이다.

ㄷ. 히말라야산맥은 신생대에 형성되었다. 따라서 중생대 말인 (다) 시기 이후에 형성되었다.

3일 개념 확인   23쪽

1-1 (1) 대류 (2) ❶ 해령 ❷ 해구 (3) 많아
1-2 (1) 맨틀 내에 존재하는 방사성 물질의 붕괴에서 나오는 열
(2) 상하부 깊이에 따른 온도 차이
2-1 (1) 멀어지는 (2) 당기는 (3) 연약권
2-2 (1) 해구에서 섭입하는 판이 잡아당기는 (2) 암석권과 연약권 사이에서 작용하는 (3) 해령에서 밀어 내는

1-1 (1) 판을 움직이는 힘(원동력)은 상부 맨틀의 대류이다.
(2) 해양에서는 맨틀 대류의 상승부에서 해령이 형성되고, 맨틀 대류의 하강부에서 해구가 형성된다.
(3) 해령으로부터 멀어질수록 해양 지각은 나이가 많아진다.

1-2 맨틀 내에 존재하는 방사성 물질의 붕괴에서 나오는 열과 상하부 깊이에 따른 온도 차이 등에 의해 맨틀 대류가 발생하여 연약권 위에 놓인 판이 이동한다.

2-1 (1) 해령 부근에서 해양 지각을 생성할 때 해령의 축에서 멀어지는 방향으로 판을 밀어 내는 힘이 작용한다.
(2) 해양 지각이 해령에서 생성되어 이동하는 동안 냉각되어 무거워지고, 중력을 받아 해구에서 침강하면서 기존의 판을 당기는 힘으로 작용한다.
(3) 암석권과 연약권 사이에서 작용하는 힘은 맨틀이 대류하면서 판을 싣고 가는 힘으로 작용한다.

2-2 (1) 해구에서 판이 침강하면서 기존의 판을 당기는 힘으로 작용한다.
(2) 맨틀이 대류하면서 판을 싣고 가는 힘으로 작용한다.
(3) 맨틀 물질이 상승하면서 마그마가 분출하여 해양 지각을 생성할 때 해령의 축에서 멀어지는 방향으로 판을 밀어 내는 힘이 작용한다.

3일 개념 확인   25쪽

3-1 (1) ❶ A ❷ B (2) ❶ 빠르 ❷ 느리
3-2 (가) → (나)
4-1 (1) 내부 (2) 판
4-2 (1) ○ (2) ✕

3-1 (1) A는 차가운 플룸이고, B는 뜨거운 플룸이다.

(2) 차가운 플룸은 주변 맨틀보다 지진파의 전파 속도가 빠르고, 뜨거운 플룸은 주변 맨틀보다 지진파의 전파 속도가 느리다.

3-2 차가운 플룸은 수렴형 경계의 하부에 쌓여 있다가 밀도가 커지면 맨틀과 핵의 경계부까지 가라앉는다. 따라서 시간 순서는 (가) → (나)이다.

4-1 (1) 열점은 판의 경계보다는 판의 내부에 주로 분포한다.

(2) 판이 이동하더라도 열점의 위치는 변하지 않는다.

4-2 (1) 열점에서는 뜨거운 플룸이 상승하여 생성된 마그마가 지각을 뚫고 분출하여 화산 활동이 일어난다.

(2) 현재 열점은 하와이섬 아래 부근에 위치해 있고, 북서쪽으로 갈수록 섬들을 구성하는 암석의 나이가 증가하므로 하와이 열도가 포함된 판의 평균 이동 방향은 북서쪽이다.

3일 기초 유형 연습   26~27쪽

1 ④   **2** (1) A (2) B (3) A   **3** ③   **4** ③   **5** ④
6 ④

---

1 ㄴ. (나)는 맨틀 전체에서 대류가 일어나는 경우를 나타내므로 맨틀과 핵의 경계에서 지각으로 올라오는 물질의 이동을 설명할 수 있다.

ㄷ. (가)와 (나)는 모두 해저 확장과 섭입대의 형성을 설명할 수 있다.

오답 풀이

ㄱ. 열점은 뜨거운 플룸에 의해 형성되므로 맨틀 전체에서 대류가 일어나는 경우에만 열점의 생성 원인을 설명할 수 있다.

2 (1) A는 해구에서 섭입하는 판이 중력에 의해 잡아당기는 힘이고, B는 해령에서 판을 밀어 내는 힘이다.

(2) 발산형 경계에서 주로 작용하는 힘은 B이다.

(3) 플룸이 하강하는 곳은 섭입대 아래에 위치하므로 A가 B보다 크게 작용한다.

3 ㄱ. 지진파(P파)의 속도는 A보다 B에서 빠르다.

ㄴ. 우리나라 하부의 차가운 플룸은 판의 섭입으로 형성되었다.

오답 풀이

ㄷ. 판의 이동에 의한 지진의 진원 깊이는 판의 경계(일본 해구)에서 우리나라로 갈수록 깊어진다.

4 ㄱ. 열점에 의해 형성된 화산체 중에서 현재 화산 활동이 활발하게 일어나는 곳이 오른쪽(동쪽)에 위치하므로 판은 서쪽으로 이동하였다.

ㄴ. 플룸 상승류는 주위보다 밀도가 작을 때 상승하게 된다. 따라서 밀도는 ㉠ 지점이 ㉡ 지점보다 크다.

오답 풀이

ㄷ. 뜨거운 플룸은 맨틀과 외핵의 경계에서부터 상승한다.

---

5 ㄴ. 열점의 위치는 맨틀 대류에 의해 판이 이동해도 움직이지 않고 고정되어 있다.

ㄷ. 대규모의 뜨거운 플룸은 차가운 플룸이 맨틀의 최하단부에 도달해서 나타나는 열적 반응에 의해 맨틀과 외핵의 경계부에서 생성된다.

오답 풀이

ㄱ. A는 아프리카 대륙에 위치하고, 아프리카 대륙의 아래에는 뜨거운 플룸이 형성되어 있다. A는 ㉡에 해당한다.

6 ㄴ. A 지역은 화산 활동이 활발한 지역으로 지하에 열점이 분포한다.

ㄷ. 하와이 열도는 뜨거운 플룸이 상승하는 지역에서 만들어진 화산섬이다.

오답 풀이

ㄱ. 그림에서 살펴보면 하와이 열도에 속한 섬들의 위치와 암석의 나이를 통해 하와이 열도가 속한 판은 북북서 방향에서 서북서 방향으로 이동하였다는 것을 알 수 있다. 따라서 이동 방향은 대체로 북서쪽이다.

자료 해설 ➕   열점과 판의 이동

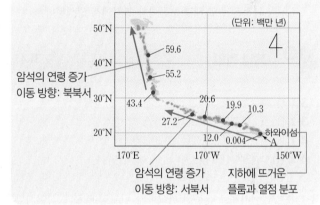

1 ㄱ. 열점에 의해

4일 개념 확인   29쪽

1-1 (1) (가) 순상, (나) 종상, (다) 용암 (2) 완만한 (3) 높
1-2 (1) A (2) A
2-1 (1) 현무암질 (2) 현무암질 (3) 안산암질 (4) 현무암질
2-2 (1) × (2) ○

1-1 (1) (가)는 경사가 완만한 순상 화산이고, (나)는 경사가 급한 종상 화산이며, (다)는 마그마가 조용히 흘러나와 만들어진 용암 대지이다.

(2) 유동성이 크고 점성이 작은 마그마는 경사가 완만한 화산체를 만든다.

(3) 경사가 완만한 화산체일수록 마그마의 온도가 높다.

1-2 (1) 점성이 큰 용암일수록 유동성이 작다. A가 B보다 점성이 크므로 유동성은 A가 B보다 작다.

(2) 점성이 큰 마그마일수록 경사가 급한 화산체를 형성한다.

A는 B보다 점성이 크므로 B보다 경사가 급한 화산체를 형성한다.

2-1 (1) 발산형 경계인 해령의 하부에서는 주로 현무암질 마그마가 생성된다.

(2) 해구에서는 섭입하는 해양 지각이 B의 깊이에 도달하면 지각을 이루는 광물에서 물이 빠져나온다. 빠져나온 물이 맨틀에 공급되면 맨틀 물질의 용융점을 낮추게 되고, 용융점이 낮아지면서 맨틀 물질이 용융되어 현무암질 마그마가 생성된다.

(3) B에서 생성된 현무암질 마그마가 상승하여 대륙 지각의 하부에 도달하면 대륙 지각을 가열하므로 지각 물질이 용융되어 유문암질 마그마가 생성된다. 이 과정에서 생성된 유문암질 마그마가 현무암질 마그마와 혼합되어 안산암질 마그마가 생성된다.

(4) 열점에서는 압력 감소에 따라 부분 용융이 발생하여 주로 현무암질 마그마가 생성된다.

2-2 (1) A 과정은 압력 감소로 맨틀 물질이 용융되어 현무암질 마그마가 생성되는 과정이다.

(2) A 과정은 주로 해령 부근이나 열점에서 생성된다.

개념 확인 31쪽

3-1 (1) 빠르게, 화산암 (2) 천천히, 심성암 (3) 빠를
3-2 (1) A: 세립질, B: 조립질 (2) A
4-1 (1) 염기성암 (2) 중성암 (3) 산성암
4-2 (1) ○ (2) ○ (3) ×

3-1 (1) A는 지표로 분출된 마그마가 비교적 빠르게 식어서 굳어진 것으로, 화산암이다.

(2) B는 마그마가 지하 깊은 곳에서 비교적 천천히 냉각된 것으로, 심성암이다.

(3) 마그마의 냉각 속도가 빠를수록 결정의 크기가 작은 세립질 조직이 나타난다.

3-2 (1) A는 결정의 크기가 작은 세립질 조직이고, B는 결정의 크기가 큰 조립질 조직이다.

(2) 마그마의 냉각 속도는 세립질 조직을 가지는 암석이 조립질 조직을 가지는 암석보다 빠르다.

4-1 (1) A는 유색 광물의 함량이 많아서 어두운색을 나타내는 염기성암이다.

(2) B는 염기성암과 산성암 사이인 중성암이다.

(3) C는 무색 광물의 함량이 많아 밝은색을 나타내는 산성암이다.

4-2 (1) 입자의 크기가 가장 큰 암석은 조립질 조직인 C이다.

(2) 암석의 색이 가장 어두운 것은 SiO_2 함량이 가장 적은 A이다.

(3) SiO_2 함량이 더 많은 C가 A보다 점성이 더 크다.

기초 유형 연습 32~33쪽

1 ② **2** (1) Y (2) X (3) 암석의 용융점을 낮춘다. **3** ④
4 ② **5** ③ **6** A: ㄷ, B: ㄴ, C: ㄹ, D: ㄱ

1 ㄴ. B는 SiO_2 함량이 45 %이므로 현무암질 마그마에 의해 형성된 화산체이고, C는 SiO_2 함량이 70 %이므로 유문암질 마그마에 의해 형성된 화산체이다. 따라서 경사는 B가 C보다 완만하다.

오답 풀이
ㄱ. A는 안산암질 마그마에 의해 형성된 화산체이다.
ㄷ. 점성은 SiO_2 함량이 가장 많은 화산체 C를 형성한 마그마가 가장 크다.

2 (1), (2) 섭입대 부근에서 생성된 마그마의 SiO_2 함량은 B(현무암질 마그마)보다 A(안산암질 마그마)가 높다. 따라서 A는 Y이고, B는 X이다.

(3) 해양 지각으로부터 물이 공급되면 해양 지각과 맨틀을 구성하는 암석의 용융점이 낮아져 마그마가 생성된다. 따라서 B(현무암질 마그마)가 생성될 때, 물은 암석의 용융점을 낮추는 역할을 한다.

3 ㄴ. 열점에서는 압력 감소에 의해 암석의 용융점이 낮아져서 맨틀 물질이 용융되므로 (나)의 B 과정으로 마그마가 생성된다.

ㄷ. 열점에서는 현무암질 마그마가 우세하게 나타난다.

오답 풀이
ㄱ. 열점은 주로 판의 내부에 존재하지만, 판의 경계 부근에도 존재한다.

4 ㄴ. 암석이 생성되는 깊이는 심성암인 화강암(B)이 화산암인 현무암(A)보다 깊다.

오답 풀이
ㄱ. 현무암은 화산암이므로 구성 광물 입자의 크기가 작고, 화강암은 심성암이므로 구성 광물 입자의 크기가 크다. 따라서 A는 현무암이고, B는 화강암이다.

ㄷ. 염기성암인 현무암은 산성암인 화강암보다 마그마의 온도가 높으므로 Y에는 '마그마의 온도'가 들어갈 수 없다. Y에 들어갈 적절한 물리량으로는 SiO_2 함량, 무색 광물의 함량 등이 있다.

자료 해설 화성암의 분류

무색 광물 함량, SiO_2 함량

B
• 조립질 조직
• 마그마 냉각 속도 느림
• 심성암(화강암)

A
• 세립질 조직
• 마그마 냉각 속도 빠름
• 화산암(현무암)

구성 광물 입자의 크기

5 ㄱ. (가)는 심성암이고, (나)는 화산암이다. 심성암인 화강암에서는 주로 판상 절리가 나타나고, 화산암인 현무암에서는 주로 주상 절리가 나타난다.

ㄷ. 화강암은 현무암보다 입자의 크기가 크다.

ㄴ. (나)의 주상 절리는 마그마가 지표 부근에서 급속히 냉각되고 부피가 급격히 수축하여 형성되었다.

6 화산암(A, B)은 세립질 조직이 나타나고, 심성암(C, D)은 조립질 조직이 나타난다. 염기성암(A, C)은 유색 광물의 함량비가 높고, 산성암(B, D)은 무색 광물의 함량비가 높다. 따라서 A는 화산암이면서 염기성암인 현무암, B는 화산암이면서 산성암인 유문암, C는 심성암이면서 염기성암인 반려암, D는 심성암이면서 산성암인 화강암이다.

5일 개념 확인 35쪽

1-1 (1) A: 다짐(압축) 작용, B: 교결 작용, C: 속성 작용
(2) 감소 (3) ❶ 교결 ❷ 침전
1-2 (1) ○ (2) ×
2-1 ❶ 셰일 ❷ 응회암 ❸ 염화 나트륨(NaCl) ❹ 처트 ❺ 석회암
2-2 (1) × (2) ○

1-1 (1) 퇴적물이 쌓여 퇴적암이 되는 모든 과정을 속성 작용이라고 한다. 속성 작용은 공극이 감소하는 다짐(압축) 작용과 퇴적물 사이를 접착하는 교결 작용이 있다.
(2) 퇴적물이 다짐 작용을 받으면 퇴적물 사이의 공극의 크기와 부피는 감소한다.
(3) 교결 작용은 퇴적물 사이의 빈 공간에 녹아 있는 물질들이 침전되면서 퇴적물 입자 사이를 접착하는 작용이다.
1-2 (1) 퇴적암이 생성되는 과정에서 퇴적물의 공극은 감소한다.
(2) 퇴적암이 생성되는 과정에서 퇴적물의 밀도는 증가한다.
2-1 점토가 퇴적물인 퇴적암은 셰일이다. 응회암은 화산재, 역암은 주로 자갈, 사암은 주로 모래, 암염은 해수에 녹아 있던 염화 나트륨(NaCl) 등에 의해 형성되는 퇴적암이다.
2-2 (1) 유기적 퇴적암은 생물체 유해가 퇴적된 B이다. A는 화산 쇄설물이 퇴적되어 생성된 응회암이다.
(2) 해수의 증발에 의한 염류의 침전으로 생성된 암염은 건조한 환경에서 주로 생성된다.

5일 개념 확인 37쪽

3-1 (1) 점이 층리 (2) 수심이 깊은 바다 환경 (3) 역전됨
3-2 (1) (가) 사층리, (나) 연흔 (2) ㉡
4-1 (1) 육상 환경 (2) 연안 환경 (3) 해양 환경
4-2 (1) × (2) ○ (3) ○

3-1 (1) 한 지층 내에서 위로 갈수록 입자의 크기가 작아지는 퇴적 구조는 점이 층리이다.
(2) 점이 층리는 수심이 깊은 바다 환경에서 주로 형성된다.
(3) 점이 층이를 형성한 알갱이가 아래쪽으로 갈수록 크기가 작아지는 것으로 보아 이 지층은 역전되었음을 알 수 있다.
3-2 (1) (가)는 과거에 물이 흘렀던 방향이나 바람이 불었던 방향을 알 수 있는 사층리이고, (나)는 물결 모양의 흔적이 남아 있는 연흔이다.
(2) (가)에서 퇴적물은 물이나 바람에 의해 ㉡ 방향으로 이동하였다.
4-1 (1) A는 육상 환경으로, 육지에서 퇴적암이 형성되는 환경이다.
(2) B는 연안 환경으로, 육상 환경과 해양 환경이 만나는 곳에서 퇴적암이 형성되는 환경이다.
(3) C는 해양 환경으로, 바다 밑에서 퇴적암이 형성되는 환경이다.
4-2 (1) 점이 층리가 형성되는 과정은 (가) → (나) 순이다.
(2) 점이 층리는 해저 경사면을 따라 흐르는 저탁류 등에 의해 주로 형성되므로 퇴적 환경은 해양 환경이다.
(3) 점이 층리는 수심이 깊은 바다 환경에서 주로 형성된다.

5일 기초 유형 연습 38~39쪽

1 ⑤ **2** ③ **3** (1) A (2) E (3) 건조한 환경에서 퇴적되었다.
4 ③ **5** ④ **6** ④

1 ㄱ. A는 다짐 작용(압축 작용)이고, B는 교결 작용이다. 다짐 작용에서는 퇴적물들의 무게에 의해 다져진다.
ㄴ. 교결 작용에서는 퇴적물 입자 사이의 교결 물질이 단단하게 퇴적물을 접착시킨다.
ㄷ. 다짐 작용(압축 작용)과 교결 작용으로 모래는 사암이, 자갈은 역암이, 점토는 셰일이 된다.

2 ㄱ. A는 역암이고, B는 암염이다.
ㄴ. 석탄은 식물체들에 의해 형성된 유기적 퇴적암이다. 암염은 염화 나트륨(NaCl)이 침전하여 굳어진 화학적 퇴적암이다.

ㄷ. 암염은 주로 해수에 용해되어 있던 염화 나트륨(NaCl) 등이 건조한 환경에 노출되어 생성되는 퇴적암이다. 석회 물질이 침전하여 생성된 암석은 석회암이다.

3 (1) A는 자갈, 모래, 점토가 쌓여 생성된 역암, B는 모래, 점토가 쌓여 생성된 사암, C는 점토가 쌓여 생성된 셰일이다. 퇴적물의 입자 크기가 클수록 수심이 얕은 환경에서 생성된다.

(2) E는 물이 흐르거나 바람이 부는 쪽으로 퇴적물이 이동하여 쌓인 사층리로 과거 퇴적물의 이동 방향을 알 수 있다.

(3) D는 건조한 환경에 노출되어 퇴적물의 표면이 V자 모양으로 갈라진 건열이다.

4 ㄱ. 사층리(A)는 퇴적 당시 물이 흐른 방향을 알 수 있다.

ㄴ. 건열(C)은 입자가 매우 작은 퇴적물이 건조한 환경에 노출될 때 형성된다.

오답 풀이

ㄷ. 건열(C)은 갈라진 부분이 넓은 쪽이 아래에 위치하고 사층리(A)는 경사각이 큰 쪽이 아래에 위치하므로, 이 지층은 역전이 일어났다. 따라서 지층의 생성 순서는 C → B → A이다.

자료 해설 ➕ 퇴적 구조의 종류와 특징

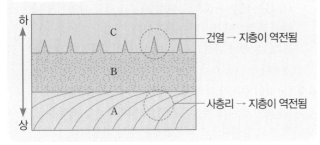

5 ㄴ. 사층리를 통해 과거에 얕은 물밑이나 사막 환경에서 물이나 바람이 흘렀던 방향을 알 수 있다.

ㄷ. 연흔과 사층리를 통해 지층의 역전 여부를 판단할 수 있다.

오답 풀이

ㄱ. (가)는 연흔이고, (나)는 사층리이다.

6 ㄱ. (가)는 지층 내에서 위로 갈수록 퇴적물의 입자 크기가 작아지는 점이 층리이다.

ㄴ. 저탁류는 해저의 경사면에 쌓인 퇴적물이 더 깊은 곳으로 한꺼번에 쓸려 내려가는 흐름이다. 점이 층리는 해저 경사면을 따라 흐르는 저탁류에 의해 주로 형성된다.

오답 풀이

ㄷ. 점이 층리는 수심이 깊은 대륙 사면과 대륙대의 경계부에서 주로 형성된다.

1주 누구나 100점 테스트
40~41쪽

1 ① **2** ④ **3** ⑤ **4** 맨틀 상하부의 온도 차로 열대류가 일어난다. **5** C **6** ① **7** ⑤ **8** ② **9** 암염 **10** ②

1 ㄱ. 고생대 말~중생대 초에 초대륙 판게아가 존재하였다.

오답 풀이

ㄴ, ㄷ. 초대륙이 분리되면서 해안선의 전체 길이는 점차 증가하였고, 맨틀 대류에 의해 대륙이 이동하였다.

2 ④ 해령 부근에서 정자극기이고, 해령을 중심으로 역자극기가 4회 대칭적으로 나타나며, 고지자기 줄무늬가 해령을 축으로 대칭을 이룬다.

오답 풀이

① 해령 부근에서 정자극기이고, 줄무늬가 대칭을 이루지만, 역자극기가 2회 나타난다.

② 줄무늬가 대칭을 이루지만, 해령 부근에서 역자극기이고, 역자극기가 2회 나타난다.

③ 역자극기가 4회 나타나지만, 해령 부근에서 정자극기와 역자극기가 모두 나타나고, 줄무늬가 해령을 축으로 대칭을 이루지 않는다.

⑤ 역자극기가 4회 나타나고, 줄무늬가 대칭을 이루지만, 해령 부근에서 역자극기가 나타난다.

3 ㄱ. 태평양의 해저 지형에는 해령, 해구가 분포하고, 대서양의 해저 지형에는 해령이 분포한다. 따라서 (가)는 태평양 지역의 단면과 유사하다.

ㄴ. (나)에서는 맨틀 물질이 상승하면서 마그마가 분출하여 해양 지각을 생성하는 해령이 분포한다. 해령에서는 해령의 축을 중심으로 양쪽으로 밀어 내는 힘이 작용하므로 두 대륙은 점점 멀어지게 된다.

ㄷ. 대륙 주변부에서의 화산 활동은 섭입대가 존재하는 (가)가 섭입대가 존재하지 않는 (나)보다 활발하게 일어날 것이다.

4 맨틀 상하부의 온도 차로 열대류가 일어나며, 그 결과 맨틀 위에 놓인 대륙이 이동한다.

5 맨틀이 대류하여 판이 이동해도 열점의 위치는 변하지 않고 고정되어 있다. 따라서 하와이 열도를 구성하는 섬들의 나이가 가장 적은 C 부근 아래에 열점이 분포한다.

6 ㄱ. A는 베니오프대에서 생성된 마그마가 화산 활동으로 분출하여 형성된 호상 열도이다.

오답 풀이

ㄴ. B는 발산형 경계로, 현무암질 마그마가 주로 분출한다.

ㄷ. C는 보존형 경계인 변환 단층이므로 천발 지진이 빈번하게 발생하고, 화산 활동은 일어나지 않는다.

7 ㄱ. 그림에서 지하의 온도 분포 곡선을 보면, 깊이가 깊어질수록 지하의 온도는 증가한다.

ㄴ. A 과정에서는 물이 포함된 지하의 화강암이 깊이 변화 없이 온도가 상승하여 화강암의 용융점보다 높아져서 화강암이 용융될 수 있다.

ㄷ. 해령은 맨틀 대류의 상승부이므로 해령의 지하 깊은 곳에서 맨틀 물질이 상승하면 압력이 감소하고 맨틀의 용융점이 낮아져서 현무암질 마그마가 생성될 수 있다. B 과정은 압력 감소에 의한 용융점 하강을 나타내므로 해령 아래에서는 B 과정을 통해 마그마가 생성될 수 있다.

8 ② 화산암은 세립질 조직이나 유리질 조직이 주로 나타나고, 심성암은 조립질 조직이 주로 나타난다. 또한 현무암은 화산암이면서 염기성암이고, 화강암은 심성암이면서 산성암이다. A는 유색 광물의 함량이 많은 염기성암이고, 입자의 크기가 작은 세립질 조직이 나타나므로 화산암이다. B는 유색 광물의 함량이 적은 산성암이고, 입자의 크기가 큰 조립질 조직이 나타나므로 심성암이다. 따라서 A는 현무암, B는 화강암이다.

9 해수의 증발에 의해 염류가 침전되어 형성되는 화학적 퇴적암은 암염이다.

10 ㄷ. 사층리를 통해 물이나 바람의 흐름에 의한 퇴적물의 공급 방향을 알 수 있다.

오답 풀이

ㄱ. (가)는 연흔, (나)는 건열, (다)는 사층리이다.

ㄴ. 건열은 수심이 얕은 물밑에 점토질 물질이 쌓인 후 퇴적물의 표면이 대기에 노출되어 건조해지면서 갈라져 형성된다.

창의·융합·코딩

42~47쪽

정답 ①

다음은 판 구조론이 정립되는 과정에서 등장한 두 이론에 대하여 학생 A, B, C가 나눈 대화를 나타낸 것이다.

이론	내용
❶ ㉠	고생대 말에 판게아가 존재하였고, 약 2억 년 전에 분리되기 시작하여 현재와 같은 대륙 분포가 되었다.
❷ ㉡	맨틀이 대류하는 과정에서 대륙이 이동할 수 있다.

대서양 양쪽에 있는 남아메리카 대륙과 아프리카 대륙의 해안선 모양이 비슷한 것은 ㉠의 증거가 될 수 있어. — 학생 A

㉡에 의하면 맨틀 대류가 상승하는 곳에 해구가 형성돼. — 학생 B

베게너는 음향 측심 자료를 이용하여 ㉠을 설명했어. — 학생 C

제시한 내용이 옳은 학생만을 있는 대로 고른 것은?

① A ② B ③ A, C ④ B, C ⑤ A, B, C

❶ 대륙 이동설의 증거에 대해 알아야 한다.
❷ 맨틀 대류설의 원리 및 과정에 대해 이해하고 있어야 한다.

❶ 다음은 대륙 이동설의 증거이다.
- 대서양 양쪽 대륙 해안선 굴곡의 유사성
- 멀리 떨어진 대륙에서 같은 종의 고생물 화석이 분포
- 고생대 말 빙하 퇴적층의 분포와 빙하의 이동 흔적
- 북아메리카 대륙과 유럽 대륙에서 발견되는 암석 분포와 지질 구조의 연속성

❷ 맨틀 대류설: 지각 아래 맨틀의 열대류로 인해 맨틀 위에 놓인 대륙이 이동한다는 이론으로, 1920년 후반 홈스는 맨틀 대류가 대륙 이동의 원동력이라고 주장하였다.
- 맨틀 상승 → 대륙 멀어짐 → 해령 생성 → 새로운 판 생성
- 맨틀 하강 → 대륙 가까워져서 부딪힘 → 해구 생성 → 판 소멸

㉠은 대륙 이동설, ㉡은 맨틀 대류설이다.

---

1 ⑤ **2** ⑤ **3** ② **4** ⑤ **5** ⑤ **6** ①

1 ㄱ. A는 B보다 해령에서 더 멀리 떨어져 있으므로 A는 B보다 먼저 생성되었다.

ㄴ. (가)에서 정자극기일 때 북쪽 방향은 아래 방향(↓)이고, B는 해령을 경계로 오른쪽 방향(→)으로 이동하므로 B는 서쪽 방향으로 이동한다.

ㄷ. 정자극기일 때 C의 고지자기 복각이 −55°이므로 C의 암석들은 생성 당시 남반구에 위치하였다.

2 ㄱ. 맨틀 대류설에서는 맨틀 대류에 의해 대륙이 이동한다고 주장하였다. 대륙은 맨틀 대류에 의해 판이 이동함에 따라 함께 이동한다.

ㄴ. 물이 가열되어 A에 주변보다 상대적으로 밀도가 작은 따뜻한 물이 계속 상승하게 되면 판(암석권)에 해당하는 나무 도막은 서로 반대 방향으로 멀어지게 된다.

ㄷ. A는 발산형 경계에 해당하며, 발산형 경계에서는 해령이 형성될 수 있다.

3 ㄴ. 심성암인 화강암은 지표로 노출될 때 압력의 감소로 팽창하여 판상 절리를 형성할 수 있다.

오답 풀이

ㄱ. 현무암은 지표로 분출한 용암이 빠르게 냉각되어 굳어진 암석으로 세립질 조직으로 이루어져 있다.

ㄷ. 화산암인 현무암이 심성암인 화강암보다 암석이 생성된 깊이가 더 얕다.

4 ㄱ. 그림에서 살펴보면 지진파의 속도는 ㉠보다 ㉡에서 더 빠르다.

ㄴ. 뜨거운 플룸에 위치한 ㉠은 주위보다 온도가 높고 밀도가 작은 지점으로 플룸 상승류가 나타난다.

ㄷ. 하와이 열도를 구성하는 섬들은 열점에 의해 형성된 화산섬이다.

5 ㄱ. 셰일은 쇄설성 퇴적암이므로 층리가 관찰될 수 있다. 층리는 대부분의 퇴적층에서 나타나는 대표적인 퇴적 구조이다.

ㄴ. 유기적 퇴적암은 생물의 유해나 골격의 일부가 쌓여서 만들어진 퇴적암이다.

ㄷ. 석회암은 산호나 유공충 등과 같은 석회질 생명체에 의해 생성되기도 하고(유기적 퇴적암), 탄산 칼슘($CaCO_3$)이 침전되어 생성되기도 한다(화학적 퇴적암).

6 A. 쇄설성 퇴적암에는 역암, 사암, 셰일 등이 있고, 쇄설성 퇴적암은 구성 입자(주요 퇴적물)의 크기에 따라 분류한다.

오답 풀이

B. 역암은 자갈, 모래, 점토가 퇴적된 후 속성 작용을 받아 생성된 퇴적암이다. 속성 작용은 압축(다짐) 작용과 교결 작용을 포함하므로 역암이 형성되는 과정에는 압축(다짐) 작용이 일어난다.

C. 점이 층리는 지층 내에서 위로 갈수록 구성 입자의 크기가 점점 작아지는 퇴적 구조이다.

1일 개념 확인 53쪽

1-1 (1) 관입 (2) 포획암 (3) 나중에, 먼저
1-2 (1) ❶ 부정합 ❷ 관입 (2) A → B → D → C
2-1 (1) (가) 평행 부정합 (나) 경사 부정합 (2) ❶ (나) ❷ (가)
2-2 (1) × (2) ○

1-1 (1) 마그마가 기존 암석의 약한 부분을 뚫고 들어와 굳은 구조를 관입이라고 한다.
(2) 마그마가 관입할 때 주변 암석의 일부가 떨어져 나와 마그마 속으로 유입되는 것을 포획이라 하고, 포획된 암석을 포획암이라고 한다.
(3) 관입암과 포획암을 관찰하면 화성암 주변 암석의 생성 순서를 알 수 있다.

1-2 (1) 지층 A와 B 사이에 부정합이 있고, 지층 D가 쌓인 후 C가 관입하였다.
(2) 오래된 것부터 순서대로 나열하면 A → B → D → C이다.

2-1 (1) (가)는 부정합면을 경계로 상하 지층이 나란한 평행 부정합이고, (나)는 부정합면 아래 지층이 경사져 있는 경사 부정합이다.
(2) 조륙 운동이나 조산 운동에 의해 지층이 융기하여 침식을 받은 후 다시 침강하여 그 위에 새로운 지층이 쌓이면 부정합이 형성된다. 평행 부정합은 조륙 운동을 받은 지층에서 잘 나타나고, 경사 부정합은 조산 운동을 받은 지층에서 잘 나타난다.

2-2 (1) 부정합은 상하 지층 사이에 큰 시간 간격이 있는 불연속적인 두 지층의 관계이다.
(2) A는 기존의 지층이 지각 변동을 받아서 해수면 위로 노출되는 융기이고, B는 지층이 다시 해수면 아래로 내려가는 침강이다.

1일 개념 확인 55쪽

3-1 (1) ❶ 배사 ❷ 향사 ❸ 습곡축 ❹ 하반 ❺ 상반 (2) ❶ 정 ❷ 경사 (3) (다) 정단층-장 (라) 역단층-횡압
3-2 (1) ○ (2) × (3) × (4) × (5) ○
4-1 (1) 심성암 (2) 융기, 감소
4-2 (1) ○ (2) × (3) ○ (4) ○

3-1 (1) 습곡에서 위로 볼록하게 휘어진 부분을 배사, 아래로 오목하게 내려간 부분을 향사라고 하며, 습곡의 양 날개가 만

나는 점을 연결한 선을 습곡축이라고 한다.
단층에서 단층면 아래쪽에 놓인 부분을 하반, 단층면 위쪽에 놓인 부분을 상반이라고 한다.
(2) (가)는 정습곡이고, (나)는 경사 습곡이다.
(3) (다)는 장력을 받아서 상반이 하반에 대해 아래로 이동한 정단층이다. (라)는 횡압력을 받아서 상반이 하반에 대해 위로 이동한 역단층이다.

3-2 (1) (가)는 횡와 습곡이고, (나)는 주향 이동 단층이다.
(2) 습곡은 암석이 지하 깊은 곳에서 횡압력을 받아 휘어진 지질 구조이다.
(3) (나)는 수평 방향으로 어긋나게 작용하는 힘을 받아 지층이 수평으로 이동한 주향 이동 단층이다.
(4), (5) 습곡은 판의 수렴형 경계에서 주로 형성되고, 변환 단층은 판의 보존형 경계에서 주로 형성된다.

4-1 판상 절리는 지하 깊은 곳에 있던 심성암이 융기하여 지표로 드러나면 외부의 압력이 감소하여 내부 압력과의 평형이 깨지면서 형성된다.

4-2 (1) 절리는 암석 내에 형성된 틈이나 균열이다.
(2) 판상 절리는 심성암에서 잘 나타나고, 주상 절리는 화산암에서 잘 나타난다.
(3) 주상 절리는 용암이 중심 방향으로 빠르게 식는 과정에서 수축하여 형성된다.
(4) 심성암은 화산암보다 지하 깊은 곳에서 생성된 암석이다.

1일 기초 유형 연습 56~57쪽

1 ③ **2** (1) (가) 경사 부정합 (나) 평행 부정합 (2) ㉡ (3) 융기, 침강 **3** ⑤ **4** ② **5** ⑤ **6** ①

1 ㄱ, ㄴ. (가)에서는 화강암이 기존에 형성된 편마암을 관입한 후 이암이 퇴적되었고, (나)에서는 사암과 이암이 형성된 후 화강암이 관입하여 화강암에서는 사암과 이암이 포획암으로 나타난다.

오답 풀이
ㄷ. 부정합면 아래 지층이 심성암이나 변성암으로 이루어진 난정합은 (가)에서 나타난다.

자료 해설 ➕ 관입과 부정합

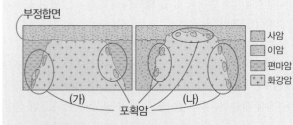

- (가)의 지층 생성 순서: 편마암 → 화강암 → 이암
- (나)의 지층 생성 순서: 사암 → 이암 → 화강암

2 (1) (가)는 부정합면 아래의 지층이 경사져 있는 경사 부정합이고, (나)는 평행 부정합이다.

(2) 부정합에서 기저 역암은 부정합면 아래 지층(㉠)이 아니라 부정합면 위의 지층(㉡)에서 나타난다.

(3) 모든 종류의 부정합에서는 '융기 → 풍화·침식 → 침강' 과정이 일어난다.

3 ㄱ, ㄴ. 그림을 보면 횡압력에 의해 상반이 하반에 대해 위로 이동한 역단층과 습곡 구조(배사)가 나타난다.

ㄷ. 지층의 역전이 없었으므로 사암층이 셰일층보다 먼저 형성되었다.

4 ㄴ. 정단층은 주로 장력을 받아서 형성된 단층으로, 단층면을 따라 상대적으로 상반이 아래로 이동한 단층이다.

오답 풀이

ㄱ. 그림은 정단층이므로 상반이 단층면을 따라 아래로 이동하였다.

ㄷ. 정단층은 판의 발산형 경계에서 잘 발달한다.

5 ㄱ. (가) 습곡에서는 아래로 오목하게 내려간 향사 구조가 나타난다.

ㄴ. (나)는 횡압력에 의해 형성된 역단층이다.

ㄷ. 습곡과 역단층 모두 암석이 양쪽에서 미는 횡압력을 받아 형성된 지질 구조이다.

6 ㄱ. (가)의 판상 절리는 지하 깊은 곳에서 형성된 심성암에서 주로 관찰된다.

오답 풀이

ㄴ, ㄷ. 판상 절리는 암석이 융기할 때 암석을 누르는 압력이 감소하여 형성되고, 주상 절리는 분출한 용암이 빠르게 식으면서 냉각 수축하여 형성된다.

2일 개념 확인 59쪽

1-1 (1) 관입의 법칙 (2) A → B → C
1-2 (1) D → C → B → E (2) 2번
2-1 (1) 부정합의 법칙 (2) 부정합면 (3) 기저
2-2 (1) (가) (2) (가)

1-1 (1) 그림을 보면 기존의 A층에 B가 관입하여 뚫고 들어가서 화성암이 생성되었고, 이후에 C가 A층과 B를 관입하여 뚫고 들어가서 화성암이 생성되었다.

(2) 관입의 법칙에 의해 지층과 암석의 생성 순서는 A → B → C이다.

1-2 (1) 지층 누중의 법칙을 통해 D → C → B 순으로 생성되었고, 관입의 법칙에 의해서 E가 기존의 지층을 관입하여 뚫고 분출하였다. 이후에 지층 A가 퇴적되었다.

(2) 부정합면의 수만큼 해당 지역에서는 융기가 일어났으며, 현재 지층이 육지로 드러났으므로 융기 과정을 한 번 더 거쳤다.

2-1 (1), (2) 지층의 생성 순서는 A → B → D → C이고, 지층 A와 D 사이에는 부정합면(가)이 형성되어 있다. 따라서 지층 A와 D의 선후 관계를 판단할 때는 부정합의 법칙이 이용된다.

(3) 부정합면 위의 지층 하부에는 기저 역암이 나타난다.

2-2 (1) 고생대 표준 화석인 삼엽충이 산출되는 지층의 아래 지층이 (가)에 있으므로 가장 오래된 지층이 분포하는 지역은 (가)이다.

(2) 중생대 표준 화석인 암모나이트가 산출되는 지층의 위 지층이 (가)에 있으므로 가장 새로운 지층이 분포하는 지역은 (가)이다.

2일 개념 확인 61쪽

3-1 (1) 응회암층 (2) ❶ 역암층 ❷ 이암층 (3) 나중에, 먼저
3-2 (1) (가) 중생대 (나) 고생대 (다) 고생대 (2) 나타나지 않는다
　　 (3) 있다 (4) 존재한다
4-1 1억 년
4-2 2회

3-1 (1) 지층 대비의 기준이 되는 건층(열쇠층)은 비교적 짧은 시간 동안 넓은 지역에서 동시에 퇴적된 지층이 적합하므로 그림에서 가장 적절한 지층은 응회암층이다.

(2) 동일한 시기에 만들어진 응회암층을 건층으로 선택하여 인접한 세 지역 A, B, C의 지층을 대비해 보면 '이암층 → 사암층 → 역암층 → 응회암층 → 셰일층 → 사암층 → 이암층' 순으로 퇴적되었다.

(3) A 지역의 사암층은 응회암층보다 나중에 퇴적되었고, C 지역의 사암층은 응회암층보다 먼저 퇴적되었으므로 두 사암층의 퇴적 시기는 다르다.

3-2 (1) 삼엽충과 방추충은 고생대의 표준 화석이고, 암모나이트는 중생대의 표준 화석이다.

(2) C에서 삼엽충과 방추충이 산출되는 두 지층 사이에 생성된 지층이 B에서는 나타나지 않았으므로 B에서는 이 시기에 퇴적이 중단되었다.

(3) 서로 다른 세 지역 A, B, C의 지층을 대비해 보면 (라)에는 고생대 표준 화석인 삼엽충이 발견될 가능성이 가장 크다.

(4) 고사리는 육지에서 번성한 생물이다.

4-1 반감기는 모원소의 양이 처음의 절반(50 %)으로 줄어드는 데 걸리는 시간이므로 그림에서 방사성 동위 원소 X의 반감기는 1억 년이다.

4-2 반감기를 n회 거치면, 남아 있는 방사성 동위 원소의 양은 처음 양의 $\left(\dfrac{1}{2}\right)^n$이 된다. 방사성 동위 원소의 모원소가 처음의 $\dfrac{1}{4}$(25 %)로 감소하였으므로 $\dfrac{1}{4}=\left(\dfrac{1}{2}\right)^n$이다. 따라서 반감기 횟수($n$)는 2회이다.

1 (1) 지층 누중의 법칙 (2) 관입당한 암석은 관입한 암석보다
2 ③ **3** ① **4** ② **5** (1) 셰일층 (2)(나), 중생대 **6** ③

1 (1) 지층이 역전되지 않았다면 먼저 퇴적된 지층이 나중에
퇴적된 지층보다 아래에 위치한다. ➡ 지층 누중의 법칙
(2) 관입당한 암석이 관입한 암석보다 먼저 생성되었다. ➡
관입의 법칙

2 ㄱ. 석회암층에는 중생대의 표준 화석인 암모나이트가 산출
되므로 중생대에 퇴적되었다.
ㄷ. 셰일층과 사암층 사이에 부정합면이 나타나므로 셰일층
과 사암층 사이에 퇴적이 중단된 시기가 있었다.

오답 풀이
ㄴ. 안산암과 응회암층은 부정합의 관계이므로 안산암이 응회암층
보다 먼저 생성되었다.

3 ㄱ. 짧은 시간 동안 넓은 지역에 동시에 퇴적된 층이 건층으
로 가장 적절하므로 화산 활동에 의해 형성된 응회암층이 건
층으로 가장 적절하다.

오답 풀이
ㄴ. 암상에 의한 지층의 대비를 통해 가장 오래된 지층은 가장 아
래에 놓인 B의 역암층임을 알 수 있다.
ㄷ. A의 역암층은 응회암층보다 나중에 퇴적되었고, B의 역암층
은 응회암층보다 먼저 퇴적되었으므로 A와 B의 역암층은 동일한
시기에 퇴적된 것이 아니다.

4 ㄴ. (나)에서는 고생대의 표준 화석인 삼엽충과 신생대의 표
준 화석인 화폐석이 연속적인 지층에서 산출되므로 중생대
지층은 발견되지 않았다.

오답 풀이
ㄱ. (가)의 A층보다 먼저 형성된 지층에서 신생대의 표준 화석인
화폐석이 산출되므로 A층에서는 중생대의 표준 화석인 공룡 발자
국 화석이 산출될 수 없다.
ㄷ. (다)의 지층에는 육상에서 서식했던 공룡 발자국 화석이 산출
되므로 모두 바다에서 퇴적된 것은 아니다.

5 (1) (가)와 (나)에서 화폐석 화석이 산출되는 석회암층을 먼
저 대비하고 나머지 지층을 연결해 보면, (가)의 셰일층이 가
장 나중에 형성되었다.
(2) 가장 오래된 지층은 (나)의 가장 아래에 있는 석회암층으
로, 암모나이트 화석이 산출되는 것으로 보아 중생대에 퇴적
되었다.

6 ㄱ. X의 양이 50 %가 되는 데 걸리는 시간은 1억 년이므로
반감기는 1억 년이다.
ㄷ. X는 반감기가 1억 년이므로 2억 년은 반감기가 2회 지
나는 시간이다. 따라서 2억 년 후에 X의 양은 처음의 $\frac{1}{4}$
(25 %)이 된다.

오답 풀이
ㄴ. X의 반감기가 1억 년이므로 3번의 반감기를 지나는 데 걸

는 시간은 3억 년이다.

자료 해설 ➕ **방사성 동위 원소의 반감기**

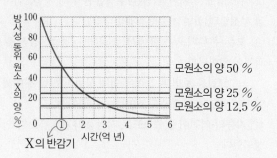

모원소의 양 50 %
모원소의 양 25 %
모원소의 양 12.5 %

X의 반감기

1-1 (1) A: 시상 화석, B: 표준 화석 (2) A
1-2 (1) (가)와 (나) (2) (다)
2-1 (1) 느리다 (2) 좁은
2-2 (1) > (2) 높아

1-1 (1) A는 특정한 환경에서만 분포하고, 생존 기간이 긴 시상
화석이다. B는 지리적으로 넓게 분포하며, 개체 수가 많고
생존 기간이 짧은 표준 화석이다.
(2) 산호는 따뜻하고 얕은 바다에서 서식하는 시상 화석이다.

1-2 (1) 화폐석은 신생대의 표준 화석이고, 삼엽충은 고생대의 표
준 화석이다. 표준 화석으로는 지질 시대를 구분할 수 있다.
(2) 고사리는 따뜻하고 습한 육지 환경에서 서식하는 시상
화석이다. 시상 화석으로는 생물이 살았던 당시의 환경을 추
정할 수 있다.

2-1 (1) 따뜻하고 수심이 얕은 바다 환경에서 서식하는 산호는
해수의 온도가 낮을수록 성장 속도가 느리다.
(2) 한랭 건조한 시기에는 나무의 나이테 사이의 폭이 좁다.

2-2 (1) 온난한 시기에 형성된 빙하는 산소 동위 원소비($^{18}O/^{16}O$)
가 상대적으로 높고, 한랭한 시기에 형성된 빙하는 산소 동
위 원소비($^{18}O/^{16}O$)가 상대적으로 낮다.
(2) 상대적으로 기온이 높은 시기에는 해수에서 증발하는 산
소 동위 원소비($^{18}O/^{16}O$)가 높아서 빙하 코어 속의 산소 동
위 원소비($^{18}O/^{16}O$)가 높다.

3-1 (1) 선캄브리아 시대 – 고생대 – 중생대 – 신생대
(2) ❶ 고생대 ❷ 중생대 ❸ 신생대
3-2 (1) A: 석탄기, B: 쥐라기 (2) ❶ 파충 ❷ 포유 (3) ❶ 양치
❷ 겉씨 ❸ 속씨 (4) 고생
4-1 (1) C (2) C (3) E
4-2 (1) A: 고생대, B: 신생대 (2) B

3-1 (1) 지질 시대의 상대적인 길이는 선캄브리아 시대＞고생대 ＞중생대＞신생대 순이다.

(2) 삼엽충은 고생대, 암모나이트는 중생대, 화폐석은 신생대에 바다에서 번성하였던 고생물이다.

3-2 (1) A는 양치식물이 번성하였던 고생대 석탄기이다. B는 육상에 파충류가 번성하였던 중생대 쥐라기이다.

(2) 중생대는 파충류의 시대, 신생대는 포유류의 시대이다.

(3) 지질 시대별 식물의 번성 순서는 양치식물(고생대) → 겉씨식물(중생대) → 속씨식물(신생대)이다.

(4) 최초의 육상 식물은 고생대 실루리아기에 출현하였다.

4-1 (1) 현생 누대에서 생물 종의 수가 가장 많이 멸종한 시기는 고생대 페름기 말이다.

(2) 판게아는 고생대 말에 형성되었다. 판게아의 형성은 지구 환경에 큰 변화를 일으켜 생물의 대멸종을 초래하였다.

(3) E는 중생대 백악기 말의 대멸종 시기로, 이 시기에는 공룡, 암모나이트 등이 멸종하였다.

4-2 (1) 판게아는 고생대 말에 형성되었으며, 오늘날과 비슷한 수륙 분포를 형성한 지질 시대는 신생대이다.

(2) 히말라야산맥은 신생대에 형성되었다.

3일 기초 유형 연습 68~69쪽

1 (1) C - B - A (2) B   2 ④   3 철수   4 ③   5 ⑤
6 ⑤

1 (1) 지질 시대를 시간 순으로 나열하면 C(고생대)-B(중생대)-A(신생대)이다.

(2) 공룡과 암모나이트가 표준 화석인 중생대는 트라이아스기, 쥐라기, 백악기로 세분화된다.

2 ㄴ, ㄷ. 고생대(B) 말에 초대륙 판게아가 형성되기 시작하였고, 중생대(C)에 파충류가 번성하였다.

> **오답 풀이**
> ㄱ. A는 선캄브리아 시대, B는 고생대, C는 중생대, D는 신생대이다. 생물 종류의 수는 A 시기가 D 시기보다 적다.

3 철수: 화폐석은 신생대의 표준 화석이므로 신생대에 번성하였다.

> **오답 풀이**
> 영희: 고사리는 시상 화석이므로 지질 시대를 구분할 때 이용할 수 없다.
> 민수: 화폐석은 대형 유공충으로 바다 환경에서 서식했던 생물이다.

4 ㄱ. 빙하 시추 코어의 내부 기포를 분석하면 빙하가 생성될 당시의 대기 조성을 알 수 있다.

ㄷ. 산호는 주로 따뜻하고 수심이 얕은 바다에서 서식한다.

> **오답 풀이**
> ㄴ. 한랭 건조한 시기에는 나무가 제대로 자라지 못하므로 나이테의 간격이 좁아진다.

5 ㄱ. 고생대 실루리아기에 최초의 육상 생물이 출현하였다.

ㄴ. 중생대는 전반적으로 온난한 기후가 지속되었으며 유일하게 빙하기가 없었던 시대로 평균 기온은 현재보다 높았다.

ㄷ. 신생대 제4기에는 여러 번의 빙하기와 간빙기가 있었다.

6 ㄱ. 그림에서 살펴보면 생물 과의 멸종 비율은 A 시기보다 B 시기에 더 높았다.

ㄴ. B 시기는 약 2.52억 년 전으로, 고생대 페름기 말기와 중생대 트라이아스기 초기의 경계 부분이다.

ㄷ. 공룡과 암모나이트는 중생대에 서식했던 생물이며 약 0.66억 년 전인 C 시기에 멸종하였다.

자료 해설 ➕ 생물의 대멸종

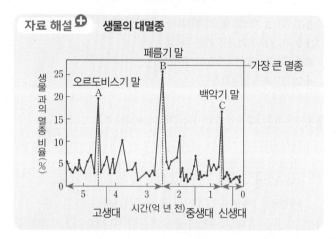

4일 개념 확인 71쪽

1-1 (1) A: 양쯔강 기단, B: 오호츠크해 기단 (2) ❶ 한랭 건조 ❷ 여름

1-2 (가) 북태평양 기단 (나) 시베리아 기단

2-1 (1) A: 한랭 전선, B: 온난 전선 (2) ❶ 빠르다 ❷ 느리다
(3) 폐색

2-2 (1) ○ (2) × (3) ○ (4) ×

1-1 (1) A는 우리나라 주변의 기단 중 온난 건조한 양쯔강 기단이고, B는 한랭 다습한 오호츠크해 기단이다.

(2) 고위도의 대륙에서 형성된 시베리아 기단은 한랭 건조하며, 북태평양 기단은 우리나라 여름철에 영향을 미친다.

1-2 (가)는 따뜻한 기단이 한랭한 바다를 지난 후 층운형 구름 또는 안개를 형성하므로 북태평양 기단이 변질되는 모습이다. (나)는 차고 건조한 기단이 따뜻한 바다를 지난 후 적운형 구름을 형성하므로 시베리아 기단이 변질되는 모습이다.

2-1 (1) A는 밀도가 큰 찬 공기가 밀도가 작은 따뜻한 공기 아래로 파고들면서 밀어 올릴 때 형성되는 한랭 전선이다. B는 밀도가 작은 따뜻한 공기가 밀도가 큰 찬 공기 위로 타고 오를 때 형성되는 온난 전선이다.

(2) 한랭 전선은 온난 전선에 비해 이동 속도가 빠르다.

(3) 폐색 전선은 한랭 전선과 온난 전선이 겹쳐지면서 형성된다.

2-2 (1), (2) 우리나라 초여름에는 북쪽의 찬 기단과 남쪽의 따뜻한 기단이 만나 동서로 길게 정체 전선(장마 전선)이 형성된다.
(3) 정체 전선의 남쪽에 위치한 A 지역에는 고온 다습한 북태평양 기단이 발달해 있다.
(4) 정체 전선을 경계로 북쪽에 있는 기단의 세력이 강해지면 정체 전선이 남하하고, 남쪽에 있는 기단의 세력이 강해지면 정체 전선이 북상한다.

3-1 (1) 고, 저 (2) 높, 시계 (3) 낮, 시계 반대
3-2 (1) A: 기압, B: 기온 (2) ㉠
4-1 (1) 가시광선 (2) 많이, 밝게
4-2 (1) 낮(주간) (2) C

3-1 (1) A는 고기압이고, B는 저기압이다.
(2) (가)는 주위보다 기압이 높은 고기압으로, 북반구에서는 바람이 시계 방향으로 불어 나간다.
(3) (나)는 주위보다 기압이 낮은 저기압으로, 북반구에서는 바람이 시계 반대 방향으로 불어 들어온다.

3-2 (1) A는 온대 저기압의 중심 부근이 지나가는 ㉡ 시기에 값이 가장 작으므로 기압이고, B는 기온이다.
(2) 일반적으로 온난 전선이 통과하면 기온은 높아지므로, 온난 전선이 통과할 때는 ㉠이다.

4-1 (1) 그림을 보면 인공위성은 구름이 반사하는 태양 복사 에너지를 감지하므로 가시광선 영역대의 전자기파를 이용한다.
(2) 가시광선 영상(가시 영상)에서는 구름이 두꺼울수록 햇빛을 많이 반사하므로 밝게 나타난다.

4-2 (1) 가시광선 영역으로 촬영한 가시 영상은 밤에는 영상 자료를 얻을 수 없고, 낮(주간)에만 영상 자료를 얻을 수 있다.
(2) 가시 영상에서는 구름이 두꺼울수록 햇빛을 더 많이 반사하여 밝게 보인다. 따라서 구름의 두께가 가장 두꺼운 것은 C이다.

1 ②   **2** (1) B (2) A (3) ㉠ 한랭 전선, ㉡ 온난 전선, 전선의 이동 속도는 ㉠이 ㉡보다 빠르다.   **3** ④   **4** ①   **5** ③   **6** ⑤

1 ㄴ. 황사는 중국이나 몽골의 건조한 사막 지대 등에서 발생한다.
오답 풀이
ㄱ. 건조한 성질의 기단은 대륙에서 생성된 기단이다. 따라서 A(시베리아 기단)와 C(양쯔강 기단)가 건조한 성질의 기단이다.
ㄷ. 황사는 주로 봄철에 발생하므로 온난 건조한 기단인 C(양쯔강 기단)의 확장으로 우리나라에 영향을 미친다.

2 (1) 지표 부근의 기온은 찬 공기가 있는 A보다 따뜻한 공기가 있는 B에서 더 높다.
(2) A는 한랭 전선의 뒤쪽에 위치하므로 좁은 지역에 소나기성 비가 내리고, C는 온난 전선의 앞쪽에 위치하므로 넓은 지역에 약한 비가 내린다.
(3) 전선의 이동 속도는 ㉠(한랭 전선)보다 ㉡(온난 전선)이 느리다.

3 ㄴ. 기온은 한랭 전선의 뒤쪽인 B가 한랭 전선의 앞쪽인 C보다 낮다.
ㄷ. (나)는 남서풍이 관측되므로 C에서 관측한 일기 기호이다.
오답 풀이
ㄱ. 중심으로 갈수록 기압이 높아지는 고기압에서는 중심 부근(A)에 하강 기류가 나타난다.

4 ㄱ. A는 한랭 전선의 뒤쪽에 위치하므로 한랭 전선과 온난 전선의 사이에 위치하는 B보다 찬 공기의 영향을 많이 받는다.
오답 풀이
ㄴ. B는 한랭 전선과 온난 전선 사이에 위치하므로 대체로 맑은 날씨가 나타난다.
ㄷ. C는 온난 전선의 앞쪽에 위치하므로 북반구에서는 남풍 계열의 바람이 우세하게 분다.

자료 해설➕   온대 저기압과 날씨

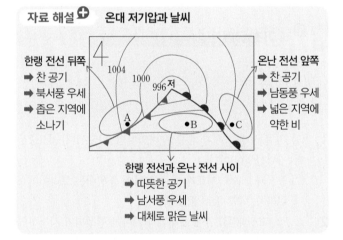

한랭 전선 뒤쪽
➡ 찬 공기
➡ 북서풍 우세
➡ 좁은 지역에 소나기

온난 전선 앞쪽
➡ 찬 공기
➡ 남동풍 우세
➡ 넓은 지역에 약한 비

한랭 전선과 온난 전선 사이
➡ 따뜻한 공기
➡ 남서풍 우세
➡ 대체로 맑은 날씨

5 ㄱ. 겨울철에 우리나라는 북서쪽에 위치하는 시베리아 기단의 영향을 주로 받는다.
ㄴ. P 지점에서 관측한 일기 기호를 살펴보면 북풍 계열의 바람이 관측되고 있다.
오답 풀이
ㄷ. 가시광선 영역의 위성 영상은 낮(주간)에만 영상 자료를 얻을 수 있다.

6 ㄱ. 가시광선 영상에서는 구름이 두꺼울수록 햇빛을 더 많이 반사하므로 밝게 보인다.
ㄴ. 적외 영상에서는 구름의 최상부 높이가 높을수록 밝게 나타나므로, 구름의 최상부 높이는 B가 A보다 높다. 따라서 구름 최상부에서의 온도는 B가 A보다 낮다.
ㄷ. 구름의 두께가 두꺼울수록 포함하고 있는 수증기량이 더 많으므로 집중 호우가 발생할 가능성이 더 높다. 따라서 B가 A보다 집중 호우가 발생할 가능성이 높다.

1-1 (가) 온대 저기압 (나) 열대 저기압(태풍)
1-2 (1) ○ (2) ○ (3) ×
2-1 (1) X: 기압, Y: 풍속 (2) 저, 낮 (3) 강, 약
2-2 서울: 시계 반대 방향, 부산: 시계 방향

1-1 (가)는 편서풍을 타고 우리나라로 이동하는 온대 저기압의 이동 경로이고, (나)는 저위도에서 발생하여 포물선 경로로 북상하는 태풍의 이동 경로이다.
1-2 (1) A는 중위도 온대 지방에서 발생하는 온대 저기압이고, B는 열대 해상에서 발생하는 태풍(열대 저기압)이다.
(2) 태풍은 같은 성질을 갖는 하나의 기단에서 형성되므로 전선을 동반하지 않는다.
(3) 등압선 간격이 좁을수록 풍속이 강하므로 최대 풍속은 태풍이 온대 저기압보다 빠르다.
2-1 X는 태풍의 중심 부근에서 최솟값을 나타내므로 기압이다. Y는 태풍의 가장자리에서 중심부로 갈수록 값이 대체로 커지므로 풍속이다. 태풍의 눈에서는 풍속이 약해진다.
2-2 서울은 태풍 진행 방향의 왼쪽 영역인 안전 반원에 위치하므로 풍향 변화는 시계 반대 방향이다. 부산은 태풍 진행 방향의 오른쪽 영역인 위험 반원에 위치하므로 풍향 변화는 시계 방향이다.

3-1 1 국지성 호우(집중 호우) **2** 우박 **3** (1) (다) → (가) → (나) (2) (가)
3-2 1 학생 B와 C **2** (1) × (2) ○ **3** 봄(철)

3-1 1 짧은 시간 동안에 좁은 지역에 일정량 이상의 비가 집중적으로 내리는 현상은 집중 호우(국지성 호우)이다.
2 우박은 지상으로 얼음 덩어리가 떨어지는 강수 현상으로, 우리나라에서는 주로 초여름이나 가을에 발생한다.
3 (1) 뇌우의 발달 단계는 적운 단계(다) → 성숙 단계(가) → 소멸 단계(나) 순이다.
(2) 성숙 단계(가)에서 천둥과 번개를 동반한 소나기가 내릴 가능성이 가장 높다.
3-2 1 학생 A: 뇌우는 주로 한랭 전선에서 강한 상승 기류가 발달하여 적란운이 생성될 때 잘 발생한다.
2 (1) 지표에서 상공으로 올라간 황사는 편서풍을 타고 동쪽으로 이동하여 중국에서 우리나라로 다가온다.
3 우리나라에서 황사는 양쯔강 기단의 세력이 강해지는 3월에서 5월 사이에 많이 관측된다.

---

1 ③ **2** (1) A: 기압, B: 풍속 (2) 시계 방향 **3** ④ **4** ③
5 ② **6** (1) B (2) 3월 6일

---

1 ㄱ. A와 C는 태풍 중심으로부터 같은 거리에 있지만 풍속은 A가 C보다 빠르므로 A는 위험 반원, C는 안전(가항) 반원에 위치한다.
ㄴ. 태풍의 중심인 B에서는 태풍의 눈이 발달한다.
오답 풀이
ㄷ. 태풍은 저기압의 일종으로 태풍 중심(B)에서 기압이 가장 낮다.
2 (1) 태풍의 중심 부근이 서울에 가장 접근하는 7일 15시경에 A의 값이 가장 작고, B의 값은 가장 크므로 A는 기압, B는 풍속이다.
(2) 6일 21시부터 7일 09시까지 제주는 태풍 이동 경로의 오른쪽 영역인 위험 반원에 위치하므로 풍향은 시계 방향으로 변하였다.
3 ㄱ. 태풍이 육지에 상륙하면 수증기의 공급을 받지 못하므로 세력이 약해져 중심 기압이 높아진다.
ㄷ. 태풍 A와 B는 중위도에 위치하는 울산 부근을 지나는 동안 편서풍의 영향을 받아서 대체로 서쪽에서 동쪽 방향으로 이동하였다.
오답 풀이
ㄴ. 태풍 진행 방향의 왼쪽 영역은 안전 반원, 오른쪽 영역은 위험 반원이다. 태풍 B가 통과하는 동안 울산은 태풍 진행 방향의 왼쪽에 위치하므로 안전 반원에 속했다.
4 문제의 그림은 지상에 떨어진 우박이다.
ㄱ. 우박은 비, 눈, 진눈깨비 등과 함께 대기에서 지표로 물이 떨어지는 강수 현상이다.
ㄴ. 우박은 상승 기류와 하강 기류가 동시에 나타나는 구름 내부에서 빙정이 상승과 하강을 반복하면서 크기가 성장하여 발생한다.
오답 풀이
ㄷ. 겨울에는 대기가 건조하여 수증기량이 부족하기 때문에 우박이 잘 나타나지 않는다.
5 ㄴ. 시베리아 기단은 황해나 동해를 지나면서 열과 수증기를 공급받아서 기단이 변질되어 우리나라에 폭설을 내리게 한다.
오답 풀이
ㄱ. (가)는 호우이고, (나)는 폭설이다. 겨울철 우리나라에 영향을 미치는 찬 기단은 시베리아 기단이다.
ㄷ. 기상 재해 피해액은 호우인 (가)가 18.5백억 원이고, 태풍이 17.7백억 원이므로 호우가 태풍보다 많았다.
6 (1) 황사가 발생하기 위해서는 발원지에서 상승 기류의 영향을 받아 황사가 상층으로 이동해야 한다. 따라서 (가)의 일기도에서 황사의 발원지는 저기압이 분포하여 상승 기류가 나타나는 B 지역일 가능성이 크다.

(2) 3월 6일에 백령도의 황사 농도가 급격히 증가하였으므로, 이 시기에 황사 발원지에서 편서풍을 타고 우리나라로 이동하던 황사가 하강 기류의 영향을 받아 이 지역으로 유입되었을 것이다.

1주 누구나 100점 테스트

1 ①　2 ⑤　3 (가)　4 2억 년　5 ③　6 ③　7 A: 한랭 전선, B: 온난 전선　8 ④　9 ④　10 ②

1 ㄱ. (가)는 상반이 하반에 대해 위로 이동한 역단층이다.

오답 풀이
ㄴ. (나)는 장력을 받아서 상반이 하반에 대해 아래로 이동한 정단층이다.
ㄷ. (가)는 판의 수렴형 경계, (나)는 판의 발산형 경계에서 주로 나타난다.

2 ㄱ. 지층의 역전은 없었기 때문에 지층 누중의 법칙에 의해 지층의 생성 순서는 C → B → A이다.
ㄴ. C에서는 횡압력을 받아서 아래로 오목하게 휘어진 습곡 구조(향사)가 나타난다.
ㄷ. 사암층과 석회암층의 경계 부근에서 기저 역암이 나타나므로 사암층과 석회암층 사이에는 부정합면이 존재한다.

3 (가)의 석회암층은 화강암보다 먼저 생성되었고, (나)의 석회암층은 화강암보다 나중에 생성되었다. (가)와 (나)에서 화강암의 관입 시기는 같았으므로 (가)의 석회암층은 (나)의 석회암층보다 먼저 생성되었다.

4 방사성 동위 원소의 반감기는 방사성 동위 원소가 붕괴하여 처음 양의 절반으로 줄어드는 데 걸리는 시간이다. 따라서 모원소 X의 양과 자원소 Y의 양이 각각 50 %로 같아지는 데 걸리는 시간이므로 방사성 동위 원소 X의 반감기는 2억 년이다.

5 ㄷ. 삼엽충, 암모나이트, 화폐석 모두 해양 환경에서 살았던 생물이므로 모두 해성층에서 발견된다.

오답 풀이
ㄱ. 삼엽충은 고생대의 표준 화석이고, 암모나이트는 중생대의 표준 화석이며, 화폐석은 신생대의 표준 화석이다.
ㄴ. 지질 시대의 길이는 중생대가 신생대보다 길다. 따라서 중생대의 표준 화석인 암모나이트가 신생대의 표준 화석인 화폐석보다 번성했던 기간이 길다.

6 ㄱ, ㄴ. A는 고생대, B는 중생대, C는 신생대이다. 최초의 육상 식물은 고생대 실루리아기에 출현하였고, 암모나이트는 중생대의 생물이다.

오답 풀이
ㄷ. 공룡은 중생대(B)에 번성하였다.

7 전선면의 기울기와 전선의 이동 속도 모두 한랭 전선이 온난 전선보다 크다.

8 ④ 일기 기호를 보면 풍속이 A에서는 7 m/s, C에서는 5 m/s이므로 풍속은 A가 C보다 크다.

오답 풀이
① A는 북서풍이 불고, 구름의 양이 많다. 따라서 A 지역은 한랭 전선 후면이다.
② B에서 바람이 남서쪽에서 불어오므로, B의 풍향은 남서풍이다. B는 한랭 전선과 온난 전선 사이에 위치하여 남서풍이 분다.
③ B는 한랭 전선과 온난 전선 사이에 위치하여 따뜻한 공기가 있는 곳이므로 A, B, C 중 기온이 가장 높다.
⑤ (나)는 적운형 구름이므로, 한랭 전선 후면인 A에서 주로 관측된다.

자료 해설➕ 온대 저기압과 날씨

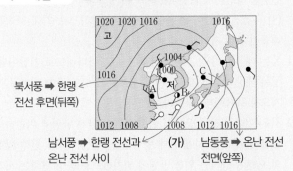

북서풍 ➡ 한랭 전선 후면(뒤쪽)
남서풍 ➡ 한랭 전선과 온난 전선 사이
(가)
남동풍 ➡ 온난 전선 전면(앞쪽)

지역	A	B	C
풍향	북서풍	남서풍	남동풍
구름의 양	많다.	−	많다.
풍속	7 m/s	5 m/s	5 m/s

9 ④ 문제의 그림은 시베리아 기단이 남동쪽으로 이동하면서 황해를 지날 때 구름이 발달한 모습이다. 한랭 건조한 시베리아 기단이 따뜻한 황해를 지나면서 열과 수증기를 공급받아 성질이 변한다.

오답 풀이
① 우리나라는 황해를 지나면서 성질이 변한 시베리아 기단의 영향을 받는다.
② 시베리아 고기압의 세력이 확장되어 우리나라에 영향을 미치고 있다. 우리나라는 온대 저기압의 영향을 받고 있지 않다.
③ 문제의 그림에서는 서해안 지역에 북서풍이 불면서 폭설이 내린다.
⑤ 문제의 그림을 보면 한반도 주변에서의 성질이 다른 공기가 만난 것이 아니라, 차고 건조한 기단이 따뜻한 바다를 지나면서 변질되어 상승 기류가 발달한 것이다.

10 ㄷ. 그림에서 살펴보면 이 해의 황사 관측 일수는 4월보다 3월에 더 많다.

오답 풀이
ㄱ, ㄴ. 낙뢰가 가장 많이 관측된 달은 6, 7, 8월이므로 여름철에 가장 많이 관측되고, 황사는 양쯔강 기단의 세력이 강할 때 잘 관측된다.

정답 ②

그림 (가)와 (나)는 5월 중 어느 날 12시간 간격의 지상 일기도를 순서 없이 나타낸 것이고, (다)는 이 기간 중 어느 시점에 P에서 관측된 풍향계의 모습이다.

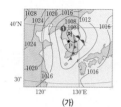 

    (가)   (나)   (다)

이에 대한 설명으로 옳은 것만을 <보기>에서 있는 대로 고른 것은?

> **보기**
> ㄱ. (가)는 (나)보다 12시간 전의 일기도이다.
> ㄴ. (다)의 풍향은 (나)일 때이다.
> ㄷ. 이 기간 중 P에는 소나기가 내렸다.

① ㄱ   ② ㄷ   ③ ㄱ, ㄴ   ④ ㄴ, ㄷ   ⑤ ㄱ, ㄴ, ㄷ

❶ 온대 저기압의 구조에 대해 알아야 한다.
❷ 온대 저기압과 날씨의 변화에 대해 이해하고 있어야 한다.

❶ 온대 저기압과 전선

구분	한랭 전선	온난 전선
전선면의 기울기	급하다.	완만하다.
구름과 강수 형태	적운형 구름, 소나기	층운형 구름, 약한 비
구름과 강수 지역	전선 뒤쪽 좁은 지역	전선 앞쪽 넓은 지역
전선의 이동 속도	빠르다.	느리다.

❷ 온대 저기압과 날씨 및 풍향 변화
- 온대 저기압은 대체로 편서풍에 의해 서쪽에서 동쪽으로 이동한다.
- 전선이 통과할 때 위치에 따라 날씨, 기압, 기온, 풍향이 급변한다.
- 온대 저기압 통과 시 날씨 변화: 지속적인 약한 비 → 맑음 → 소나기성 비
- 온대 저기압 통과 시 풍향 변화: 남동풍 → 남서풍 → 북서풍

ㄱ. (나)는 (가)보다 12시간 전의 일기도이다.
ㄴ. 풍향은 풍향계가 가리키는 방향으로, (다)의 풍향계는 북서풍을 나타낸다. 따라서 (다)의 풍향은 P가 한랭 전선 뒤쪽에 위치한 (가)일 때이다.
ㄷ. P가 한랭 전선의 뒤쪽에 위치할 때 소나기가 내렸을 것이다.

1 ④   **2** 학생 A: 수평 퇴적의 법칙, 학생 B: 부정합의 법칙, 학생 C: 관입의 법칙   **3** 철수, 영희   **4** ①   **5** ⑤   **6** ③

1 ㄴ. 가장 젊은 신생대의 퇴적층(셰일)은 (가)의 최상단부에

위치해 있다.
ㄷ. 두 지역에서 산출되는 화석인 삼엽충, 암모나이트, 화폐석, 방추충은 모두 해양 환경에서 살았던 생물이므로 두 지역에서 화석이 산출되는 지층은 모두 해성층이다.

오답 풀이

ㄱ. (가)의 셰일층에서는 신생대의 표준 화석인 화폐석이 산출되고, (나)의 셰일층은 중생대의 표준 화석인 암모나이트와 고생대의 표준 화석인 방추충이 산출되는 석회암층 사이에 위치하므로 두 지역의 셰일은 동일한 시대에 퇴적된 것이 아니다.

2 지사학의 법칙을 이용하여 과거에 일어난 지질학적 사건의 발생 순서나 지층과 암석의 생성 시기를 상대적으로 적용하여 판단할 수 있다.
사암층과 석회암층이 수평으로 퇴적된다는 것은 수평 퇴적의 법칙으로, 사암층과 석회암층이 퇴적되고 오랜 시간이 지난 후에 새로운 퇴적층이 퇴적되었다는 것은 부정합의 법칙으로, 관입한 암석이 관입당한 암석보다 나중에 형성되었다는 것은 관입의 법칙으로 설명할 수 있다.

3 철수: 이 식물은 최초로 출현한 육상 식물로 포자로 번식하므로 양치식물이다.
영희: 대기 중의 산소가 증가하면서 오존량이 증가하여 오존층이 생성되었다. 오존층이 태양으로부터 오는 유해한 자외선을 차단하였기 때문에 지구상에 육상 생물이 출현할 수 있었다.

오답 풀이

민수: 양치식물은 고생대에 출현하여 고생대에 번성하였다.

4 ㄱ. 제주도는 태풍 진행 방향의 오른쪽 영역인 위험 반원에 위치하고 있다.

오답 풀이

ㄴ. (가)에서 태풍의 중심 기압은 26일 15시에 920 hPa로 가장 낮았고, 태풍이 발생한 20일 15시에 1000 hPa로 가장 높았다.
ㄷ. 27일 15시에 제주 지역에서는 북동풍이 불고 있었으므로 관측한 바람은 (나)의 ㉠이다.

5 학생 A: 당시의 기온과 강수량에 의해 나무의 나이테 사이의 간격에 차이가 나타나므로, 이를 통해 대략적인 당시의 기후를 알 수 있다.
학생 B: 빙하 속의 산소 동위 원소비($^{18}O/^{16}O$)는 온난한 기후에서는 증가하고 한랭한 기후에서는 감소하므로, 이를 통해 생성 당시의 평균 기온을 추정할 수 있다.
학생 C: 퇴적물 속에 보존되어 있는 꽃가루 화석을 연구하면 식물이 서식했던 당시의 기후 분포를 대략적으로 알 수 있다.

6 ㄱ. A는 북태평양 기단, B는 양쯔강 기단, C는 시베리아 기단이다. 따라서 '장마 전선을 형성하는가?'는 ㉠에 적합하다.
ㄷ. 기단 C(시베리아 기단)의 영향을 받을 때 우리나라 서해안 지역에 기단의 변질로 인해 폭설이 내릴 수 있다.

오답 풀이

ㄴ. 열대야는 한여름에 나타나는 기상 현상이므로 이때 우리나라는 주로 북태평양 기단(A)의 영향을 받는다.

1일 개념 확인 95쪽

1-1 (1) 강하게 (2) 강하다 (3) 적어
1-2 (1) A: 중위도, B: 적도, C: 고위도 (2) A (3) B
2-1 (1) 낮다 (2) 높다
2-2 (1) × (2) ○

1-1 (1) 저위도 해역에서는 혼합층과 심해층 간의 수온 차가 크기 때문에 수온 약층이 강하게 발달한다.
(2) 중위도는 저위도에 비해 혼합층이 두꺼우므로 저위도보다 중위도에서 바람의 세기가 강하다.
(3) 고위도는 태양 복사 에너지양이 매우 적기 때문에 혼합층과 심해층 간의 수온 차가 거의 없다.

1-2 (1) 표층 수온은 B > A > C이다. 따라서 B는 적도 해역, A는 중위도 해역, C는 고위도 해역이다.
(2) 혼합층은 A가 B보다 두꺼우므로 바람이 더 강하게 부는 해역은 A이다.
(3) 수온 약층이 가장 강하게 발달한 해역은 표층 수온이 가장 높은 B이다.

2-1 (1) 0° 부근에서는 강수량이 증발량보다 많아서 (증발량－강수량) 값과 표층 염분이 낮다.
(2) 30° 부근에서는 증발량이 강수량보다 많아서 (증발량－강수량) 값과 표층 염분이 높다.

2-2 (1) (증발량－강수량) 값은 위도 30° 부근 해역보다 위도 60° 부근 해역에서 더 작다.
(2) 표층 염분 분포는 대체로 (증발량－강수량) 값과 일치하므로 적도 부근 해역보다 위도 30° 부근 해역에서 더 높다.

1일 개념 확인 97쪽

3-1 A: 밀도, B: 수온
3-2 (1) C > B > A (2) C > B > A (3) A > B > C
4-1 (1) × (2) × (3) ○
4-2 (1) < (2) >

3-1 수온은 적도에서 고위도로 갈수록 대체로 감소하고, 밀도는 수온이 높을수록 대체로 낮아진다.

3-2 (1), (2) 수온 염분도에서 왼쪽 아래에 있을수록 수온과 염분이 낮다.
(3) 수온이 낮을수록, 염분이 높을수록 해수의 밀도가 크다.

4-1 (1), (2) 깊이에 따른 용존 산소량은 표층~1000 m까지는 감소하고, 1000 m~5000 m 사이에서는 증가한다.
(3) 극 지역의 찬 해수에는 산소가 많이 녹아 있으며, 이 곳에서 침강한 해수는 심해층에 산소를 공급한다.

4-2 (1), (2) 표층 해수의 용존 산소량은 수온에 반비례하므로 적도 해역보다 중위도 해역에서 높고, 난류보다 한류가 흐르는 해역에서 높다.

1일 기초 유형 연습 98~99쪽

1 ① **2** (1) C, B, A (2) 해설 참조 **3** (1) A: 밀도, B: 염분, C: 수온 (2) ⓒ **4** ④ **5** (1) (가) 겨울, (나) 여름 (2) 해설 참조 **6** ③

1 ㄱ. A는 주로 바람에 의한 혼합으로 형성된 혼합층이다.
오답 풀이
ㄴ, ㄷ. B는 가장 안정한 수온 약층이고, C는 연중 수온 변화가 거의 없는 심해층이다.

2 (1) 밀도는 수온이 낮을수록, 염분이 높을수록 크기 때문에 밀도는 C > B > A이다.
(2) A, 용존 산소량은 수온에 반비례하므로 A의 용존 산소량이 B의 용존 산소량보다 더 적다.

3 (1) 수심이 깊어질수록 수온은 감소하고, 밀도는 증가한다. 따라서 C는 수온, A는 밀도이며, B는 염분이다.
(2) 깊어질수록 밀도가 급격하게 증가하는 층이 안정한 층이므로 ㉠, ㉡, ㉢ 중에서 가장 안정한 구간은 ㉢이다.

자료 해설 ➕ 깊이에 따른 해수의 수온, 염분, 밀도 분포

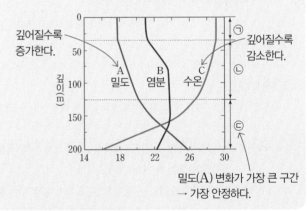

4 ㄴ. 증발이 일어나면 염분이 증가한다.
ㄷ. 결빙이 일어나면 염분이 빠져나오므로 주변 소금물의 염분은 증가한다.
오답 풀이
ㄱ. 증류수에는 염류가 없으므로 A 과정에서 염분이 감소한다.

5 (1) 우리나라 주변 해역에서 표층 염분은 강수량이 많은 여름철보다 강수량이 적은 겨울에 높게 나타난다.
(2) 우리나라에서는 여름에 강수량이 많기 때문이다.

6 ㄱ. 표층 수온은 C>A>B 이다. 따라서 C는 ㉠, A는 ㉡, B는 ㉢에 해당한다.

ㄷ. 해수의 용존 산소량은 표층 수온이 낮을수록 많으므로 B>A>C이다.

ㄴ. 수온 염분도에서 등밀도선의 수치는 오른쪽 아래로 갈수록 증가한다. 따라서 해수의 밀도는 B>A>C이다.

2일 개념 확인   101쪽

1-1 ㉠ 해들리, ㉡ 무역풍, ㉢ 페렐, ㉣ 간접, ㉤ 직접
1-2 (1) ○ (2) × (3) ○
2-1 (1) 한류: D, 난류: A, B, C (2) ❶ A ❷ C
2-2 (1) A, B, C (2) A: 저, 고, B: 고, 저, C: 서, 동

1-1 해들리(㉠) 순환은 위도 0°~30° 사이에서 일어나는 순환으로 지상에서는 무역풍(㉡)이 분다. 페렐(㉢) 순환은 위도 30°~60°에서 일어나는 순환이며, 극순환은 위도 60°~90°에서 일어나는 순환이다. 3개의 순환 중 해들리 순환과 극순환은 직접(㉤) 순환이고 페렐 순환은 간접(㉣)순환이다.

1-2 (1) A는 극순환이며, A에 의해 지상에서는 극동풍이 분다.
(2) B는 A와 C 사이에서 형성된 간접순환이다.
(3) C는 해들리 순환이며, C의 하강 기류가 나타나는 곳에 아열대 고기압이 발달한다.

2-1 (1) 난류는 A(북적도 해류), B(쿠로시오 해류), C(북태평양 해류)이고, 한류는 D(캘리포니아 해류)이다.
(2) A(북적도 해류)는 무역풍에 의해 동에서 서로 흐르고, C(북태평양 해류)는 편서풍에 의해 서에서 동으로 흐른다.

2-2 (1) A에는 쿠로시오 난류, B에는 캘리포니아 한류가 흐른다. C에는 남극 순환 해류가 흐른다. 따라서 A~C 해역의 표층 수온은 A>B>C이다.
(2) A에서는 저위도에서 고위도로 난류가 흐르고, B에서는 고위도에서 저위도로 한류가 흐른다. C에서는 편서풍의 영향으로 서쪽에서 동쪽으로 남극 순환 해류가 흐른다.

2일 개념 확인   103쪽

3-1 ㉠ 쿠로시오 해류, ㉡ 동한 난류, ㉢ 북한 한류
3-2 (1) C, D (2) A, B (3) B: 동한 난류, C: 북한 한류
4-1 (1) × (2) × (3) ○
4-2 (1) 북대서양 심층수 (2) 남극 저층수 (3) A<B

3-1 우리나라 주변에서 흐르는 난류의 근원은 쿠로시오 해류이다. 쓰시마 난류(대마 난류)로부터 갈라져 나와 동해안을 따라 북상하는 해류는 동한 난류이다. 연해주 한류의 지류로 북쪽 동해안을 따라 남하하는 해류는 북한 한류이다.

3-2 (1), (2) A~D 중 한류는 D(연해주 한류)와 C(북한 한류)이고, 난류는 A(쿠로시오 해류)와 B(동한 난류)이다.
(3) 동해에서는 동한 난류(B)와 북한 한류(C)가 만나 조경 수역을 형성한다.

4-1 (1) 적도 해역(A)에서는 심층에서 해수의 상승이 일어나고 극 해역(B)에서는 밀도가 커진 해수가 가라앉는다.
(2), (3) 표층수는 두께가 얇고 이동 속도가 상대적으로 빠른 편이고, 심층수는 두께가 두껍고 이동 속도가 상대적으로 느리다. 심층 순환은 지구의 에너지 평형에 중요한 역할을 한다.

4-2 (1), (2) A는 그린란드 해역으로 북대서양 심층수가 형성된다. B는 남극 대륙 주변의 웨델해로 남극 저층수가 형성된다.
(3) 해수의 밀도는 북대서양 심층수보다 남극 저층수가 크다.

2일 기초 유형 연습   104~105쪽

1 ③   **2** (1) 해설 참조 (2) 해설 참조   **3** ⑤   **4** ②   **5** (1) C, B, A (2) 해설 참조   **6** ③

---

1 ㄱ. 아열대 고압대는 해들리 순환의 하강이 일어나는 위도 30° 부근에 나타난다.

ㄷ. 지구 자전의 영향으로 북반구, 남반구에 각각 3개의 순환 세포가 형성된다.

ㄴ. A와 C는 열 대류에 의해 형성된 직접 순환이고, B는 A와 C 사이에서 형성된 간접순환이다.

2 (1) 수조의 물과 종이컵에 붓는 소금물의 밀도 차가 작아지므로 연직 순환이 더 약해진다.
(2) 수조의 물과 종이컵에 붓는 소금물의 밀도 차가 커지므로 연직 순환이 더 활발해진다.

3 ㄱ. 용존 산소량은 난류(A)가 한류(D)보다 낮다.

ㄴ. A, B, C는 난류이고, D는 한류이다.

ㄷ. 표층 염분은 난류(C)가 한류(D)보다 높다.

4 ㄷ. 운동화는 유실된 지점에서 북아메리카 해안까지 이동하였으므로 서쪽에서 동쪽으로 흐르는 북태평양 해류(A)의 영향을 받았다.

ㄱ. A는 편서풍에 의해 형성된 북태평양 해류이다.

ㄴ. B는 극동풍의 영향을 받는 알래스카 해류로, 아한대 순환을 형성하는 해류이다.

5 (1) 밀도가 높은 해수가 밀도가 낮은 해수보다 아래에 있으므로 해수의 밀도는 C>B>A이다.

(2) 연직 순환을 일으키는 주요 원인은 해수의 수온과 염분 차이에 따른 밀도 차이다.

자료 해설 ➕ 대서양의 심층 순환

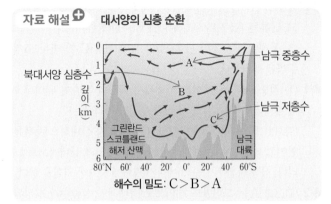

해수의 밀도: C>B>A

6 ㄱ. ㉠에서 북대서양 심층수 A가 형성되고, ㉡에서 남극 저층수 B가 형성된다.

ㄷ. A와 B는 모두 표층수가 가라앉아 생기므로 심층 해수에 산소를 공급해 주는 역할을 한다.

오답 풀이

ㄴ. 수온 염분도에서 해수의 밀도는 B가 A보다 높다. 따라서 B는 남극 저층수이고, A는 북대서양 심층수이다. B는 웨델해에서 가라앉은 후 대체로 북쪽으로 이동하고, 일부는 남극 대륙 주위를 순환한다.

3일 **개념 확인** 107쪽

1-1 (1) (가) 라니냐 시기, (나) 엘니뇨 시기 (2) (가)>(나)
1-2 (1) ㉠ 동, ㉡ 서 (2) 해설 참조
2-1 (가) 엘니뇨 시기, (나) 평상시, (다) 라니냐 시기
2-2 (1) (가) 엘니뇨 시기, (나) 라니냐 시기 (2) <

1-1 (1) (가)는 열대 태평양의 서쪽 연안에서 평상시보다 훨씬 강한 상승 기류가 나타나는 라니냐 시기에 해당한다. (나)는 열대 태평양의 중앙부에서 상승 기류가 나타나는 엘니뇨 시기에 해당한다.

(2) 무역풍의 세기는 (가) 라니냐 시기>(나) 엘니뇨 시기이다.

1-2 (1) 엘니뇨 시기에는 열대 태평양 동쪽 해역에서 용승이 약해져 표층 수온이 높게 나타나며, 열대 태평양 서쪽 해역에서 하강 기류가 우세해져 강수량이 감소한다.

(2) 페루 연안의 용승 현상은 엘니뇨 시기에 평상시보다 약해지고, 라니냐 시기에 평상시보다 강해진다.

2-1 동태평양 적도 부근 해역에서 표층 수온은 (가)>(나)>(다)이다. 따라서 (가)는 엘니뇨 시기, (나)는 평상시, (다)는 라니냐 시기에 해당한다.

2-2 (1) (가)는 표층 수온 편차가 (＋)이므로 평상시보다 표층 수온이 높은 엘니뇨 시기이고, (나)는 라니냐 시기이다.

(2) 라니냐 시기인 (나)에는 강한 무역풍으로 따뜻한 해수가 서쪽으로 더 많이 이동해 동서 방향의 해수면 경사가 커진다.

3일 **개념 확인** 109쪽

3-1 (1) (가) (2) 가뭄, 산불 (3) B
3-2 (1) A: 라니냐 시기, B: 엘니뇨 시기 (2) 평상시보다 강수량이 많다. (3) 평상시보다 표층 수온이 높다.
4-1 (1) 낮 (2) ❶ 낮 ❷ 상승 (3) ❶ 낮 ❷ 상승
4-2 (1) ○ (2) ×

3-1 (1) (가)일 때 열대 태평양 동쪽 연안에서 따뜻한 기후가 나타나므로 평상시보다 해수의 온도가 높은 엘니뇨 시기에 해당한다. 이와 반대로 (나)는 라니냐 시기이다.

(2) (가)의 엘니뇨 시기에는 서태평양에 위치한 A에서 강수량이 감소하여 가뭄, 산불 등의 피해가 나타난다.

(3) (나)의 라니냐 시기에는 동태평양에 위치한 B에서 하강 기류가 우세하게 나타난다.

3-2 (1) A일 때 서태평양과 동태평양의 수온 차가 평상시보다 크므로 라니냐 시기이고, B일 때 서태평양과 동태평양의 수온 차가 평상시보다 작으므로 엘니뇨 시기에 해당한다.

(2), (3) 라니냐 시기에 서태평양 적도 부근 해역에서는 상승 기류가 우세하여 강수량이 평상시보다 많고, 엘니뇨 시기에 동태평양 적도 부근 해역에서는 용승이 약화되어 표층 수온이 평상시보다 높다.

4-1 (1) 평상시에는 열대 태평양 서쪽의 다윈이 중앙 타히티보다 해면 기압이 낮다.

(2), (3) 라니냐 시기에는 다윈의 해면 기압이 평상시보다 낮아져 상승 기류가 우세해지면서 강수량이 많아진다. 한편 엘니뇨 시기에는 타히티의 해면 기압이 평상시보다 낮아져 상승 기류가 우세해지면서 강수량이 많아진다.

4-2 (1) A 시기에 타히티의 기압 편차가 (＋)이므로 평상시보다 해면 기압이 높다.

(2) B 시기에 다윈은 기압 편차가 (＋)이므로 해면 기압이 평상시보다 높아 하강 기류가 우세하다.

3일 **기초 유형 연습** 110~111쪽

1 ③ **2** 해설 참조 **3** ㉠ 라니냐 시기, ㉡ 엘니뇨 시기
4 ② **5** ② **6** ⑤

1 ㄱ. 동태평양 해역에서 따뜻한 해수층의 두께는 (가)가 (나)보다 두껍다. 따라서 (가)는 엘니뇨, (나)는 라니냐 시기이다.
ㄷ. 동태평양 해역에서 일어나는 용승은 라니냐 시기일 때 더 강하다.

오답 풀이
ㄴ. 동태평양 해역의 표층 수온은 용승이 약해지는 엘니뇨 시기일 때 더 높다.

2 동태평양 적도 해역의 해수면이 평상시보다 높은 것으로 보아 표층 해수가 동태평양쪽으로 이동한 엘니뇨 시기이다.

3 ㉠ 시기는 동태평양 기압이 서태평양 기압보다 높으므로 라니냐 시기이다. ㉡ 시기는 서태평양 기압이 동태평양 기압보다 높으므로 엘니뇨 시기이다.

4 ㄷ. 엘니뇨 시기에는 서태평양 해역에서 하강 기류가 우세하여 구름양이 평상시보다 적다.

오답 풀이
ㄱ, ㄴ. 동태평양 해역에서 따뜻한 해수층이 평상시보다 두꺼우므로 엘니뇨 시기이다. 이 시기에는 동태평양 해역에서 용승이 평상시보다 약하게 나타난다.

자료 해설 ➕ 따뜻한 해수층의 두께 편차

따뜻한 해수층의 두께 편차가
(−)이다.
→ 따뜻한 해수층이 얇다.
→ 엘니뇨 시기

따뜻한 해수층의 두께 편차가
(+)이다.
→ 따뜻한 해수층이 두껍다.
→ 용승이 약하다.
→ 엘니뇨 시기

5 ㄷ. (나)에서 우리나라 주변 해역의 수온 편차가 대체로 (−)이므로 우리나라 주변 해역의 수온은 평상시보다 낮다.

오답 풀이
ㄱ, ㄴ. (가)에서 동태평양 적도 부근 해역의 표층 수온이 평상시보다 높으므로 이 시기는 엘니뇨 시기이다. 엘니뇨 시기에는 서태평양에서 하강 기류가 우세하고, 동태평양에서 상승 기류가 우세하여 비가 많이 온다.

6 (가)는 평상시 대기 순환 모습이고, (나)는 엘니뇨 발생 시 대기 순환 모습이다. 평상시에 A 해역은 수온이 높고 B 해역은 수온이 낮다. 엘니뇨가 발생하면 따뜻한 해수가 동쪽으로 이동하고 동태평양 해역에서 용승이 약화되어 A 해역 수온은 하강하고 B 해역 수온은 상승하면서 두 해역의 표층 수온 차이는 평상시보다 작아진다.
⑤ 엘니뇨 시기에는 페루 연안의 용승이 약해진다.

4일 **개념 확인** 113쪽

1-1 (1) 외적 (2) 커진 (3) 작
1-2 (1) × (2) × (3) ○
2-1 (1) ○ (2) × (3) ×
2-2 (1) ❶ > ❷ < (2) 내적

1-1 (2) 자전축의 기울기가 커질수록 기온의 연교차가 커진다.
(3) 지구 공전 궤도 이심률은 원 궤도에 가까운 B가 타원형 모양의 A보다 작다.

1-2 (1), (2) (가)에서 북반구는 근일점일 때 겨울, 원일점일 때 여름이고 (나)에서는 원일점일 때 남반구가 여름이다.
(3) 북반구는 근일점일 때 겨울이 되는 (가)보다 원일점일 때 겨울이 되는 (나)에서 기온의 연교차가 크다.

2-1 (1), (2) 그림에서 화산 폭발이 일어난 직후부터 기온이 급격하게 낮아졌다. 이는 화산 폭발로 발생한 화산재 등이 지표에 도달하는 태양 복사 에너지를 차단했기 때문이다.
(3) 화산 분출은 기후 변화의 내적 요인에 해당한다.

2-2 (1) 극지방에서 빙하 면적은 1979년보다 2015년에 작다. 따라서 이 기간 동안 극지방의 평균 반사율은 감소하였고, 해수면의 높이는 증가하였다.
(2) 빙하 면적 변화는 지표면의 반사율을 변화시키므로 기후 변화를 일으키는 지구 내적 요인에 해당한다.

4일 **개념 확인** 115쪽

3-1 (1) 높았다 (2) 낮았다
3-2 (1) 30 % (2) ❶ < ❷ < ❸ =
4-1 (1) RCT 8.5 (2) RCT 8.5
4-2 (1) ○ (2) ×

3-1 자료에서 대기 중 이산화 탄소의 농도가 높을수록 대체로 지구의 평균 기온도 높았으며, 지난 40만 년 동안 지구의 평균 기온은 대부분 현재보다 낮았다.

3-2 (1) 태양 복사 100에서 대기와 지표에서 30이 반사되므로 지구의 평균 반사율은 30 %이다.
(2) 지표면이 흡수하는 태양 복사 에너지는 45단위이고, 지표면이 흡수하는 대기 복사 에너지는 88단위이다. 지표면에서 우주로 직접 방출되는 에너지는 4단위이고, 대기에서 우주로 방출되는 에너지는 66단위이다. 대기는 흡수하는 총 에너지와 방출하는 총 에너지가 같은 열수지 평형 상태이다.

4-1 두 기후 모형에서 지구의 평균 기온은 RCT 8.5 모형에서 더 많이 상승한다. 따라서 RCT 8.5 모형에서 미래 온실 기체 배출량은 더 많을 것이고, 해수면 높이도 더 높을 것이다.

4-2 (가)에서 한반도의 기온 변화율은 남한과 북한에서 모두 (＋)이다. (나)에서 강수량 변화는 남한에서는 대부분 증가하였으나, 북한에서는 강수량이 감소한 지역이 많이 분포한다. 따라서 고온 다습한 경향은 남한에서만 뚜렷하다.

6 ㄱ. 해수의 온도가 상승하면 해수의 열팽창으로 해수면이 상승하고 저지대가 침수되면서 육지의 면적이 감소한다.

오답 풀이

ㄴ. 대륙 빙하의 면적이 감소하면 빙하가 녹은 담수가 바다로 유입되어 해수의 부피가 증가하고 해수면의 높이가 상승한다.
ㄷ. 지구 온난화가 지속되면 반사율이 높은 대륙 빙하의 면적이 감소하므로 지표면의 반사율은 감소하게 된다.

4일 기초 유형 연습   116~117쪽

1 ④   **2** (1) (나), (라) (2) (가), (다)   **3** ①   **4** ⑤   **5** ④
6 ①

1 ㄱ. A일 때, 북반구에 위치하는 우리나라는 겨울철이다.
ㄷ. 13000년 후에 북반구는 A(원일점 부근)일 때 겨울이고, B(근일점 부근)일 때 여름이지만, 현재는 A(원일점 부근)일 때 여름이고, B(근일점 부근)일 때 겨울이다. 따라서 기온의 연교차는 13000년 후가 현재보다 크다.

오답 풀이

ㄴ. 지구 자전축의 경사 방향은 약 26000년을 주기로 회전한다.

2 (가)의 공전 궤도 이심률 변화와 (다)의 태양 활동 변화는 기후 변화 외적 요인에, (나)의 수륙 분포 변화와 (라)의 화산 활동은 내적 요인에 해당한다.

3 ㄱ. 지구 자전축의 경사각은 현재 약 $23.5°$이고, ㉠ 시기에 약 $22.3°$이다. 자전축의 경사각이 작을수록 연교차가 감소하므로 우리나라에서 겨울철 평균 기온은 현재가 ㉠ 시기보다 낮다.

오답 풀이

ㄴ. 기온의 연교차는 지구 자전축 경사각이 클수록 커진다. 따라서 현재가 ㉡ 시기보다 기온의 연교차가 작다.
ㄷ. 1년 동안 지구에 입사하는 태양 복사 에너지양은 자전축 변화와 관계없이 일정하다.

4 ㄱ, ㄴ. 이산화 탄소, 메테인, 이산화 질소는 모두 인간의 산업 활동에 의해 방출되는 대표적인 온실 기체에 해당한다.
ㄷ. 관측 기간 동안 세 기체 모두 증가하였으며, 그에 따른 온실 효과 증가로 지구의 평균 기온도 증가하였을 것이다.

5 ㄱ. A는 지표면에서 반사되는 태양 복사 에너지이다. 빙하는 반사율이 높은 지표의 상태이므로 빙하 면적이 넓어지면 A 과정이 활발해진다.
ㄷ. C 과정은 지구 복사 에너지 중 대기가 흡수하는 에너지를 나타낸 것이다. 따라서 C 과정이 활발해지면 대기가 지표로 에너지를 재복사하는 온실 효과가 강해진다.

오답 풀이

ㄴ. B 과정은 태양 복사 에너지 중 대기가 흡수하는 에너지를 나타낸 것이다. 이산화 탄소는 지구 복사 에너지를 잘 흡수하고 태양 복사 에너지를 통과시키는 온실 기체이다. 따라서 B 과정은 이산화 탄소에 의해 일어나지 않는다.

5일 개념 확인   119쪽

1-1 (1) $<$ (2) $>$
1-2 (1) ○ (2) ○ (3) ×
2-1 ㉠ B, ㉡ A, ㉢ M
2-2 (1) (나), (가), (다) (2) (다)

1-1 (1), (2) 별의 표면 온도가 높을수록 짧은 파장의 빛을 많이 방출하며, 에너지를 최대로 방출하는 파장이 짧다.

1-2 (1), (2) (가)는 가시광선 영역 중에서 파장이 짧은 빛을 더 많이 방출하고, (나)는 가시광선 영역 중에서 파장이 긴 빛을 더 많이 방출한다. 따라서 (가)는 파란색으로 보이고, (나)는 붉은색으로 보인다.
(3) 빈의 변위 법칙에 따르면, 별의 표면 온도와 최대 에너지 세기를 갖는 파장(λ_{max})은 반비례한다. λ_{max}은 (나)가 (가)의 4배이므로 표면 온도는 (나)가 (가)의 $\frac{1}{4}$배이다.

2-1 별의 분광형을 표면 온도가 높은 순서대로 나열하면 $O>B>A>F>G>K>M$이다. 따라서 ㉠은 B, ㉡은 A, ㉢은 M이다.

2-2 (1) 별의 표면 온도가 높은 것부터 분광형을 나열하면 O, B, A, F, G, K, M형이다. 따라서 세 별의 표면 온도는 (나)>(가)>(다)이다.
(2) 태양의 분광형은 G2형이다.

5일 개념 확인   121쪽

3-1 (1) ○ (2) ○ (3) × (4) ○ (5) ×
3-2 (1) × (2) ○ (3) ×
4-1 (1) T^4 (2) $4\pi R^2 \times \sigma T^4$ (3) 절대 등급이 낮을수록 광도는 크다.
4-2 (1) (가)>(나) =(다) (2) $\frac{1}{16}$배 (3) $\frac{1}{4}$배

3-1 (1) 1등급인 별은 6등급인 별보다 100배 더 밝다.

(2) 1등급 사이에는 약 2.5배의 밝기 차이가 있다.

(3) 절대 등급이 낮은 별일수록 실제로 밝은 별이다.

(4) 광도는 별이 단위 시간 동안 방출하는 에너지의 양이다.

(5) 별의 광도가 클수록 절대 등급이 작다.

3-2 (1) 절대 등급은 (가)<(나)<(다)이므로 광도는 (가)>(나)>(다)이다.

(2) 별의 표면 온도가 높은 것부터 분광형을 나열하면 A, F, G형이다. 따라서 표면 온도는 (다)>(가)>(나)이다.

(3) (나)별이 (다)별보다 5등급 작으므로 100배 더 밝다.

4-1 (1) 별이 단위 시간에 단위 면적당 방출하는 에너지양(E)은 표면 온도(T)의 4제곱에 비례한다.

(2) 반지름이 R인 별의 광도(L)는 별의 표면적($4\pi R^2$)과 별이 단위 시간 동안 단위 면적에서 내보내는 에너지양(E)을 곱하여 얻을 수 있다.

4-2 (1) 절대 등급이 작을수록 별이 방출하는 에너지양이 많으므로 광도가 크다. 따라서 별의 광도는 (가)>(나)=(다)이다.

(2) 별의 단위 표면적에서 단위 시간 동안 방출하는 에너지양은 표면 온도의 4제곱에 비례한다.

(3) 별의 반지름은 광도(L)의 제곱근에 비례하고, 표면 온도(T)의 제곱에 반비례한다.

$$L=4\pi R^2 \times \sigma T^4 \Rightarrow R \propto \frac{\sqrt{L}}{T^2}$$

광도(절대 등급)는 (나)와 (다)가 같고, 표면 온도는 (나)가 (다)의 2배이므로 반지름은 (나)가 (다)의 $\frac{1}{4}$배가 된다.

$$\frac{R_{(나)}}{R_{(다)}}=\frac{\sqrt{L_{(나)}}}{\sqrt{L_{(다)}}} \times \frac{T_{(다)}^2}{T_{(나)}^2}=1 \times \left(\frac{1}{2}\right)^2=\frac{1}{4}$$

(2) 별의 반지름을 R, 표면 온도를 T라고 할 때 별의 광도 $L=4\pi R^2 \times \sigma T^4$이다. 반지름은 A가 B의 $\frac{1}{4}$배, 표면 온도는 A가 B의 4배이므로 광도는 A가 B의 16배이다.

3 주계열성은 절대 등급이 작을수록 많은 에너지를 방출하고 별의 질량과 반지름이 크다.

ㄱ. 별의 광도는 절대 등급이 가장 작은 (가)가 가장 크다.

ㄴ. (나)는 분광형이 A형이므로 분광형 G형인 태양보다 표면 온도가 높다.

ㄷ. (다)는 분광형이 F형이므로 (가), (나)보다 표면 온도가 낮게 나타난다.

4 ㄱ. (가)는 분광형이 B이므로 청백색 별이다.

ㄴ. 별의 표면 온도는 분광형이 B인 (가)가 가장 높고, M인 (나)가 가장 낮다.

ㄷ. 태양의 분광형은 G2이므로 스펙트럼형은 세 별 중 (다)와 가장 비슷하며, 노란색으로 보인다.

5 (1) 별이 단위 시간 동안 단위 면적에서 방출하는 에너지양은 표면 온도의 4제곱에 비례한다. 따라서 표면 온도는 (나)가 (가)의 $\sqrt{2}$배이다.

(2) 별의 표면 온도는 (나)가 (가)의 $\sqrt{2}$배이고, 광도는 (나)가 (가)의 10^4배이다. 별의 반지름은 표면 온도 제곱에 반비례하고, 광도의 제곱근에 비례하므로 (나)가 (가)의 50배이다.

6 ㄱ. 백열등 빛을 파장에 따라 분해하면 (가)와 같은 연속 스펙트럼이 나타난다.

ㄷ. 형광등 빛을 간이 분광기로 관찰하면 (다)와 같은 방출 스펙트럼이 관측된다.

오답 풀이

ㄴ. 흑체는 모든 파장의 빛을 방출하므로 (가)와 같은 연속 스펙트럼이 나타난다.

5일 기초 유형 연습   122~123쪽

1 ③   **2** (1) 4배 (2) 16배   **3** ⑤   **4** ⑤   **5** (1) 해설 참조 (2) 해설 참조   **6** ③

1 ㄱ, ㄴ. 최대 에너지 세기를 갖는 파장은 A가 1.0 ㎛보다 짧고 B는 1.0 ㎛보다 길다. 따라서 빈의 변위 법칙으로부터 별의 표면 온도는 A가 B보다 높다는 것을 알 수 있다.

오답 풀이

ㄷ. 두 별은 지구로부터 같은 거리에 있으므로 겉보기 등급이 작은 B가 절대 등급도 작다. 따라서 광도는 A가 B보다 작다.

2 (1) 최대 에너지 세기를 갖는 파장은 표면 온도에 반비례한다. 그림에서 최대 에너지 세기를 갖는 파장은 A가 B의 $\frac{1}{4}$배이므로 표면 온도는 A가 B의 4배이다.

1주 누구나 100점 테스트   124~125쪽

1 ①   **2** ③   **3** ②   **4** ④   **5** ①   **6** ⑤   **7** ①
8 A: 자전축의 기울기 변화, B: 공전 궤도 이심률 변화   **9** 해설 참조   **10** ⑤

1 해수의 밀도는 수온이 낮을수록 염분이 높을수록 높다. 따라서 밀도는 A>B>C이다.

2 ③ 북태평양 해류는 편서풍에 의해 서에서 동으로 흐른다.

3 ㄷ. 심층 순환은 열에너지를 고위도로 운반하기 때문에 지구의 에너지 평형에 중요한 역할을 한다.

오답 풀이

ㄱ, ㄴ. 심층 순환을 일으키는 주요 원인은 수온과 염분 분포에 따른 해수의 밀도 차이다. 심층 순환은 표층 순환에 비해 훨씬 느리다.

4 ④ 동서 방향의 해수면 경사는 따뜻한 해수가 동쪽으로 이동하는 (가)의 엘니뇨 시기에 작아진다.

[오답 풀이]

① (가)는 동태평양 연안에서 따뜻한 해수층이 두껍게 나타나는 엘니뇨 시기에 해당한다.

② (나)의 라니냐 시기에 동태평양 연안에서 용승이 활발하다.

③ (가)의 엘니뇨 시기일 때, 서태평양 연안에서 가뭄과 산불 등이 자주 발생한다.

⑤ 무역풍은 (가) 엘니뇨 시기보다 (나) 라니냐 시기에 강하다.

자료 해설 ➕ **엘니뇨 시기와 라니냐 시기의 해수의 경계**

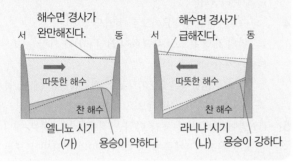

엘니뇨 시기 (가) 용승이 약하다   라니냐 시기 (나) 용승이 강하다

5 ㄱ. 온실 기체의 농도는 화석 연료 사용량이 많은 겨울철에 증가한다. 2010년 1월에는 북반구가 겨울철이므로 A는 30°N에 위치한 관측소이다.

[오답 풀이]

ㄴ. 2010년 1월에 이산화 탄소의 평균 농도는 북반구에 위치한 A가 남반구에 위치한 B보다 높다.

ㄷ. 이 기간 동안 기체 농도의 평균 증가율은 이산화 탄소가 메테인보다 크다.

6 ①, ② (가)는 북한 한류, (나)는 동한 난류, (다)는 쓰시마 난류이다.

③ (나)는 동한 난류로 겨울보다 여름에 강하게 나타난다.

④ (가)의 북한 한류와 (나)의 동한 난류가 만나는 동해에서는 조경 수역이 형성된다.

[오답 풀이]

⑤ 용존 산소량은 수온이 낮은 북한 한류가 수온이 높은 쓰시마 난류보다 높다.

7 ㄱ. A 시기 동태평양 적도 부근 해역에서 평상시보다 표층 수온이 높으므로 상승 기류가 우세하다.

[오답 풀이]

ㄴ. 무역풍은 동풍 계열의 바람이며, 엘니뇨 시기에 해당하는 A 시기에는 무역풍이 약해진다.

ㄷ. 엘니뇨 시기에는 동태평양 연안에서 용승이 약해지므로 영양 염류의 양이 감소한다.

8 현재 지구 자전축 기울기는 약 23.5°이다. 따라서 A는 자전축의 기울기 변화를, B는 공전 궤도 이심률 변화를 나타낸다.

9 a 시기에는 자전축의 기울기가 현재보다 크고, 이심률이 현재보다 작다. 자전축의 기울기가 클수록 기온의 연교차가 커지고, 이심률이 작을수록 북반구에서 기온의 연교차가 커지

므로 기온의 연교차는 현재보다 a 시기에 크다.

10 ① 광도가 가장 큰 별은 절대 등급이 가장 작은 B이다.

② 가장 밝게 보이는 별은 겉보기 등급이 가장 작은 A이다.

③ 표면 온도가 가장 낮은 별은 분광형이 F형인 B이다.

④ B는 절대 등급이 겉보기 등급보다 작으므로 10 pc보다 멀리 있고, C는 절대 등급과 겉보기 등급이 같으므로 거리가 10 pc인 별이다.

[오답 풀이]

⑤ 세 별 중에서 광도는 B가 가장 크고, 표면 온도는 B가 가장 낮다. 반지름은 광도가 클수록, 표면 온도가 낮을수록 크므로 B가 반지름이 가장 크다.

창의 · 융합 · 코딩　　126~131쪽

정답 　③

그림은 태평양에서의 바람의 분포와 표층 순환을 모식적으로 나타낸 것이다.

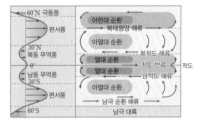

이 자료에 대한 설명으로 옳은 것만을 〈보기〉에서 있는 대로 고른 것은?

보기

ㄱ. 해양의 표층 순환은 대기 대순환의 영향을 받는다.　❶

ㄴ. 아열대 순환은 한류와 난류로 이루어져 있다.

ㄷ. 아한대 순환은 한류로 이루어져 있다.　　　　　❷

① ㄱ　② ㄷ　③ ㄱ, ㄴ　④ ㄴ, ㄷ　⑤ ㄱ, ㄴ, ㄷ

❶ 해양의 표층 순환 원리를 알아야 한다.
❷ 아열대 순환과 아한대 순환이 어떤 해류로 구성되었는지 알아야 한다.

❶ 해양의 표층 해류는 대기 대순환의 지상 바람과 마찰로 형성된다. 대기 대순환으로 지상에 특정 방향의 바람이 나타나고, 이 바람과의 마찰로 해류가 일정한 방향으로 흘러 표층 순환을 형성한다.

❷ 아열대 순환과 아한대 순환은 모두 저위도에서 고위도로 흐르는 난류와 고위도에서 저위도로 흐르는 한류로 구성되어 있다.

1 ③　**2** ⑤　**3** ④　**4** ⑤　**5** ③　**6** ②

1 ㄱ. 혼합층(A)의 두께는 30° 부근에서 가장 두껍고, 바람이 약한 적도에서는 상대적으로 얇다.

ㄷ. h 구간에서 수온 변화는 수온 약층(B)이 존재하는 30° N 지역에서 크고, 60°N 지역에서는 수온 변화가 거의 나타나지 않는다.

ㄴ. 수온 약층(B)에서는 연직 혼합이 거의 일어나지 않는다.

2 ㄱ. 자료에서 시베리아 고기압이 발달해 있으므로 1월의 풍향 분포이다.

ㄴ. A에서는 편서풍의 영향으로 남극 순환 해류가 서에서 동으로 흐른다.

ㄷ. B에서는 해들리 순환의 하강으로 형성된 아열대 고기압이 있다.

3 표층 수온이 상승하면 대기 하층 기온이 상승하면서 기층이 불안정해진다. 따라서 A는 불안정화이다. 불안정한 기층에서 상승 기류가 발생하고 저기압이 형성된다. 그러므로 B는 상승 기류이고 C는 저기압이다.

4 학생 A. 자전축의 경사각이 감소하면 북반구와 남반구에서 여름과 겨울에 태양의 남중 고도 차이가 감소하여 기온의 연교차가 감소한다.

학생 B. 화산재는 지표로 입사하는 태양 복사 에너지를 차단하는 역할을 한다.

학생 C. 도시화, 경작지 확대 등은 지표면의 반사율을 변화시킨다.

5 A. 화석 연료의 사용량이 증가하면 이산화 탄소를 포함한 온실 기체의 양이 증가한다. 대기 중 온실 기체의 농도가 증가하면 지구 온난화가 일어난다.

B. 지구 온난화가 진행되면 평균 기온이 상승하면서 대륙 빙하가 녹아 면적이 감소한다.

C. 대륙 빙하의 면적이 감소해 바다로 담수가 유입되고 해수의 온도가 상승하여 열팽창이 일어나면 해수면이 상승한다.

6 ㄴ. (나)는 태양보다 절대 등급이 1등급 작으므로 광도는 태양의 약 2.5배이다.

ㄱ. (가)에서 복사 에너지 세기가 최대일 때의 파장은 (가)가 태양보다 짧다. 따라서 별의 표면 온도는 (가)가 태양보다 높다.

ㄷ. (가)는 (나)보다 표면 온도가 높고, 광도가 작다. 별의 반지름은 표면 온도가 낮을수록, 광도가 클수록 크므로, (나)가 (가)보다 크다.

V. 별과 외계 행성계 ~ VI. 외부 은하와 우주 팽창

1일 개념 확인   137쪽

1-1 (1) (가) 백색 왜성, (나) 주계열성 (2) (나)
1-2 (1) (나) (2) (가)
2-1 (1) 짧 (2) 클 (3) 작아
2-2 (1) × (2) ○ (3) ○

1-1 (1) (가)는 H-R도에서 왼쪽 아래에 분포하는 백색 왜성이고, (나)는 H-R도에서 왼쪽 위에서 오른쪽 아래로 이어지는 대각선 상에 분포하는 주계열성이다.
(2) 태양은 주계열성이므로 (나)에 속한다.

1-2 (1) (가)는 주계열성, (나)는 초거성, (다)는 적색 거성, (라)는 백색 왜성이다. 따라서 (가)~(라) 집단의 평균 반지름은 (나) > (다) > (가) > (라)이다.
(2) 주계열성에 해당하는 (가) 집단에 속한 별들은 표면 온도가 높을수록 질량이 크다.

2-1 (1) 질량이 클수록 중력 수축이 빠르게 일어나므로 원시별이 주계열성이 되는 데 걸리는 시간이 짧아진다.
(3) 원시별이 주계열성으로 진화하는 동안 중력 수축이 일어나므로 반지름이 작아진다.

2-2 (1) 표에서 원시별의 질량이 작을수록 주계열성이 되는 데 걸리는 시간이 길다는 것을 알 수 있다.
(2) (가), (나), (다)는 모두 주계열성으로 진화하는 동안 중력 수축에 의해 중심부 온도가 상승한다.
(3) 주계열 단계에 머무는 시간은 별의 질량이 작을수록 길다. 따라서 (가), (나), (다) 중에서 (나)가 가장 길다.

1일 개념 확인   139쪽

3-1 (1) 반지름 증가, 표면 온도 감소 (2) B
3-2 (1) ○ (2) ○ (3) ×
4-1 (1) ㉠ 백색 왜성, ㉡ 중성자별 (2) (나) (3) (나)
4-2 (1) ○ (2) ○ (3) ×

3-1 (1) 주계열성에서 거성으로 진화하는 동안 별의 외곽부가 팽창하면서 별의 반지름은 증가하고, 표면 온도는 낮아진다.
(2) C의 수축으로 열에너지가 B에 전달되면 B에서 수소 핵융합 반응이 일어나고, 이로 인해 A는 팽창하게 된다.

3-2 (1) 이 별은 질량이 태양과 비슷한 별로, 주계열성에서 적색 거성으로 진화하고 있다.

(2) 진화하는 동안 H-R도에서 오른쪽 위로 이동하므로, 반지름이 증가한다.

(3) 중심부에서 수소 핵융합 반응이 일어나는 별은 주계열성이다. 이 별은 거성으로 진화하고 있으므로 중심부에서 수소 핵융합 반응이 일어나지 않는다.

4-1 (1) 행성상 성운을 거쳐 형성되는 ㉠은 백색 왜성이고, 초신성 폭발을 거쳐 형성되는 ㉡은 중성자별이다.

(2) (가)는 태양과 질량이 비슷한 별의 진화 경로이고, (나)는 태양보다 질량이 훨씬 큰 별의 진화 경로이다.

(3) 진화 속도는 별의 질량이 클수록 빠르므로 (나)가 (가)보다 진화 속도가 빠르다.

4-2 (1), (2) 이 별은 초신성 폭발을 일으키고 있다. 따라서 이 별의 질량은 태양보다 훨씬 크다.

(3) 이 과정을 거치면 중성자별 또는 블랙홀이 형성된다.

1일 기초 유형 연습

140~141쪽

1 ① **2** (1) A>B (2) 반지름 **3** ⑤ **4** ④ **5** (1) 해설 참조 (2) b, a, 태양, d, c **6** ③

1 ㄱ. (가)는 표면 온도가 낮고, 광도가 큰 적색 거성이다.

오답 풀이

ㄴ. (나)는 백색 왜성으로 세 별 중에서 표면 온도가 가장 높고, 광도가 가장 작다. 따라서 (나)는 H-R도에서 가장 왼쪽에 위치한다.

ㄷ. (가)는 적색 거성, (나)는 백색 왜성, 태양은 주계열성이다. 따라서 반지름은 (나)가 가장 작다.

2 (1) A는 B보다 주계열 상단으로 진화하므로 별의 질량은 A가 B보다 크다.

(2) A와 B는 모두 원시별에서 주계열성으로 진화하고 있다. 따라서 두 별에서 공통으로 감소하는 물리량은 반지름이다.

3 ㄱ. A와 B는 모두 주계열성의 오른쪽 상단에 위치하므로 거성이다.

ㄴ. C는 표면 온도가 20000 K, 광도가 태양의 10000배이므로 H-R도에서 주계열성에 해당한다.

ㄷ. D는 백색 왜성이므로 반지름이 가장 작다.

자료 해설 ⊕ H-R도와 별의 종류

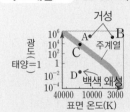

별	표면 온도(K)	광도
B	3500	100000
C	20000	10000

● 별의 반지름: B > A > C > D

4 ㄴ. (나) → (다)는 주계열에서 거성으로 진화하는 과정으로, 별의 반지름이 커지고, 밀도가 감소한다.

ㄷ. (다) → (라) 과정에서 행성상 성운이 형성되고 백색 왜성으로 진화한다.

오답 풀이

ㄱ. (가) → (나)는 원시별이 주계열성이 되는 과정으로, 별의 반지름이 작아지고 표면 온도가 높아진다.

5 (1) a, d, 태양은 주계열성, b는 초거성, c는 백색 왜성이다.

(2) 별의 반지름은 H-R도에서 오른쪽 상단으로 갈수록 커지며, 주계열성의 경우 표면 온도가 높을수록 크다. 따라서 별의 반지름은 b>a>태양>d>c이다.

6 ㄱ. (가)는 주계열성이므로 ㉡에 해당한다.

ㄴ. ㉠은 거성으로 (나)에 해당하고, ㉢은 백색 왜성으로 (다)에 해당한다. 백색 왜성은 거성 단계를 거친 이후에 형성되므로 별의 평균 연령은 ㉠이 ㉢보다 적다.

오답 풀이

ㄷ. (다)는 백색 왜성으로 행성상 성운 단계를 거쳐 형성된다.

2일 개념 확인

143쪽

1-1 (1) × (2) ○ (3) ○
1-2 (1) A: 중력 수축 에너지, B: 수소 핵융합 반응 (2) 중력 (3) 헬륨 원자핵
2-1 (1) 양성자·양성자(P-P) (2) 1000 (3) 질량
2-2 (1) CNO 순환 반응 (2) 탄소, 질소, 산소

1-1 (1) 수소 원자핵 4개가 헬륨 원자핵 1개로 융합하는 반응을 수소 핵융합 반응이라고 한다.

(2) 수소 원자핵 4개 질량의 합은 헬륨 원자핵 1개의 질량보다 크므로 반응 후 질량 감소가 나타난다.

(3) 주계열성의 중심부에서 수소 핵융합 반응이 일어나며, 이 반응으로 생성된 에너지가 주계열성의 주요 에너지원이다.

1-2 (1) A는 원시별이므로 중력 수축에 의한 에너지가 주요 에너지원이다. B는 주계열성이므로 수소 핵융합 반응에 의한 에너지가 주요 에너지원이다.

(2) 원시별의 표면에서는 중력의 크기가 기체 압력 차에 의한 힘보다 커서 크기가 작아진다.

(3) 별 B의 중심부에서는 수소 핵융합 반응이 일어나고, 이 반응으로 헬륨 원자핵이 생성된다.

2-1 (2) 수소 핵융합 반응은 주계열성의 내부에서 온도가 약 1000만 K 이상인 영역, 즉 중심핵에서 일어난다.

(3) 수소 핵융합 반응에서는 질량-에너지 등가의 원리에 따라 감소한 질량만큼 에너지로 전환된다.

2-2 (1), (2) 이 반응은 CNO 순환 반응이다. CNO 순환 반응에서는 탄소, 질소, 산소가 촉매 역할을 한다.

3-1 (1) 복사 (2) 태양 질량의 2배 이상이다.
3-2 (1) ○ (2) × (3) ○
4-1 (1) 크 (2) 헬륨 (3) 백색 왜성
4-2 (1) × (2) ○ (3) ×

3-1 (1), (2) 질량이 태양의 2배 이상인 별은 중심부에 대류핵이 존재하며, 대류핵 바깥쪽에 복사층이 있다. 따라서 A는 복사층에 해당한다. 대류핵에서는 대류로 에너지가 전달되고, 그 바깥에서는 복사로 에너지가 전달된다.

3-2 (1) (가)에는 핵 바깥쪽에 복사층과 대류층이 존재하므로 질량이 태양의 2배 이하인 별이다. (나)에는 핵 바깥쪽에 복사층만 존재하므로 질량이 태양의 2배 이상인 별이다.
(2) 태양의 내부 구조는 (나)보다는 (가)에 가깝다.
(3) 중심핵의 온도는 주계열성의 질량이 클수록 높으므로 (가)보다 (나)가 높다.

4-1 (1) 이 별은 태양과 비슷한 질량을 가진 적색 거성이다. 적색 거성은 주계열성인 태양보다 반지름이 크다.
(2) A층은 탄소핵을 둘러싼 영역으로, 헬륨 핵융합 반응이 일어난다.
(3) 이 별은 태양과 질량이 비슷한 적색 거성이므로 진화하여 백색 왜성이 될 것이다.

4-2 (1) (가)는 적색 거성, (나)는 초거성의 내부 구조이다. 따라서 별의 질량은 (가)가 (나)보다 작다.
(2) 적색 거성은 헬륨 핵융합 반응까지 일어날 수 있으므로 탄소핵을 만든다. 초거성 내부에서는 연속적인 핵융합 반응을 통해 최종적으로 철로 이루어진 핵을 만든다.
(3) (나)는 진화의 최종 단계에서 초신성 폭발을 일으키지만, (가)는 초신성 폭발을 일으키지 않는다.

1 ⑤   **2** (1) A: 기체 압력 차에 의한 힘, B: 중력 (2) (가) <, (나) =, (다) >   **3** ③   **4** ①   **5** (1) A층: 대류, B층: 복사 (2) 해설 참조   **6** ②

1 ㄱ, ㄴ. 반응에서 헬륨 원자핵이 형성되므로 이 반응은 수소 핵융합 반응이다. 별 X의 중심부에서 이 반응이 일어나고 있으므로 별 X는 주계열성이다. 주계열성에서는 질량이 클수록 광도와 표면 온도가 높다. X의 질량이 태양과 같다고 했으므로 이 별의 분광형은 태양과 같은 G형이다.
ㄷ. 수소 핵융합 반응이 일어나는 동안 질량이 감소하면서 에너지가 생성된다.

2 (1) A는 별의 중심부에서 바깥쪽으로 작용하는 기체 압력 차에 의한 힘이고, B는 별의 중심부로 작용하는 중력이다.
(2) 원시별은 진화하는 동안 반지름이 작아지므로 A보다 B가 크고, 주계열성은 크기가 일정하게 유지되므로 A와 B의 크기가 같다. 거성으로 진화할 때는 별의 반지름이 커지므로 A가 B보다 크다.

3 ㄱ. (가)는 CNO 순환 반응이다. CNO 순환 반응에서 ^{12}C는 촉매로 작용한다.
ㄴ. A에서는 (가)의 CNO 순환 반응이 우세하고, B에서는 (나)의 P-P 반응이 우세하다. 주계열성은 질량이 크고 표면 온도가 높을수록 (가)가 (나)보다 우세하게 일어난다. 따라서 별의 표면 온도는 (가)가 우세하게 일어나는 A가 B보다 높다.

ㄷ. 주계열 단계에서 머무는 시간은 질량이 작은 B가 A보다 길다.

4 ㄱ. (가)는 적색 거성이므로 주계열성인 태양보다 광도가 크다.

ㄴ. (나)는 초거성으로, 중심부에서 철까지 생성될 수 있다. 철보다 무거운 원소는 초신성 폭발 과정에서 생성된다.
ㄷ. 별의 중심부 온도가 높을수록 무거운 원소의 핵융합 반응이 일어날 수 있다. 따라서 중심부 온도는 (가)보다 (나)가 높다.

5 (1) 이 별은 질량이 태양과 비슷한 주계열성이므로 내부 구조는 중심핵 → 복사층 → 대류층으로 나타난다.
(2) 이 별의 중심핵에서는 P-P 반응과 CNO 순환 반응이 모두 일어나며, 두 반응 중 P-P 반응이 더 우세하다.

6 ㄷ. 이 별은 분광형이 G형이므로 태양과 질량이 비슷한 주계열성이다. 따라서 중심핵에서 CNO 순환 반응과 P-P 반응이 모두 일어나지만, P-P 반응이 더 우세하게 일어난다.

ㄱ. 이 별은 태양과 질량이 비슷한 주계열성이므로 ㉠은 복사층, ㉡은 대류층이다.
ㄴ. 헬륨 함량 비율은 수소 핵융합 반응이 일어나는 중심핵에서 가장 높다.

자료 해설 ⊕   **주계열성의 내부 구조**

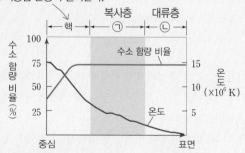

• 핵: CNO 순환 반응보다 P-P 반응이 우세하다.
• 수소 함량 비율이 핵에서 낮다 → 헬륨 함량 비율이 핵에서 높다.

1-1 (1) ○ (2) × (3) ×
1-2 (1) ❶ (다) ❷ (가) (2) 공전 주기
2-1 (1) ○ (2) × (3) ×
2-2 (1) (나) (2) (가), (다), (나)

1-1 (1), (2) 별이 A 부근을 지날 때, 별은 지구 쪽으로 가까워지고 행성은 지구로부터 멀어진다. 행성이 B′ 부근을 지날 때, 행성은 지구 쪽으로 가까워지고 별은 지구로부터 멀어진다.
(3) 별과 행성이 공통 질량 중심을 회전하는 주기는 같다.

1-2 (1) (가)일 때 중심별은 지구로부터 멀어지고, (다)일 때 중심별은 지구 쪽으로 가까워진다. 따라서 청색 편이가 나타나는 시기는 (다), 적색 편이가 나타나는 시기는 (가)이다.
(2) 별과 행성이 공통 질량 중심 주위를 회전하는 주기가 같으므로 중심별의 스펙트럼에서 파장 변화가 나타나는 주기는 행성의 공전 주기와 같다.

2-1 (1) 행성의 공전 주기는 식 현상이 반복되는 주기 T와 같다.
(2) 행성의 반지름이 클수록 중심별을 가리는 면적이 커지므로 A가 커진다.
(3) 행성의 공전 궤도면이 관측자의 시선 방향에 수직할 경우에는 식 현상에 의한 외계 행성 탐사가 불가능하다.

2-2 (1) 중심별의 밝기 감소 비율은 $\dfrac{\text{행성의 단면적}}{\text{중심별의 단면적}}$에 비례한다. 따라서 (가), (나), (다) 중에서 (나)가 중심별의 밝기 감소 비율이 가장 크다.
(2) 식 현상이 나타나는 주기는 행성의 공전 주기와 같다. 따라서 중심별의 밝기 감소 현상이 나타나는 주기는 (가)<(다)<(나)이다.

3-1 (1) A: 외계 행성계의 중심별, B: 외계 행성계의 행성 (2) 해설 참조
3-2 (1) × (2) ×
4-1 (1) 큰 (2) 시선 (3) 작은
4-2 (1) ○ (2) × (3) ×

3-1 (1) A는 외계 행성계의 중심별에 의해 나타나는 배경별의 밝기 변화이고, B는 외계 행성계의 행성에 의해 나타나는 배경별의 밝기 변화이다.
(2) 이 외계 행성계에 행성이 존재하지 않았다면 A의 밝기 변화만 관측되고, B의 밝기 변화는 관측되지 않았을 것이다.(행성이 존재하지 않을 경우 밝기 변화 그래프가 좌우 대칭으로 나타난다.)

3-2 (1) 미세 중력 렌즈를 이용한 외계 행성의 탐사에서는 배경별인 별 Y의 밝기 변화를 관측하여 행성의 존재 여부를 알아낸다.
(2) 별 X 주변에 존재하는 행성의 존재를 탐사하고 있으므로, 이 탐사 방법과 별 Y의 질량은 서로 관련이 없다.

4-1 (1), (3) 탐사 초기에는 주로 질량이 큰 행성들이 발견되었으며, 탐사 기술과 측정 장비가 개선됨에 따라 질량이 작은 행성들도 발견되었다.
(2) 현재까지 발견된 행성들은 대부분 시선 속도 변화와 식 현상을 이용하여 발견되었다.

4-2 (1) 외계 행성들이 발견된 중심별의 질량은 대부분 태양 질량의 0.8배~1.2배 사이이다.
(2) 질량이 큰 별 주변에도 행성이 존재한다. 하지만 중심별의 질량이 클수록 행성의 존재를 확인하기 어려우므로 질량이 큰 별 주변에서 발견된 행성들은 거의 없다.
(3) 행성의 질량이 클수록 발견하기 쉬우므로 현재까지 발견된 외계 행성들은 대부분 지구보다 크기가 큰 편이다.

01 ①   **2** (1) A<B (2) A   **3** ③   **4** ①   **5** (1) 해설 참조 (2) 미세 중력 렌즈 현상을 이용하는 방법   **6** ⑤

1 ㄱ. 현재 중심별이 지구로부터 멀어지므로 행성은 지구 쪽으로 접근한다.
[오답 풀이]
ㄴ. 중심별과 행성이 공통 질량 중심을 회전하는 방향은 같다.
ㄷ. 시선 속도를 이용하여 외계 행성을 탐사할 때, 행성의 공전 궤도면이 관측자의 시선 방향에 수직할 경우에는 별빛의 파장 변화가 나타나지 않으므로 행성의 존재를 알 수 없다.

2 (1) 행성에 의해 식 현상이 지속되는 시간은 중심별의 최소 밝기가 지속되는 시간에 비례한다. 따라서 식 현상이 지속되는 시간은 A<B이다.
(2) 행성의 반지름이 클수록 식 현상에 의한 중심별의 밝기 감소 비율이 크다.

3 ③ (가)는 식 현상을 이용하는 방법, (나)는 미세 중력 렌즈 현상을 이용하는 방법, (다)는 시선 속도 변화를 이용하는 방법이다.

4 ㄱ. 공전 궤도면이 관측자의 시선 방향과 나란하므로 식 현상을 이용하여 행성의 존재를 알 수 있다.
[오답 풀이]
ㄴ. 행성이 A₁을 지날 때 중심별은 지구로부터 멀어지므로 적색 편이가 나타난다.
ㄷ. 행성이 A₂를 지날 때 중심별의 청색 편이가 최대로 나타나므로 별빛의 파장은 행성이 A₂를 지날 때가 A₃를 지날 때보다 짧다.

자료 해설 ➕ 외계 행성계에서 시선 속도 변화

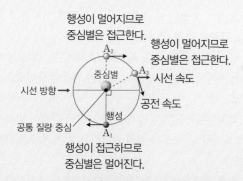

행성이 멀어지므로
중심별은 접근한다.
행성이 멀어지므로
중심별은 접근한다.

A_2
중심별 A_3 ← 시선 속도
시선 방향 →
공전 속도

공통 질량 중심
A_1
행성

행성이 접근하므로
중심별은 멀어진다.

- **행성이 A_1을 지날 때:** 중심별에서 적색 편이가 최대로 나타남
- **행성이 A_2를 지날 때:** 중심별에서 청색 편이가 최대로 나타남
- **행성이 A_3을 지날 때:** 중심별에서 청색 편이가 나타남

5 (1) 식 현상을 이용하려면 행성의 공전 궤도면과 관측자의 시선 방향이 나란해야 한다.

(2) 행성의 공전 궤도면과 관측자의 시선 방향이 이루는 각이 약 90°일 경우에는 미세 중력 렌즈 현상을 이용하는 방법을 이용할 수 있다.

6 ㄱ. 행성의 반지름이 클수록 중심별의 밝기 감소량이 크므로 행성의 반지름은 A<C<B이다.

ㄴ. 행성의 공전 주기가 길수록 식 현상이 나타나는 주기가 길어지므로 행성의 공전 주기는 A<B<C이다.

ㄷ. 세 행성의 공전 궤도면이 모두 관측자의 시선 방향과 거의 나란해야 식 현상이 일어날 수 있다.

4일 개념 확인 155쪽

1-1 (1) 타원 은하 (2) 정상 나선 은하 (3) 막대 나선 은하 (4) 불규칙 은하
1-2 (1) ○ (2) × (3) ○
2-1 (1) × (2) × (3) ○ (4) ×
2-2 (1) (가) 불규칙 은하, (나) 타원 은하, (다) 나선 은하 (2) ㉠ 낮음, ㉡ 없음

1-1 허블은 외부 은하를 가시광선 영역에서 관측되는 형태에 따라 타원 은하(A), 정상 나선 은하(B), 막대 나선 은하(C), 불규칙 은하(D)로 분류하였다.

1-2 (1) A 집단은 규칙적인 모양을 갖고 있는 은하이고, B 집단은 규칙적인 모양이 없는 불규칙 은하이다.

(2) C 집단은 타원 은하, D 집단은 나선 은하이다. 따라서 C와 D를 구분하는 기준은 나선팔의 유무이다.

(3) E 집단은 정상 나선 은하, F 집단은 막대 나선 은하이다. 따라서 E와 F를 구분하는 기준은 막대 구조의 유무이다.

2-1 (1) A는 타원 은하로, 다른 은하에 비해 성간 물질이 적다.

(2) B는 불규칙 은하로, 규칙적인 구조가 관측되지 않는다.

(3), (4) C는 막대 나선 은하이고, D는 정상 나선 은하이다. 우리은하의 구조는 막대 구조를 가진 C에 더 가깝다.

2-2 (1), (2) (나)는 주로 늙은 별로 이루어진 타원 은하이다. 따라서 성간 물질의 비율은 낮은 편이다. (다)는 은하 원반 구조를 갖고 있는 나선 은하이고, (가)는 불규칙 은하이다. 불규칙 은하는 규칙적인 구조가 없다.

4일 개념 확인 157쪽

3-1 (1) (가) 퀘이사, (나) 세이퍼트은하, (다) 전파 은하 (2) (가)
3-2 (1) (가) 가시광선, (나) 전파 (2) 전파 은하 (3) 제트
4-1 (가), (라)
4-2 (1) × (2) ○ (3) ○

3-1 (1), (2) (가)는 하나의 별처럼 보이는 퀘이사로 거리가 매우 멀어 적색 편이가 매우 크게 나타난다. (나)는 나선 은하로 관측되는 세이퍼트은하이고, (다)는 제트와 로브 구조를 가진 전파 은하이다.

3-2 (1), (2) (가)와 (나)는 차례로 전파 은하를 가시광선 영역, 전파 영역에서 관측한 모습이다.

(3) A는 은하 중심부에서 바깥쪽으로 방출되는 고에너지 입자의 흐름인 제트이다.

4-1 (가)와 (라)는 은하가 충돌하는 모습이고, (나)는 전파 은하, (다)는 불규칙 은하의 모습이다.

4-2 (1), (2) A와 B는 서로 가까워 중력에 의해 충돌한다.

(3) 은하가 충돌할 때 성간 물질이 모여 있는 곳에서는 기체가 압축되면서 새로운 별들이 탄생할 수 있다.

4일 기초 유형 연습 158~159쪽

1 ① **2** (1) (가) 타원 은하, (나) 막대 나선 은하 (2) 해설 참조
3 ③ **4** ⑤ **5** (1) (가) (2) 해설 참조 **6** ④

1 ㄱ. A 집단은 타원 은하이다. 타원 은하는 편평도(납작한 정도)에 따라 E0~E7까지 세분할 수 있다.

오답 풀이
ㄴ. B와 C를 구분하는 기준은 막대 구조의 유무이다.
ㄷ. 퀘이사는 특이 은하로 허블의 은하 분류 방식으로 분류할 수 없는 은하이다.

2 (1) (가)는 둥근 모양인 타원 은하이고, (나)는 나선팔과 막대 구조를 가진 막대 나선 은하이다.

(2) (가)는 성간 물질이 상대적으로 적어서 새로 태어난 젊은 별이 적은 편이지만, (나)는 (가)보다 성간 물질이 상대적으로 풍부하여 비교적 젊은 별을 많이 포함하고 있다.

3 ㄱ, ㄴ. 이 은하는 전파 영역에서 강한 전파를 방출하는 전파 은하이다. B는 핵의 양쪽에 대칭으로 나타나는 로브이다. 로브에서는 강한 전파가 방출된다.

오답 풀이

ㄷ. A는 은하 중심부에서 바깥쪽으로 방출되는 고에너지 흐름인 제트이다.

자료 해설 ➕ 전파 은하의 구조

가시광선 영상과 전파 영상의 합성

- **전파 은하**: 보통의 은하보다 수백 배 이상 강한 전파를 방출하는 은하 ➡ 핵에서 방출된 제트로 연결된 로브가 핵의 양쪽에 대칭으로 나타난다.

4 이 특이 은하는 나선 은하로 관측되고, 스펙트럼에서 폭이 넓은 방출선이 보이므로 세이퍼트은하이다.

5 (1) 적색 편이는 (가)가 (나)보다 훨씬 크다. 따라서 (가)는 퀘이사, (나)는 세이퍼트은하이다.
(2) (가)의 퀘이사는 하나의 별처럼 보이고, (나)의 세이퍼트은하는 중심핵이 매우 밝은 나선 은하로 관측된다.

6 ㄱ, ㄷ. 특이 은하의 중심부에는 모두 블랙홀이 존재할 것으로 추정하고 있고, 전파 은하는 전파 영역에서 방출하는 에너지양이 우리은하의 수백 배 이상이다.

오답 풀이

ㄴ. (나)의 퀘이사는 거리가 매우 멀어 적색 편이가 (가)와 (다)에 비해 훨씬 크다.

5일 개념 확인 161쪽

1-1 (1) ○ (2) ○ (3) ○
1-2 (1) 은하 (2) 점점 멀어진다. (3) 존재하지 않는다.
2-1 (1) × (2) × (3) ○
2-2 (1) 2.7 (2) 작 (3) 빅뱅 (대폭발)

1-1 (1) 멀리 있는 은하일수록 후퇴 속도가 빠르므로 스펙트럼에서 적색 편이가 크게 나타난다.
(2), (3) 그래프에서 거리와 후퇴 속도가 비례하는 경향이 나타나며, 그래프의 기울기는 허블 상수($=\dfrac{\text{후퇴 속도}}{\text{거리}}$)이다.

1-2 (1) 풍선 모형실험에서 스티커는 은하, 풍선 표면은 우주 공간에 해당한다.
(2) 풍선이 부풀어 오를수록 풍선 표면에 위치한 스티커 사이의 간격은 점점 멀어진다.
(3) 풍선이 부풀어 오를 때 모든 스티커가 서로로부터 멀어진다. 따라서 풍선 표면에서 특정한 팽창의 중심점은 존재하지 않는다.

2-1 (1), (2) 우주가 팽창하면서 은하 사이의 간격이 멀어지고 있으므로 우주의 밀도가 점점 감소하는 빅뱅 우주론 모형에 해당한다.
(3) 빅뱅 우주론에서 우주의 온도는 우주가 팽창할수록 낮아지므로 A가 B보다 온도가 높다.

2-2 (1) 현재 관측되는 우주 배경 복사의 평균 온도는 약 2.7 K에 해당한다.
(2) 우주 배경 복사는 관측 방향에 따라 극히 미세한 온도 차이가 있다.
(3) 우주 배경 복사는 빅뱅 우주론이 옳다는 중요한 증거들 중 하나이다.

5일 개념 확인 163쪽

3-1 (1) (가) 기존의 빅뱅 우주론, (나) 급팽창 이론 (2) (나)
3-2 A
4-1 (1) A: 보통 물질, B: 암흑 물질, C: 암흑 에너지 (2) A (3) B
4-2 (1) (가) 암흑 에너지, (나) 암흑 물질 (2) (가) 증가, (나) 감소

3-1 (1) (가)는 기존의 빅뱅 우주론이고, (나)는 A 시기에 우주의 팽창 속도가 급격하게 증가하는 급팽창 이론에 해당한다.
(2) (나)의 급팽창 이론은 기존의 빅뱅 우주론이 설명하기 어려웠던 우주의 지평선 문제를 설명할 수 있다.

3-2 A 시기에 우주의 팽창 속도가 급격히 증가하는 우주의 급팽창이 있었고, B 시기에는 물질의 영향으로 우주의 팽창 속도가 점점 감소하였다. C 시기에는 암흑 에너지의 영향으로 우주의 팽창 속도가 증가하였다.

4-1 (1) 현재 우주를 구성하는 요소들의 비율은 암흑 에너지(C)가 68.3 %로 가장 많고, 암흑 물질(B)이 26.8 %, 보통 물질(A)이 4.9 %를 차지한다.
(2) A에는 은하를 구성하는 별, 성간 물질 등이 속한다.
(3) B는 전자기파와 상호 작용하지 않지만, 질량을 갖고 있어 중력과 상호 작용한다.

4-2 (1) 현재 우주에서 가장 많은 비율을 차지하는 (가)가 암흑 에너지이고, 두 번째로 많은 비율인 (나)가 암흑 물질이다.
(2) 미래에 우주가 팽창할수록 암흑 물질과 보통 물질의 비율은 감소하지만, 암흑 에너지의 비율은 증가한다.

1 ⑤　**2** (1) 70 km/s/Mpc　(2) 30 Mpc　**3** ④　**4** ③
5 (1) 우주 배경 복사　(2) 해설 참조　**6** ④

1 ④　**2** ③　**3** ③　**4** ④　**5** ⑤　**6** ②　**7** ①　**8**
A＜B　**9** A: 탄소 원자핵, B: 철 원자핵　**10** ①

1 ㄱ. 적색 편이는 스펙트럼에서 관측된 수소 방출선의 파장과 고유 파장의 차이에 비례한다. 따라서 적색 편이는 (가)＜(다)＜(나)이다.

ㄴ, ㄷ. 적색 편이가 클수록 후퇴 속도가 크고, 허블 법칙에 따라서 우리은하로부터의 거리도 멀다. 따라서 후퇴 속도와 우리은하로부터의 거리는 (가)＜(다)＜(나)이다.

2 (1) A의 거리가 10 Mpc이고, 후퇴 속도가 700 km/s이 므로 허블 상수는 70 km/s/Mpc이다.

(2) 거리는 후퇴 속도에 비례한다. 후퇴 속도는 B가 A의 3 배이므로 거리도 B가 A의 3배이다.

3 ④ 정상 우주론에서는 팽창하는 우주의 온도와 밀도가 일정 하다고 주장하고, 빅뱅 우주론에서는 팽창하는 우주의 온도 와 밀도가 감소한다고 주장한다.

4 ㄱ, ㄴ. A는 급팽창 이론을 포함한 빅뱅 우주론이고, B는 정상 우주론이다. A에서는 우주 배경 복사가 전 우주에서 거의 균질한 이유(지평선 문제)를 설명할 수 있다. B의 정상 우주론에서는 우주 배경 복사의 존재를 설명할 수 없다.

오답 풀이

ㄷ. A에 의하면 우주가 팽창함에 따라 우주의 밀도가 감소하고, B 에 의하면 우주의 밀도가 일정하다.

5 (1) 우주 배경 복사는 하늘의 모든 방향에서 거의 균일하게 관측되는 복사 에너지로 약 2.7 K 흑체 복사에 해당한다.

(2) 우주가 팽창함에 따라 우주의 온도가 낮아지므로 λ_{max}는 점점 길어진다.

6 ㄴ. 현재 우주를 가속 팽창시키는 것은 암흑 에너지 A이다.

ㄷ. 우리은하에 포함된 물질의 양은 암흑 물질 B가 보통 물 질 C보다 훨씬 많다.

오답 풀이

ㄱ. 우주 배경 복사는 급팽창 이후에 형성되었다. ㉠일 때는 빅뱅 이 일어났다.

자료 해설 ➕ 우주 팽창과 우주 구성 요소

- 우주 배경 복사는 급팽창 이후에 형성되었다.
- 현재 우주는 암흑 에너지의 영향으로 가속 팽창하고 있다.

1 ④ 질량이 큰 주계열성일수록 진화가 빠르므로 수명이 짧다.

2 ③ (가)는 규칙적인 모양이 없는 불규칙 은하이고, (나)는 둥 근 모양을 가진 타원 은하, (다)는 나선팔이 존재하는 나선 은하이다.

3 ③ 현재 위치에서 별이 지구 방향으로 가까워지므로 청색 편 이가 나타난다.

오답 풀이

① 행성의 공전 방향은 별의 공전 방향과 같은 A이다.

② 공전 주기는 행성과 별이 같다.

④ 별의 질량이 작고, 행성의 질량이 클수록 행성의 존재를 확인하 기 쉽다.

⑤ 행성의 공전 궤도면이 시선 방향에 수직하면 도플러 효과가 나 타나지 않는다.

4 ④ (나)는 (가)보다 질량이 큰 주계열성이므로 중심부에서 CNO 순환 반응이 더 우세하게 일어난다.

오답 풀이

① 별의 광도는 (가)가 (나)보다 낮다.

② (가)는 질량이 태양의 2배 이하인 별이고, (나)는 질량이 태양의 2배 이상인 별이다.

③ 별의 중심부 온도는 (가)가 (나)보다 낮다.

⑤ (나)의 대류핵에서는 수소 핵융합 반응이 일어난다.

5 ㄱ. 그래프에서 외부 은하의 거리와 후퇴 속도는 비례하므로 거리가 먼 은하일수록 대체로 후퇴 속도가 크다.

ㄴ, ㄷ. 그래프의 기울기는 허블 상수이다. 거리가 20억 광 년인 은하의 후퇴 속도가 약 30000 km/s이므로 거리가 60 억 광년인 은하의 후퇴 속도는 약 90000 km/s이다.

6 ㄷ. 주계열성은 반지름이 크고 표면 온도가 높을수록 수명이 짧다.

오답 풀이

ㄱ, ㄴ. 밀도는 거성인 a가 가장 작다. 주계열성의 반지름은 표면 온도가 높을수록 크므로 c가 d보다 크다.

7 ㄱ. A로부터 멀어지는 속도는 가까이 있는 B가 멀리 있는 C보다 작다.

오답 풀이

ㄴ, ㄷ. 우주가 팽창함에 따라 우주의 밀도는 작아지고, 우주 배경 복사의 온도는 낮아진다.

8 A는 백색 왜성으로 진화하고, B는 중성자별로 진화하므로 별의 질량은 A가 B보다 작다.

9 A는 질량이 작아 헬륨 핵융합 반응까지 일어날 수 있다. 따 라서 진화의 최종 단계 직전에 중심부에 탄소핵이 존재한다. 한편, B는 질량이 커서 연속적인 핵융합 반응이 일어나 최종 적으로 철핵이 만들어진다.

10 ㄱ. A는 암흑 에너지로 척력으로 작용하여 우주를 가속 팽창시키는 역할을 한다.

오답 풀이

ㄴ. B는 암흑 물질로, 전자기파와 상호 작용하지 않는다.

ㄷ. C는 보통 물질이다.

창의 • 융합 • 코딩

168~173쪽

정답 ⑤

그림은 은하 A와 B의 관측 스펙트럼에서 방출선 (가)와 (나)가 각각 적색 편이된 것을 비교 스펙트럼과 함께 나타낸 것이다. (은하 A와 B는 동일한 시선 방향에 위치하고, 허블 법칙을 만족한다.)

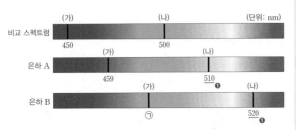

이에 대한 설명으로 옳은 것만을 <보기>에서 있는 대로 고른 것은?

― 보기 ―

ㄱ. 지구에서 은하까지의 거리는 B가 A의 2배이다.❷

ㄴ. ㉠은 468 nm이다.

ㄷ. 은하 B에서 A를 관측한다면, 방출선 (나)의 파장은 510 nm로 관측된다.

① ㄱ ② ㄴ ③ ㄱ, ㄷ ④ ㄴ, ㄷ ⑤ ㄱ, ㄴ, ㄷ

❶ 적색 편이와 후퇴 속도의 관계를 알아야 한다.
❷ 허블 법칙을 이용하여 후퇴 속도로부터 거리를 구할 수 있어야 한다.

❶ 적색 편이와 후퇴 속도는 서로 비례한다.

● 후퇴 속도$(v) = c \times \dfrac{\triangle\lambda}{\lambda_\circ}$, $(c$: 빛의 속도, $\triangle\lambda = \lambda - \lambda_\circ)$

❷ 허블 법칙에 따르면 외부 은하의 거리와 후퇴 속도는 비례한다.

● $v = H \times r$ (H: 허블 상수, r: 외부 은하의 거리)

ㄱ. 방출선 (나)의 파장 변화량은 B가 A의 2배이다. 따라서 적색 편이는 B가 A의 2배이고, 우리은하로부터 거리도 B가 A의 2배이다.

ㄴ. 방출선 (가)의 파장 변화량은 B가 A의 2배가 되어야 하므로 ㉠은 468 nm이다.

ㄷ. A와 B 사이의 거리는 지구와 A 사이의 거리와 같으므로 B에서 A를 관측하는 것은 지구에서 A를 관측하는 것과 같다. 따라서 방출선 (나)의 파장은 510 nm이다.

---

1 ① **2** ③ **3** ① **4** ④ **5** ② **6** ⑤

1 ㄱ. (가)는 시선 속도 변화를 이용하는 탐사 방법으로, 중심별과 행성이 공통 질량 중심을 회전하는 주기가 같기 때문에 중심별의 시선 속도 변화 주기는 행성의 공전 주기와 같다.

오답 풀이

ㄴ. 도플러 효과를 이용하는 탐사 방법은 (가)이다.

ㄷ. (가)와 (나)는 모두 행성의 공전 궤도면이 시선 방향과 수직할 경우에는 이용할 수 없다.

2 ㄱ, ㄴ. 별의 질량은 (가)가 (나)보다 크므로 주계열 단계에서 머무는 기간은 (가)가 더 짧다. 절대 등급은 적색 초거성이 적색 거성보다 작다.

오답 풀이

ㄷ. 진화 과정에서 철보다 무거운 원소가 생성될 수 있는 별은 초신성 폭발이 일어나는 (가)이다.

3 ㄱ. ㉠은 질량이 큰 주계열성이고, ㉡은 백색 왜성, ㉢은 태양과 질량이 비슷한 주계열성, ㉣은 적색 거성이다.

오답 풀이

ㄴ. (나)와 같은 내부 구조를 갖는 별은 질량이 큰 주계열성이므로 ㉠이다.

ㄷ. ㉠, ㉢, ㉣에서는 핵융합 반응이 일어나지만, 백색 왜성 ㉡에서는 핵융합 반응이 일어나지 않는다.

4 ㄱ. (가)에서 A는 암흑 물질, B는 암흑 에너지이다. (나)에서 ㉠은 암흑 에너지, ㉡은 암흑 물질, ㉢은 보통 물질이다. 따라서 A는 ㉡에 해당한다.

ㄴ. 암흑 에너지 B는 우주 팽창이 일어날 때 척력으로 작용한다.

오답 풀이

ㄷ. 우리은하에서 차지하는 비율은 암흑 물질 ㉡이 보통 물질 ㉢보다 많다.

5 ㄷ. A는 불규칙 은하, C는 정상 나선 은하이다. 성간 물질이 차지하는 양은 A가 C보다 많다.

오답 풀이

ㄱ. B는 규칙적인 구조가 있고 나선팔 구조가 없으므로 나선 은하가 아니라 타원 은하이다.

ㄴ. D는 막대 구조를 가진 막대 나선 은하로, 은하핵의 크기와 나선팔이 감긴 정도에 따라 SBa, SBb, SBc로 세분한다. 편평도에 따라 세분하는 것은 타원 은하(B)이다.

6 ㄱ, ㄴ, ㄷ. 빅뱅 우주론은 우주는 처음에 아주 작고 뜨거운 점에서 대폭발이 일어나 팽창하여 현재의 우주가 되었다는 우주론이다. 빅뱅 우주론에서는 우주 팽창에 따른 허블 법칙, 가벼운 원소의 비율, 우주 배경 복사를 설명할 수 있다. 따라서 먼 은하의 스펙트럼선에서 적색 편이가 나타나는 이유, 우주에서 관측되는 수소와 헬륨의 질량비가 약 3:1인 이유, 하늘의 모든 방향에서 거의 동일한 세기의 복사 에너지가 존재하는 이유를 빅뱅 우주론으로 설명할 수 있다.

고등 탐구 핵심 개념+문제 기본서

개념 이해에서 문제 해결까지!

내신 다:품 [통합사회]
[통합과학]

한 권으로 기초 끝

기초는 빠르지만 탄탄하게!
교과서 핵심 개념과 주요 내용을
쉽고 빠르게 학습할 수 있는 구성

시험 완벽 대비

시험에 꼭 나오는 핵심 기출 문제를
주요 주제 중심으로 집중 학습
기본은 꽉 잡고 시험은 완벽 대비

단계별 학습

개념 확인 문제와
창의·서술형 문제까지
차근차근 단계별 내신 정복

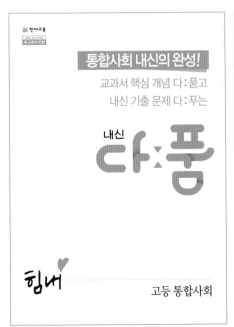

탐구 과목도 역시 다:품으로 시작!

정답은
이안에
있어!

시작은 하루 수능 영어

- **구문 기초**
- **유형 기초**
- **어휘·어법**

이 교재도 추천해요!

- 철자 이미지 연상 학습 어휘서 **3초 보카 〈수능〉편**

시작은 하루 수능 사회

- **한국사 기초**
- **생활과 윤리 기초**
- **사회·문화 기초**
- **한국지리 기초**

이 교재도 추천해요!

- 자기주도학습 기본서 **셀파 사회 시리즈**

시작은 하루 수능 과학

- **물리학Ⅰ 기초**
- **화학Ⅰ 기초**
- **생명과학Ⅰ 기초**
- **지구과학Ⅰ 기초**

이 교재도 추천해요!

- 자기주도학습 기본서 **셀파 과학 시리즈(물·화·생·지Ⅰ)**

배움으로 행복한 내일을 꿈꾸는
천재교육 커뮤니티 안내

. . .

교재 안내부터 구매까지 한 번에!
천재교육 홈페이지

천재교육 홈페이지에서는 자사가 발행하는 참고서,
교과서에 대한 소개는 물론 도서 구매도 할 수 있습니다.
회원에게 지급되는 별을 모아 다양한 상품 응모에도
도전해 보세요.

구독, 좋아요는 필수! 핵유용 정보 가득한
천재교육 유튜브 <천재TV>

신간에 대한 자세한 정보가 궁금하세요?
참고서를 어떻게 활용해야 할지 고민인가요?
공부 외 다양한 고민을 해결해 줄 채널이 필요한가요?
학생들에게 꼭 필요한 콘텐츠로 가득한 천재TV로 놀러 오세요!

다양한 교육 꿀팁에 깜짝 이벤트는 덤!
천재교육 인스타그램

천재교육의 새롭고 중요한 소식을 가장 먼저 접하고 싶다면?
천재교육 인스타그램 팔로우가 필수!
누구보다 빠르고 재미있게 천재교육의 소식을 전달합니다.
깜짝 이벤트도 수시로 진행되니 놓치지 마세요!